A FORÇA
ESTÁ COM VOCÊ

STEPHEN SIMON

A FORÇA ESTÁ COM VOCÊ
MENSAGENS DO CINEMA QUE INSPIRAM NOSSA VIDA

Tradução
Claudia Gerpe Duarte

CIP-BRASIL. CATALOGAÇÃO-NA-FONTE
SINDICATO NACIONAL DOS EDITORES DE LIVROS, RJ.

S618f

Simon, Stephen, 1946-
A força está com você / Stephen Simon; tradução Claudia Gerpe
Duarte. – Rio de Janeiro: Best*Seller*, 2007.

Tradução de: The Force Is with You
ISBN 978-85-7684-128-9

1. Cinema – Aspectos morais e éticos. 2. Cinema – Enredos, temas, etc.
I. Título.

07-2454

CDD: 791.43
CDU: 791.43

Título original norte-americano
THE FORCE IS WITH YOU
Copyright © 2002 by Stephen Simon
Publicado mediante acordo com Writers House LLC
e Hampton Roads Publishing Company, Inc.
Charlottesville, Virginia, EUA.

Capa: Sérgio Campante
Diagramação: ô de casa

Todos os direitos reservados. Proibida a reprodução,
no todo ou em parte, sem autorização prévia por escrito da editora,
sejam quais forem os meios empregados.

Direitos exclusivos de publicação em língua portuguesa para o Brasil
adquiridos pela
EDITORA BEST SELLER LTDA.
Rua Argentina, 171, parte, São Cristóvão
Rio de Janeiro, RJ – 20921-380
que se reserva a propriedade literária desta tradução

Impresso no Brasil

ISBN 978-85-7684-128-9

O Universo está se comunicando conosco?
Estamos dizendo alguma coisa a nós mesmos?
Seja como for...
Os filmes carregam mensagens místicas.

*Dedico este livro às minhas quatro filhas – Michele, Tabitha, Cari
e Heather – por me ensinarem o significado do amor
e por sua infinita paciência em me educar.*

Sumário

Agradecimentos	9
Prefácio de Neale Donald Walsch	13
Introdução Os navios de Magellan	17
Capítulo Um Reconhecendo um novo gênero	19
Capítulo Dois A realidade e o tempo	26

> MATRIX • 13º ANDAR • UMA MENTE BRILHANTE • VANILLA SKY • CIDADE DOS SONHOS • WAKING LIFE • DE CASO COM O ACASO • EM ALGUM LUGAR DO PASSADO • DE VOLTA PARA O FUTURO • DUAS VIDAS • ALTA FREQÜÊNCIA

Capítulo Três Aventuras visionárias	50

> 2001: UMA ODISSÉIA NO ESPAÇO • GUERRA NAS ESTRELAS • A HISTÓRIA SEM FIM • INDIANA JONES E OS CAÇADORES DA ARCA PERDIDA • HORIZONTE PERDIDO • O TIGRE E O DRAGÃO

Capítulo Quatro Inundações, incêndios, terremotos e tumultos	75

> SÍNDROME DA CHINA • SILKWOOD – O RETRATO DE UMA CORAGEM • LIMITE DE SEGURANÇA • O EXTERMINADOR DO FUTURO 1 E 2 • O PLANETA DOS MACACOS • ARMAGEDDON • IMPACTO PROFUNDO • 1984, O FUTURO DO MUNDO • THX 1138 • NO MUNDO DE 2020 • LARANJA MECÂNICA • WATERWORLD – O SEGREDO DAS ÁGUAS • O MENSAGEIRO

Capítulo Cinco A vida depois da vida	99

> O SEXTO SENTIDO • GHOST – DO OUTRO LADO DA VIDA • AMOR ALÉM DA VIDA • O CÉU PODE ESPERAR • DEPOIS DA VIDA • O CAMPO DOS SONHOS • ALUCINAÇÕES DO PASSADO • LINHA MORTAL

8   A FORÇA ESTÁ COM VOCÊ

Capítulo Seis Comédia   119

DR. FANTÁSTICO OU COMO APRENDI A PARAR DE ME PREOCUPAR E
AMAR A BOMBA • DOGMA • ALGUÉM LÁ EM CIMA GOSTA
DE MIM • UM VISTO PARA O CÉU • FEITIÇO DO TEMPO • BILL
E TED – UMA AVENTURA FANTÁSTICA

Capítulo Sete Alienígenas   136

INDEPENDENCE DAY • E. T. – O EXTRATERRESTRE • CONTATOS
IMEDIATOS DO TERCEIRO GRAU • STARMAN, O HOMEM DAS ESTRELAS
• CONTATO • COCOON • O PLANETA PROIBIDO • FINAL
FANTASY

Capítulo Oito Poderes e percepções desenvolvidos   153

FENÔMENO • ENERGIA PURA • O SOMBRA • VIAGENS
ALUCINANTES • BRAINSTORM

Capítulo Nove O tubo do medo   171

REDE DE INTRIGAS • MUITO ALÉM DO JARDIM • O SHOW
DE TRUMAN – O SHOW DA VIDA

Capítulo Dez Anjos   182

Capítulo Onze O poder do amor   186

NÁUFRAGO • SINTONIA DE AMOR • FORREST GUMP – O CONTADOR
DE HISTÓRIAS • UM HOMEM DE FAMÍLIA • A FELICIDADE
NÃO SE COMPRA

Capítulo Doze Desta vez, venceremos   202

Capítulo Treze Curso básico de produção   212

Capítulo Quatorze Os bastidores de *Em Algum Lugar do Passado*   224

Capítulo Quinze Além da câmera: *Amor Além da Vida*   251

Capítulo Dezesseis Sua vez   276

Posfácio de Richard Matheson   277

Agradecimentos

VOCÊ SE LEMBRA DE QUANDO ERA CRIANÇA E SEUS PAIS O PEGARAM COM um amigo tentando fazer alguma experiência científica maluca no quintal? Assumir a responsabilidade pelos extravagantes vôos da imaginação não é exatamente nosso ponto forte quando crianças, por isso, quase todos imediatamente concedemos o "mérito" da idéia ao amigo que estava conosco ou a qualquer criatura viva à vista. Assim surgiu a lenda "O cachorro comeu meu dever de casa". Não se trata exatamente de uma prática espiritual avançada, mas éramos crianças e quase todos crescemos bastante desde aqueles dias; mas quero deixar claro, desde já, que NEALE DONALD WALSCH ME OBRIGOU A FAZER ISTO!

Neale vinha conversando comigo havia semanas, tentando me convencer a escrever este livro, e, sinceramente, eu achava que ele tinha ficado maluco. Eu nunca havia escrito nada mais elaborado do que a lista de compras semanal, e mesmo isso era constantemente revisado pelas minhas filhas – o que não fazia dessas listas uma base sólida sobre a qual eu pudesse construir alguma coisa. Neale foi implacável. Ele realmente achava que eu deveria, simplesmente, me sentar e escrever, e, honestamente, é difícil dizer "não" a ele. Há alguns anos ele tem sido um grande amigo e uma fonte de inspiração. Nossa empresa, a Metafilmics, está trabalhando com Neale em versões filmadas dos seus livros *Conversando com Deus*, e vim a conhecer e respeitar não apenas seu trabalho, mas também o próprio Neale, como um cara realmente muito bacana.

Finalmente, um dia, Neale se recusou terminantemente a aceitar um não como resposta, e pensei com os meus botões que, talvez, devesse prestar mais atenção ao que ele estava dizendo. Afinal, quem era eu para contestar as suas "fontes"? Ele me deu um cronograma e algumas excelentes dicas sobre como escrever (do tipo: devemos sempre parar de escrever no meio de uma frase para saber exatamente onde começar no dia seguinte), e comecei a trabalhar. Neale disse que eu produziria o livro em dois meses. Comecei o primeiro rascunho em abril e terminei pouco menos de dois meses depois.

Esqueça E. F. Hutton. Quando Neale fala, eu escuto. E é o que também fazem muitas outras pessoas. Ele me inspira, inspirou este livro, e serei eternamente grato pelas duas coisas. Você tem alguma dica para o mercado de ações, Neale?

Como você viu, dediquei o livro às minhas quatro extraordinárias filhas. Sem seu amor e o espelho que elas seguram para mim, eu estaria perdido.

Muito obrigado e muito amor aos meus pais, Harriet e Armand Deutsch. A você, mamãe, por sempre me dizer o quanto sou amado, e a você, papai, por suas incríveis honestidade, sabedoria e dignidade.

À minha irmã caçula Susan Granger, obrigado pelo amor incondicional. Você é minha eterna heroína.

À nossa Mary Poppins texana, Blanca Chapa, obrigado por entrar em nossa vida. Você é um exemplo extraordinário e uma dádiva do Universo. Sem você, eu jamais teria sido capaz de criar essas jovens tão maravilhosas.

À incrível Lisa Schneiderman, obrigado pela orientação e por abrir meus olhos e o meu coração.

Ao dr. Stephen Renzin, com um grande reconhecimento pelos últimos 40 anos; você é o melhor e mais compreensivo amigo do Universo.

A Lee Stein, Kip Hagopian, Ron Bass, Nick Thiel, Jane Sindell, Michael Dellar, Don Granger, Greg Mooers, Dyanne Aponte, Nancy Walsch, Robert Evans, Tara Walsch, Paul Roth, Anthony Benson, Melissa Giovagnoli, Beverly Dennis e Harris Schoenfeld pela amizade duradoura, pela orientação e pela generosidade. Não fosse por vocês, eu não teria conseguido chegar aqui.

Ao meu guia espiritual e amigo querido Richard Matheson obrigado por ter me confiado seus esplêndidos livros e por me dar a oportunidade de aprender aos pés de um mestre.

A meu mentor e professor, Ray Stark, obrigado por meu primeiro emprego, por me ensinar, orientar, inspirar e deixar que eu começasse minha carreira com uma lenda viva.

A Gay e Katie Hendricks, com profunda gratidão por compartilharem e manterem a fé.

A Barnet Bain, obrigado pela aventura e pelo espelho.

A Robert Friedman, por acreditar em mim e neste livro... e por ser a pessoa mais digna e decente do mundo editorial.

A Annie, com gratidão, por me conduzir de volta aos rios da convicção.

A Arielle Ford e Brian Hilliard, obrigado pela orientação, pela amizade e pelo amor.

A Andrew Fogelson, obrigado pelo apoio e discernimento.

A Lisa Gerrard, obrigado pelo extraordinário talento artístico no CD *The Mirror Pool*. Devo tê-lo tocado centenas de vezes como inspiração para este livro, e ele parece renascer a cada vez que o escuto.

A Chuck e Amanda Weber, obrigado por serem minha constante inspiração.

Àqueles que se comunicaram comigo para falar dos filmes com os quais me envolvi ao longo dos anos – obrigado por me darem força e inspiração, não apenas para escrever este livro, como também para viver a vida com esperança e sonhos no coração.

Prefácio

SE VOCÊ GOSTA DE CINEMA, VAI AMAR ESTE LIVRO. SE AMA A VIDA, VAI adorá-lo. E se aprecia uma boa história, prepare-se, porque está prestes a ouvir algumas histórias magníficas.

Eu as chamo de "Histórias sobre histórias". São as histórias sobre a *criação* de histórias, e sobre o que algumas das nossas histórias mais populares têm reservado para *nós*, mesmo que não soubéssemos disso.

Esta, em especial, vai ser narrada por um maravilhoso amigo, que também é um dos principais contadores de história do planeta: Stephen Simon.

Stephen trabalha com a fantástica ferramenta dos filmes e é responsável por trazer ao mundo duas das histórias mais especiais já produzidas: *Em Algum Lugar do Passado* [*Somewhere in Time*] e *Amor Além da Vida* [*What Dreams May Come*]. Eu, ao lado de milhões de outras pessoas, fui instantaneamente cativado e eternamente arrebatado pela primeira, e a segunda me deixou sem fôlego.

Na qualidade de produtor desses filmes, Stephen levou a pura magia às telas e à minha vida. Trago essas histórias dentro de mim o tempo todo. Sabemos que ouvimos uma boa história, uma história *realmente* boa, quando não conseguimos esquecê-la. E essas duas são histórias que o coração não consegue esquecer, pois nos trazem mensagens que somente almas ancestrais poderiam imaginar, mas com as quais todas as almas se identificam profundamente.

Quando os assisti pela primeira vez, eu me perguntei se suas mensagens extraordinárias estavam sendo enviadas de forma consciente e deliberada, ou se haviam chegado à minha mente como mero produto final do processo de produção do filme, resultados involuntários de aventuras comerciais. Enquanto percorria meu surpreendente caminho na vida, tive a sorte de encontrar o produtor desses filmes, algo que nunca imaginei possível, e tive de descobrir.

E perguntei.

Não, os resultados definitivamente *não* eram involuntários.

Stephen (e seu co-produtor em *Amor Além da Vida*, Barnet Bain) estava *muito* consciente das incríveis mensagens dos filmes, e *por esse motivo as criou.*

Eu estava diante de um cineasta consciente, que escolheu conscientemente ajudar a *mudar a consciência do planeta* com seu trabalho. Hoje sinto orgulho por ter Stephen Simon entre meus amigos mais próximos, não por ele ser um produtor de cinema de Hollywood (Stephen nos permite ficar impressionados com isso por cerca de três minutos e meio), mas por ser um dos membros mais corajosos da família humana: escolheu ser um mensageiro, escolheu fazer a diferença, escolheu enxergar um mundo mais luminoso, uma verdade mais grandiosa e uma visão mais ampla, e que procura compartilhá-los com todos nós – não para que possamos perceber como o mundo *dele* é especial, e sim para nos motivar a levar essa qualidade especial até nós mesmos.

Estou me referindo a algo que gera conseqüências para toda a vida. Esses filmes carregam mensagens que modificam nossa realidade interior, e esse tipo de mudança transforma as experiências externas e pode modificar a experiência coletiva do planeta.

Certo dia, conversando com Stephen a respeito disso, começamos a fazer uma breve análise de quantos outros filmes que continham mensagens desconcertantes e capazes de modificar a consciência nos vinham à cabeça, passados poucos minutos a lista já estava bem longa.

Começando com *Matrix* [*The Matrix*] (um exemplo muito recente e eloqüente) e avançando para outros filmes contemporâneos, como *Duas Vidas* [*The Kid*] (um dos meus prediletos), *A Corrente do Bem* [*Pay it Forward*], *O Campo dos Sonhos* [*Field of Dreams*], *Cocoon* [*Cocoon*], *Alta Freqüência* [*Frequency*], *Feitiço do Tempo* [*Groundhog Day*], *Guerra nas Estrelas* [*Star Wars*], *13º Andar* [*The 13th Floor*], *Ghost – Do Outro Lado da Vida* [*Ghost*] e muitos outros, e depois para filmes mais antigos, como *Um Visto para o Céu* [*Defending Your Life*], *Ressurreição* [*Resurrection*], *O Fantasma Apaixonado* [*The Ghost and Mrs. Muir*], *O Fio da Navalha* [*The Razor's Edge*] e inúmeros outros, ficamos impressionados com a enorme relação de mensagens verdadeiramente significativas que conseguimos catalogar em um curto espaço de tempo.

No entanto, não ficamos particularmente surpresos com o fato. Sabemos que mensagens importantes e oportunas são constantemente enviadas *a respeito* da vida *para* a vida, e que as artes cênicas – inclusive o veículo impactante que é o cinema – estão entre os principais meios que o Universo utiliza para enviá-las. O entretenimento acaba sendo um grande sistema de entregas.

– Sabe, Stephen, você deveria escrever um livro a respeito disso! – deixei escapar de repente. – Estou certo de que as pessoas têm consciência, como nós, de que muitos filmes carregam uma mensagem sutil. Não seria maravilhoso que uma pessoa "de dentro" de Hollywood nos revelasse como isso é feito? E talvez até mesmo nos mostrasse algumas das mensagens místicas do cinema que talvez tenhamos deixado escapar?

– Não sei não – ele respondeu, hesitante. – Sou um produtor de cinema, não um escritor. Essa é a sua área.

– Ei – insisti –, se você consegue falar, consegue escrever! Além disso, quem melhor para contar essa história do que alguém que vem *criando* e *enviando* essas mensagens?

Ele pensou por um instante, e resolvi lhe dar mais uma razão:

– Stephen, o mundo precisa ouvir falar nisso. Precisamos reunir o que temos dito um para o outro – uma visão completa, divertida, animada, porém importante, das mensagens que os filmes têm nos enviado. Você é a pessoa certa para fazer isso. Na verdade, você é a pessoa *perfeita*.

– Hummm – ele murmurou, sorrindo –, talvez você esteja certo.

– Então, *vá em frente*.

– Meu Deus, não tenho *tempo* para escrever um livro – retrucou, novamente recuando. – Isso é loucura!

– Você está brincando? Pode escrever o livro em oito semanas. *Você sabe sobre o assunto*. Tudo que *queremos saber sobre o assunto*. Vamos lá, Stephen, pare de guardar segredos. Leve-nos para dentro. *Conte-nos tudo*.

Nesse momento, até mesmo Stephen começava a vislumbrar as possibilidades.

– Vamos fazer um trato – disse ele –, se eu escrever o livro, você vai ter de escrever o prefácio.

— Combinado! – exclamei, e apertamos as mãos.

— Oito semanas, hein? – ele comentou.

— Isso mesmo. Oito semanas. Dois meses e você terá um livro. Ele já está na sua cabeça. Basta colocar as palavras no papel.

Tudo bem, não foram oito semanas.

Foram dez.

Bem, o que vocês queriam de mim? Que previsse o dia e a hora?

O importante é que o homem sempre foi um grande fã e, portanto, um excelente aluno da produção de filmes; muito antes de se tornar um grande cineasta. Quem melhor do que ele para nos contar essas histórias sobre histórias?

Obrigado, Stephen, por entender a mensagem de que sua grande mensagem deveria ser uma mensagem para nós a respeito das mensagens que nos são enviadas pelos filmes. *Adoro este livro*. E gosto muito de você, meu camarada.

Neale Donald Walsch,
autor de Conversando com Deus

"Se você o construir, eles virão."
O Campo dos Sonhos

Introdução: Os navios de Magellan

SERÁ POSSÍVEL QUE CERTOS FILMES CONTENHAM MENSAGENS ESPIRITUAIS que nós ou o Universo transmitimos por meio do subconsciente coletivo e da mente inconsciente?

Acho que a resposta é sim.

Há quem diga que se seres de outras civilizações ou dimensões estivessem tentando nos ajudar a evoluir, eles usariam o entretenimento como sua principal ferramenta de ensino. Até mesmo os mestres mais talentosos entre nós fizeram isso. A arte de contar histórias sempre foi a ferramenta preferida dos xamãs e dos grandes mestres. Não por acaso Confúcio, Buda e Jesus foram brilhantes contadores de histórias.

Os grandes contadores de histórias de hoje são romancistas, editores, letristas, músicos, roteiristas e cineastas.

À medida que evoluímos como espécie, alcançamos certos momentos vitais nos quais os antigos costumes são descartados e novos mapas de comportamento são formados. Os filmes são o meio de comunicação mais eletrizante já concebido e o canal natural que nos incentiva a contemplar as eternas questões sobre quem somos e por que estamos aqui.

Perceber essa ligação eletrizou meus sentidos. Poderia esse entretenimento sob a forma de filmes estar, de maneira cósmica, refletindo para nós, nos cinemas escuros, as questões, os desafios e os anseios mais profundos da condição humana? Poderiam os filmes estar fabricando um caminho metafórico em direção aos segredos esquecidos da existência?

Se a resposta é sim, por que ninguém notou isso antes?

Acho que sei por quê.

Vou lhe contar – adivinha! – uma história. É a história da viagem de Magellan ao redor do mundo em 1519. A frota de imponentes barcos a vela de Magellan entrava nas baías das ilhas primitivas e os nativos ficavam simplesmente apavorados ao ver as enormes embarcações. Os padres a bordo levavam semanas para acalmar os nativos e conhecê-los um pouco.

Certo dia, a frota chegou à baía de uma ilha e, para surpresa de todos que estavam a bordo dos navios, os nativos na praia não prestaram a menor atenção às embarcações. Eles continuaram a exercer suas atividades diárias sem se preocupar nem um pouco com os invasores. Imagine pessoas entediadas em uma ensolarada tarde de domingo. Os habitantes da ilha simplesmente não estavam interessados.

Quando a tripulação de Magellan entrou nos botes e se aproximou da praia, os nativos finalmente reagiram, demonstrando ainda mais pavor do que os nativos de outros lugares. Correram, gritando, para o interior da ilha, e foram necessárias várias semanas e intermináveis grupos de busca para encontrá-los e depois lhes assegurar que estava tudo bem. Quando os padres finalmente os acalmaram e aprenderam sua língua, compreenderam algo extraordinário. Os nativos eram tão primitivos que não reagiram quando os navios entraram na baía – porque na verdade não conseguiam percebê-los fisicamente! Os navios estavam tão além da consciência deles que, literalmente, não foram enxergados.

Os filmes metafísicos e as mensagens que eles contêm são os navios de Magellan da indústria do cinema de hoje.

A tecnologia cinematográfica atual evoluiu tanto que não existe limite para o que podemos ver na tela. Estamos nos aproximando rapidamente de uma era em que todas as experiências da imaginação humana terão sido minuciosamente delineadas pela magia técnica do processo de produção dos filmes.

Existe, no entanto, um outro cenário que apenas começou a ser delineado: o do nosso mundo interior, onde tecemos sonhos sobre quem poderíamos ser enquanto humanidade se utilizássemos todo nosso talento.

Os navios de Magellan, agora conduzindo a carga das mais profundas questões e esperanças a respeito de nós mesmos, estão zarpando nas águas da consciência global da percepção humana. Os filmes são parte da vela mestra. Acredito que agora cabe a nós, que estamos no litoral, enxergar com novos olhos... e avistar um horizonte distante de evolução que começa a refletir os primeiros raios da alvorada.

"A vida é como uma caixa de chocolates.
Nunca sabemos o que vamos encontrar."
Forrest Gump – O Contador de Histórias

Capítulo Um

Reconhecendo um novo gênero

ACREDITO QUE O UNIVERSO ESTEJA NOS ENVIANDO MENSAGENS POR MEIO dos filmes ou, talvez, que enviamos essas mensagens a nós mesmos.

Ou as duas coisas. É uma questão de percepção. Alguns de vocês se sentirão mais à vontade com a idéia de que as mensagens estão vindo de fora, outros se sentirão mais fortalecidos percebendo sua origem em nossa própria consciência. Como consciência coletiva, a raça humana atinge, de vez em quando, um ponto crucial em determinadas questões ou desafios. Esse ponto quase nunca é consciente. Em geral, só reconhecemos o que aconteceu quando olhamos para trás.

É possível que *antes* de chegarmos a esse momento crítico a questão venha a ser expressa em um filme ou uma série de filmes que atuam como faróis para a nossa consciência e, na verdade, nessa postura?

Os filmes discutidos neste livro são uma resposta enfática e afirmativa a essa pergunta. Não têm, contudo, a intenção de ser uma lista definitiva. Já consigo prever os gritos de pessoas que consideram que outros filmes merecem ser incluídos aqui. Sei que estou deixando de fora obras que poderiam se qualificar nos parâmetros desta discussão. Existem vários motivos para essas omissões.

Em primeiro lugar, apesar dos meus esforços em contrário, posso ter involuntariamente deixado de examinar alguns filmes que poderiam ter sido incluídos. *Mea culpa*. Minha filosofia com relação aos filmes incluídos e àqueles excluídos é apropriadamente resumida por David Picker, um produtor que costumava dirigir a Paramount

Pictures. David era dono de uma maravilhosa filosofia a respeito dos filmes que produzia e dos que rejeitava: "Se eu tivesse rejeitado todos os filmes que produzi e produzido muitos daqueles que rejeitei, creio que o resultado teria sido o mesmo."

Em segundo lugar, omiti deliberadamente certos filmes devido à minha falta de intimidade com eles, por várias razões. Dizem que jamais deveríamos tentar contar uma piada que não considerássemos engraçada, pois será muito difícil fazer as pessoas rirem. Aqui sigo essa diretriz. Se não me identifico com a mensagem, não vou tentar explicá-la, porque sei que não lhe farei justiça. Esse também é um dos motivos pelos quais nunca fui um executivo de cinema muito bom. Os advogados do diabo são péssimos executivos. Se não sinto algo com o coração, não consigo vendê-lo.

Em terceiro, deixei de incluir muitos filmes não produzidos pelos Estados Unidos por duas razões. Uma é que não estou familiarizado com um grande número de filmes pouco divulgados no país. A outra é que quero que quase todos os filmes do livro tenham estado acessíveis à maioria dos leitores e espectadores.

Em quarto lugar, estou me concentrando em filmes amplamente reconhecidos e apreciados. Apesar de ter incluído alguns filmes talvez obscuros, repito, tentei focalizar as películas que podem ter sido assistidas por um número maior de leitores.

Quinto: excluí determinados filmes simplesmente porque eles, de algum modo, não parecem se enquadrar na minha proposta, apesar de terem me afetado bastante. Lindsay Anderson, por exemplo, dirigiu dois filmes fantásticos com cinco anos de intervalo entre um e outro – *If* [*If*], em 1968 (primeiro trabalho de Malcolm McDowell), e depois a sua "seqüela", *Um Homem de Sorte* [*A Lucky Man*], em 1973. São filmes fascinantes mas, por mais que tentasse, não consegui descobrir onde deveria encaixá-los.

Muitas dessas obras foram sucesso de bilheteria, outras, não. Ao longo dos últimos 30 anos, na sociedade ocidental, a quantia arrecadada por uma pessoa ou projeto deixou de ser *uma* das medidas de seu sucesso para se tornar praticamente a *única*. Se o seu objetivo é ganhar dinheiro e você falha nisso, creio que pode considerar a experiência um insucesso.

No entanto, nestas páginas, o sucesso é medido de maneira completamente diferente. Se o filme contém uma mensagem que se encaixa em nossa investigação, é um sucesso e merece ser registrado como tal. Alguns dos filmes mais extraordinários já produzidos, como *2001: Uma Odisséia no Espaço* [*2001: A Space Odissey*] e *A Felicidade não se Compra* [*It's a Wonderful Life*], não foram inicialmente um sucesso de bilheteria.

Organizei os filmes neste livro por categoria, e não em ordem cronológica, porque acredito que esta última implicaria um método dominante para a nossa consciência coletiva, no qual não acredito. Não creio que haja aqui uma espécie de plano abrangente e calculado. Acho que estamos evoluindo como espécie e elaborando as coisas à medida que avançamos. Acredito no livre-arbítrio, no destino *e* em Deus! Um paradoxo, não é mesmo? Na condição de metafísico, vivo mais e mais de cada dia no poderoso intervalo entre os pólos aparentemente contraditórios do paradoxo. Quanto mais eu me determino a não resolver, e sim apenas a ressoar no conflito interior de um paradoxo, mais poderosas se tornam as constatações e a resolução suprema.

No que diz respeito a que filmes colocar nas diversas categorias, só posso afirmar que mais cabelos grisalhos surgiram em minha barba em função desse dilema. Alguns filmes, como *Matrix* e *Final Fantasy* [*Final Fantasy – The Spirits Within*], poderiam facilmente se encaixar em mais de um capítulo, ao passo que outros, como *O Tigre e o Dragão* [*Crouching Tiger, Hidden Dragon*], quase resistem à categorização. Nos numerosos casos em que os filmes se encaixam em mais de uma categoria, incluí a discussão principal do filme no capítulo em que ele melhor se enquadra, e é onde ele está relacionado no sumário.

Você se lembra da cena de *Um Lutador* [*Rocky*] na qual Rocky explica a Adrian suas expectativas com relação à luta vindoura com Apollo Creed? Ele quer ir até o fim. Ninguém acredita que Rocky tenha sequer capacidade de subir ao ringue com Creed e por isso, em seu benefício, ele apenas deseja ter a experiência de tentar e não desistir. Isso se chama "administrar as expectativas". Essa foi uma idéia brilhante em *Um Lutador*, porque os espectadores não assistiram à luta com a expectativa irracional de que Creed teria que ir a nocaute para que todos ficassem satisfeitos.

Assim sendo, vamos administrar nossas expectativas aqui e agora.

Este não é um trabalho acadêmico nem uma investigação científica. Não sou qualificado para nenhuma dessas disciplinas e não me afirmo capaz de "provar" qualquer coisa. Não me iludo tentando pensar que estou certo e todos que discordam estão errados. Não sou um missionário metafísico, ou seja, minha intenção não é converter ninguém. Sou um produtor de filmes que adora cinema e produziu algumas obras nesse gênero, e apenas tenho uma opnião a respeito dos temas espirituais nos filmes. Espero que este livro seja divertido, cativante, pessoal e, pretendo, inspirador e estimulante. *Pessoalmente, estou "de saco cheio" de todas as situações calamitosas que parecem tão preponderantes no mundo moderno, e creio que as mensagens espirituais dos filmes estão, na verdade, nos conduzindo a um futuro belo e brilhante.* Se você se identificar com os comentários deste livro, eles talvez possam ser considerados uma visão intuitiva. Caso contrário, são apenas minha opinião pessoal.

Se isso não administrar (manipular?) suficientemente suas expectativas, espero sinceramente que aqueles de vocês que não encontrarem seus filmes prediletos discutidos nestas páginas entrem em contato comigo – e estou certo de que terei notícias suas. O Capítulo 16 descreve como você pode desenvolver sua experiência das mensagens espirituais contidas nos filmes que analisamos – e naqueles que omitimos.

Por que estou escrevendo isso?

Estamos em uma encruzilhada tanto em sociedade quanto em nossa indústria. Existe um profundo desejo de significado e esperança no mundo, de histórias que nos desafiem e nos estimulem a trazer à tona o que há de melhor em nós, que elevem nosso coração aos céus e nos encorajem a ser a pessoa que nascemos e evoluímos para ser. A arte de contar histórias sempre elevou nossa visão e nosso espírito. Já lutamos por tempo suficiente. Já morremos o suficiente. Já vivemos uma dor suficiente. Queremos ficar em paz com nós mesmos e com o mundo.

A experiência espiritual na arte pode abrir as portas da percepção. Lamentavelmente, a mecânica interna da indústria cinematográfica transformou-se de tal maneira que a arte de contar histórias quase desapareceu. Não é culpa de ninguém. Não existem responsáveis. Simplesmente aconteceu (e examinaremos um grande número de motivos mais adiante neste livro).

Existe agora uma grande oportunidade de regressarmos a um tipo clássico da arte de contar histórias nesse gênero não reconhecido de espiritualidade. Há uma nova consciência e uma receptividade a histórias que examinam profundamente o modo como nossa alma pode ser despertada e alimentada. Ao fazer isso, podemos criar um espaço para o reconhecimento da beleza e do poder das mensagens nos filmes e, depois, citando uma das minhas falas prediletas em *O Leão no Inverno* [*The Lion in Winter*]: "(...) em um mundo onde um carpinteiro pode ser ressuscitado, tudo é possível."

Grande parte disso é uma questão de fé. Por cerca de 400 anos a sociedade ocidental tem apoiado sua fé na ciência como árbitro das divergências. "Você pode provar o que está dizendo?" passou a significar "Você pode levar sua afirmação a um laboratório e demonstrá-la cientificamente?".

Só por diversão, vamos dar uma olhada em provas científicas atuais.

- Nos dias de hoje, a física quântica pode efetivamente provar que a cadeira na qual você está sentado, ou a cama na qual você está deitado, enquanto lê este livro, não é "real". Todos os objetos físicos são amálgamas muito instáveis de átomos que na verdade desafiam as restrições do espaço. Nossa consciência determina que eles sejam sólidos.
- Você conhece a antiga questão a respeito de o som de uma árvore que tomba na floresta quando não há ninguém para ouvir existir ou não? Muitos físicos quânticos de hoje afirmarão que não existe nenhum som e que, na verdade, se não houver ninguém para observar, não existirá nem mesmo a árvore ou a floresta!
- A ciência já provou para si mesma que as expectativas do observador efetivamente influenciam o resultado "objetivo" da experiência.
- A ciência de hoje demonstrou que a luz é um padrão de onda até ser observada, quando então se transforma em partículas: ou seja, ao ser percebida, muda de forma.

No entanto, expor tudo isso necessariamente significa alguma coisa para um cético? De jeito nenhum. Tampouco um teólogo arrebatado seria capaz de obter melhores resultados com uma pessoa muito envolvida com um ponto de vista científico. Na verdade, este *é* o ponto: nós vemos o que queremos ver.

E quatro séculos mais cedo, antes da Renascença, o pêndulo pendia exatamente na direção oposta. A Igreja era o árbitro da "verdade" e esperava-se que as pessoas aceitassem seus pronunciamentos como um "evangelho". Por conseguinte, o absolutismo esteve presente nas duas extremidades do espectro – na fé cega e absoluta no dogma da Igreja ou nos métodos científicos.

Parte do fascínio da vida moderna é que o pêndulo parece finalmente ter se acomodado em um ponto próximo ao centro. Ainda existe grande fé no aspecto espiritual, bem como profundo respeito pela ciência, mas nenhuma das duas ocupa posição dominante na sociedade ocidental, particularmente nos Estados Unidos. Estamos honestamente no paradoxal "intervalo" que já mencionei. Essa "zona crepuscular" é o ambiente humano ideal para a exploração.

Muitas pessoas hoje estão menos interessadas em "provar isso ou aquilo" para o mundo (o ego) e mais interessadas na jornada de descoberta (o chamado da alma para a aventura). Este livro, espero, é o reflexo dessas jornadas. Comecei a conduzir (não me considero um professor) seminários sobre o tema em 1995 porque o assunto me fascinava e eu achava que seria divertido e inspirador examiná-lo com um grande grupo. Aprendi muito nos últimos sete anos com esses seminários. Este livro é uma extensão desse processo. Considero tudo isso fascinante e, para mim, os filmes mencionados neste livro guardam grande inspiração e sabedoria.

Não me iludo pensando que o cinema só contém mensagens espirituais e evolutivas. Os filmes iluminam diferentes cenários da nossa psique. O melhor exemplo recente desse fato talvez seja *Traffic* [*Traffic*], que retrata esplendidamente as verdadeiras dúvidas (que acredito estarem aumentando) a respeito da chamada guerra do tráfico.

Embora as mensagens nos filmes tenham sido de fato um elemento essencial a Hollywood praticamente desde os primeiros filmes, as mensagens espirituais criaram um gênero à parte que ainda não foi reconhecido como tal. Esta é a novidade que estou apresentando. Não estamos reinventando a roda, mas sim reconhecendo uma nova marca registrada. Enquanto outros gêneros possuem seu próprio mecanismo e mensagens interiores, as jornadas espirituais dos filmes do último século não foram registradas. Até agora, o gênero nem mesmo foi reconhecido como tal. São esses sussurros espirituais e evolutivos que me deixam fascinado e motivado.

Até agora, nenhum dos estúdios ou entidades de produção de Hollywood reconheceu a espiritualidade como um gênero. Ela os amedronta, ou eles simplesmente não a percebem, e, muitas vezes, ambas as hipóteses são verdadeiras. Talvez este livro seja o início de uma decisão coletiva consciente para trazer os navios modernos de Magellan para o cais público e reconhecê-los como um gênero à parte. Por meio desse reconhecimento, as questões da nova espiritualidade que estão vivas hoje no mundo serão lançadas num mercado internacional e produzidas com sua integridade intactas.

Acredito que a espiritualidade seja, em si, um gênero de filme que já existe há décadas, mas que nunca foi taxado como tal. "Um navio de Magellan." Este livro é minha tentativa de compartilhar minha crença tanto na existência quanto na viabilidade desse gênero; além disso, tenho a convicção de que esses filmes guardam o segredo do próximo século no que diz respeito ao entretenimento.

Após 100 anos de produção cinematográfica, a maior parte do mundo exterior foi mapeada. É a nova fronteira do mundo interior que oferece mais possibilidades de descoberta, admiração e assombro.

O que *todos* esses filmes têm em comum?

Eles contêm aspectos esclarecedores da pergunta mais importante que fazemos a nós mesmos:

Por que estamos aqui?

"Quantos outros mundos simulados como a Terra existem?"
13º Andar

Capítulo Dois

A realidade e o tempo

TANTO A ESPIRITUALIDADE QUANTO A FÍSICA QUÂNTICA ESTÃO QUESTIONANDO hoje a suposta realidade do mundo que nos cerca. *Assim como nos anos 60 se "questionava a autoridade", hoje se "questiona a realidade". Estamos começando a compreender que a vida que vivemos pode, na verdade, ser uma ilusão elaboradamente formulada na qual representamos a evolução da nossa consciência. A grande pergunta, então, é: Uma ilusão elaborada por quem e com que objetivo? Deus? Nós mesmos? Uma consciência diferente? Todas as respostas anteriores ou nenhuma delas?*

Trata-se de um conceito tremendamente instigante porque põe em dúvida absolutamente *tudo*. Existe um precedente para essa convicção? Se existe, seria mais fácil explorar esse conceito. Existe algum aspecto da nossa vida cotidiana que aceitamos como algo absoluto mas que já tenha sido provado ser uma ilusão?

Existe.

O tempo.

A viagem no tempo exerce sobre nós um fascínio básico porque nos permite suspender as regras sob as quais funcionamos diariamente e fantasiar a respeito do que poderia ter sido e do que poderia ser; além disso, acho que ela ressoa em nosso coração porque agora sabemos que o *tempo em si é uma ilusão*. Ele não é real. *E essa* teoria foi cientificamente demonstrada pelo grande Albert Einstein.

A ilusão do tempo é um conceito difícil para muitas pessoas e eu nem vou tentar expor a prova científica da teoria. Simplificando, Einstein descobriu que o passado, o presente e o futuro existem simultaneamente e que é apenas nossa consciência que determina onde estamos nesse espectro em qualquer momento considerado. A física quântica já aceita esse fato há mais de 30 anos. Outro exemplo é que todo o trabalho da ciência espacial atual conduziu à inevitável conclusão de que as viagens interestelares *teriam* que envolver algum tipo de tecnologia que manipularia nossas teorias tradicionais a respeito do tempo e do espaço.

É compreensível, portanto, que viajar para trás e para a frente no tempo seja uma trama favorita para os filmes. Quase todos nós somos fascinados pelo conceito. E se pudéssemos voltar e ver, e talvez até mudar o passado? E se fôssemos capazes de enxergar o que nos guarda nosso futuro?

Em algum lugar dentro de nós, sabemos ou sentimos o poder inerente dessas possibilidades, e por isso a viagem no tempo parece ocupar um lugar tão especial em nossa imaginação.

Agora que sabemos, inclusive a partir de uma perspectiva científica, que o tempo é uma ilusão, o que dizer do conceito da realidade propriamente dita? Se nem mesmo o tempo é real, o que temos então?

Um grupo recente e crescente de filmes incorpora fascinantes saltos de fé a respeito da experiência humana que chamamos vida. Todos os filmes desse grupo de "realidade" foram produzidos nos últimos cinco anos. Apresentam, em essência, perspectivas profundamente revolucionárias sobre a natureza da realidade. Para mim, o fato de terem sido efetivamente produzidos, e de um deles ter ganho o Oscar de Melhor Filme em 2001, é um sinal muito promissor e positivo de que estamos de fato começando a fazer algumas perguntas muito importantes a nós mesmos que não havíamos formulado antes. O fato de quatro deles (Vanilla Sky [Vanilla Sky], Uma Mente Brilhante [Beautiful Mind], Waking Life [Waking Life] e Cidade dos Sonhos [Mulholland Drive]) *terem sido lançados em um único período de três meses no final de 2001 reflete claramente nosso crescente fascínio pelo questionamento da própria realidade (...) o que é um excelente prognóstico para o futuro.*

Parafraseando Shakespeare: "Algo maravilhoso está se aproximando..."

REALIDADE?

MATRIX

Matrix é um filme metafísico de ação e suspense brilhantemente concebido e elaborado. Superficialmente, é um filme de ação de ritmo acelerado e repleto de efeitos visuais. Debaixo da superfície, está presente uma mensagem metafísica de tirar o fôlego, quase sem precedente nas grandes produções de orçamentos milionários de Hollywood. Por esse motivo, o simples fato de *Matrix* ter sido produzido é um evento histórico.

Pense um pouco no seguinte: eis um filme que pede aos espectadores que aceitem o conceito de que a vida que estão vivendo não é real. Que não existe uma realidade objetiva. Que vivemos em uma experiência elaboradamente construída (embora, no caso, ela seja projetada por máquinas), na qual somos meros jogadores. Esse tipo de raciocínio, abstraindo-se o debilitante aspecto da máquina, situa-se na essência da metafísica. O fato de ele ter sido expressado em *Matrix* com um fantástico sucesso comercial e de crítica diz muita coisa a respeito de onde estamos enquanto humanidade na virada do século.

Hoje, um número suficientemente grande de pessoas compartilha esse conceito a respeito da natureza da nossa existência para que o processo seja exposto tanto em *Matrix* quanto em *13º Andar* (que será discutido a seguir), dois filmes com o mesmo conceito surpreendente. Para mim, isso demonstra que estamos sinalizando nossa presteza para avançar em direção a uma nova abertura diante das perguntas relacionadas à nossa existência.

Afinal de contas, a essência de *Matrix* é que estamos vivendo uma ilusão, que toda a estrutura da nossa vida cotidiana é uma ilusão elaboradamente construída. Essa não é a essência do pensamento metafísico? O fato desse filme ter sido produzido com um astro importante (Keanu Reeves), de um grande estúdio de cinema (Warner Brothers), demonstra o quanto evoluímos nos últimos 20 ou 30 anos. Esse conceito é tão ousado e ameaçador para a situação vigente (tanto na indústria do cinema quanto na sociedade como um todo) que precisamos examinar, com muita atenção, como o fato de ele ser retratado em um filme tradicional é realmente extraordinário.

Em primeiro lugar, esse tipo de mensagem espiritual é execrado nos estúdios de cinema de Hollywood, tanto pelos executivos da produção quanto pelos de marketing. Para a Hollywood tradicional, esses filmes nem mesmo se qualificam em uma categoria. Se a palavra "espiritualidade" for mencionada em uma reunião de estúdio, os olhos dos executivos ficam arregalados. Logo mudam de assunto ou apenas rejeitam a idéia como "não-comercial". Não quero que as minhas palavras soem como uma campanha contra essas pessoas, por que não são. Ao contrário do que grande parte do público percebe, quase todos os que trabalham em Hollywood são pessoas respeitáveis e bem intencionadas, que realmente gostariam de fazer a coisa certa diariamente. São boas pessoas.

O desafio é, simplesmente, o fato de que a nova espiritualidade, que se tornou tão preponderante no mundo, ainda não penetrou conscientemente nos corredores do poder de Hollywood. Os navios de Magellan refletiram tendências arraigadas na sociedade em vez de levar a sociedade a examinar novas maneiras de pensar. Isso não é bom nem mau. É apenas uma realidade.

A indústria do cinema parece ser sempre "a última a saber".

A indústria editorial, certamente, captou a situação. Os "livros visionários" são o setor que cresce mais rápido na história. A taxa de crescimento em 1999, nos Estados Unidos, foi de 25%, e a tendência continua. O clube do livro *One Spirit*, dedicado ao tema, é o maior e de mais rápido crescimento na história do setor. *A profecia celestina, Conversando com Deus*, os livros de Deepak Chopra, as obras de Richard Bach etc. são grandes sucessos internacionais. Mas não são apenas sucessos. São megabest-sellers em todo o mundo, com milhões de exemplares vendidos. Muitos de nós nos lembramos dos dias em que só era possível conseguir um livro sobre o assunto nas livrarias metafísicas e da Nova Era, e isso quando havia uma livraria desse tipo na nossa cidade. Hoje em dia, as livrarias tradicionais de qualquer cidade exibem grandes seções, geralmente perto da entrada da loja, exclusivamente dedicadas a títulos visionários.

A indústria musical também abraçou esse conceito visionário/inspiracional/Nova Era. Não faz muitos anos, encontrar esse tipo de música era um verdadeiro desafio em qualquer lugar. As lojas de discos, freqüentemente, não trabalhavam com essa categoria e, quando o faziam, colocavam os discos em caixas, na parte de trás da loja, e tínhamos sorte quando alguém no estabelecimento era capaz de nos dizer onde ficava a tal caixa. Hoje em dia, enormes empresas, como a Wyndham Hill e a Higher Octave, nos Estados Unidos, lançam um sucesso atrás do outro. As vendas de artistas como Yanni, Kitaro e Enya (e até mesmo artistas com *dois* nomes) atingem vários milhões de unidades. Nos últimos anos, trabalhos de artistas tradicionais como Madonna e Jewel trouxeram ao menos um tema espiritual e assim atingiram a categoria platina (mais de 1 milhão de unidades vendidas). Se você entra hoje em qualquer loja de CDs e pergunta pela seção da Nova Era, *todo* vendedor sabe onde ela está. Até mesmo grande parte da música destinada aos adolescentes contém temas profundamente espirituais. Artistas como Staind e Linkin Park estão gravando e vendendo música que fala diretamente à alma dos jovens. Se você costuma ficar desesperado por causa de grande parte da música para adolescentes dos nossos dias, ouça Aaron Lewis, o principal cantor e compositor dos Staind.

Mas, e a indústria do cinema? Ainda não. Os filmes são produzidos – de vez em quando. No entanto, não são percebidos como filmes espirituais. São encarados como comédias, aventuras, filmes de ação etc., que *podem* conter um tema ou uma mensagem espiritual, mas não são comercializados como tal; além disso, mesmo quando fazem sucesso (e geralmente fazem), não ganham uma seqüência. Tomemos, por exemplo, um filme de ação como *Duro de Matar* [*Die Hard*]. Quando esse filme foi um enorme sucesso, não apenas se desdobrou em vários produtos, como também gerou dezenas de imitações no gênero. Examinemos agora o sucesso mundial de um filme como *Ghost – Do Outro Lado da Vida*. Onde está a continuação? Não estou me referindo a seqüências propriamente ditas, mas a filmes como ele. Resposta: não houve. Como de costume, a indústria percebeu *Ghost* como outra anomalia. Apenas um filme singular que "por acaso" estabeleceu ligação com determinada audiência. Coincidência. Casualidade.

As pessoas que comercializam os filmes ainda têm medo de rotulá-los como o que são. Com o tempo, essa atitude acabará mudando e o gênero e sua vasta audiência serão reconhecidos separadamente. Mas, como isso ainda não aconteceu, o sucesso de *Matrix* é, de fato, fascinante, e um bom exemplo da questão do não-reconhecimento.

Você se lembra da campanha de marketing de *Matrix*? Houve alguma indicação do conceito fundamental? De jeito nenhum. Tratava-se de um excelente filme de ação e suspense, certo? A propósito, não há absolutamente nada de "errado" nisso. A comercialização do filme não foi deturpada, de modo que não se tratou de uma propaganda enganosa. Foi apenas incompleta. O filme foi vendido pelo que era na superfície, e isso funcionou. Minha experiência com os instrumentos de marketing do setor me levam a acreditar que os responsáveis pela comercialização de Matrix talvez nem mesmo se tenham concentrado no tema subjacente do filme. A partir de conversas com algumas das pessoas envolvidas no processo, sei que os executivos do estúdio não deram em nenhum momento atenção a isso. Os cineastas foram brilhantes na maneira como construíram o filme, que, obviamente, funcionava em um nível experimental, visceral, como um filme de ação. Na verdade, em muitos aspectos, ele é um filme de ação extremamente tradicional e violento com extraordinários efeitos visuais. (A mesma companhia – Mass Illusions/Manex – que preparou as partes do mundo pintado de *Amor Além da Vida* criou os efeitos para *Matrix* e, merecidamente, ganhou o Oscar por seu trabalho em ambos.)

A descoberta da mensagem espiritual subjacente foi deixada para a audiência, e isso é ótimo. O filme foi produzido, e o recado está lá: a realidade é subjetiva, não objetiva.

Em algum momento do futuro, a indústria do cinema alcançará tanto a cultura mundial quanto seus equivalentes nas indústrias literária e musical, e então esses filmes serão identificados pelo que são. Por enquanto, é formidável que *Matrix* tenha consumado o processo.

Quanto ao filme em si, a espinha dorsal da história é o mistério que envolve o que a matrix realmente é e por que os dirigentes da sociedade estão tão determinados a erradicar aqueles que possam pensar em descobri-lo. Uma maravilhosa metáfora para os aventureiros e mapeadores destemidos que procuram os mistérios da vida sem considerar os riscos pessoais colaterais. Neo, o personagem principal, interpretado por Keanu Reeves, é um homem em busca de algo que não consegue identificar. Não sabe por que anseia tanto por encontrar Morpheus, interpretado por Laurence Fishburne, mas está obcecado pela busca.

Quando Morpheus, efetivamente, entra em contato com Neo, e os dois se encontram, descobrimos que a matrix "está à nossa volta, que ela é a venda que foi colocada sobre nossos olhos para nos deixar cegos diante da verdade. Estamos vivendo aprisionados em nossa própria mente. A matrix não pode ser descrita por outras pessoas. Precisamos vê-la por nós mesmos".

Embora ser retratado como vítima de uma farsa não nos enalteça, esse não é o segredo do poder do conceito, tampouco é sua explicação derradeira: o mundo no qual Neo acredita estar vivendo não é real. Ele julga estar em 1999. Na verdade, encontra-se pelo menos 200 anos adiante. Nesse ínterim, a humanidade desenvolveu uma forma avançada de inteligência artificial que posteriormente "gerou" uma raça de máquinas cuja existência, segundo pensávamos, dependia da energia solar. Elas começaram a dominar o mundo, de modo que, julgando possuir a resposta, "incendiamos o céu" para desligar seu poder. Sem se deixar intimidar, as máquinas descobriram uma maneira de extrair energia do nosso corpo e também conseguiram desenvolver seus próprios seres humanos.

Morpheus explica a Neo: "A matrix é um mundo de sonho, gerado por computador e construído para nos manter sob controle, para que possamos, na verdade, ser uma fonte de energia destinada a manter acionadas suas máquinas."

Em determinado nível, essa afirmação dá mostras de um futuro sombrio e cataclísmico, seguido de perto por uma farsa cruel. Parece um pouco niilista, não é mesmo? Então, por que a considero tão estimulante? Ela questiona a natureza da realidade. Despreze as razões criadas para justificá-lo e o conceito se torna dolorosamente belo e radical.

O que é real? Essa é a mensagem crucial do filme: nós, simplesmente, não temos como saber.

Quando Neo é, por fim, conduzido à matrix, descobre que a vida que percebia nada mais era do que um programa elaboradamente concebido. A matrix não é o "mundo real". O mundo real é algo completamente diferente. Máquinas conscientes vão em busca daqueles que descobrem o segredo e estão procurando a localização da única "cidade real" que resta. Ela se chama Zion (nome interessante, não?), está situada no núcleo da Terra e nunca a vemos no primeiro filme da série. O restante da trama está em torno da lenta compreensão de Neo de que ele é "o" destinado a salvar a humanidade. Profetizado por um oráculo, ele é a reencarnação do primeiro homem que começou a descobrir a verdade sobre a matrix. Assim, também há um messias nesse novo mundo.

Como comentei anteriormente, questionar a natureza do que chamamos realidade é, ao mesmo tempo, uma mensagem poderosa e um fascinante avanço do cinema.

13º ANDAR

Curiosamente, outro filme com o mesmo conceito essencial foi lançado com um ano de diferença de *Matrix,* mas com um resultado de bilheteria totalmente oposto.

13º Andar é uma versão muito mais inovadora do mesmo conceito, sendo, lamentavelmente, um filme com o qual muitos de vocês podem não estar familiarizados. Entrou e saiu de cartaz nos Estados Unidos com muita rapidez. Embora o conceito central seja o mesmo de *Matrix,* o veículo de distribuição é extremamente diferente. Enquanto *Matrix* foi inteligentemente concebido como um filme de ação convencional, *13º Andar* é um drama pessoal sombrio e soturno baseado em uma experiência dentro de um programa de computador. Quando o patrocinador do programa é assassinado, seu protegido se torna o principal suspeito e, ao buscar "a verdade", entra no programa de computador. Lá dentro, os programadores criaram uma representação tridimensional de Los Angeles, mais ou menos da década de 1930.

Embora a trama se torne um pouco complicada, a essência da história é que dois dos "seres humanos" dentro do programa tomam consciência de que não são "reais". Quando sai do computador, o personagem principal descobre, em um maravilhoso momento que lembra a energia de um episódio do seriado de televisão *Além da Imaginação* [*Twilight Zone*], que o mundo no qual *ele* está vivendo também não é "real". Ao se ver diante da mulher, que ele sabe pertencer a um mundo "acima", por assim dizer, é informado de que existem milhares de mundos simulados, mas que o dele é o único que tentou simular outros.

Quando dois filmes com o mesmo conceito central surgem simultaneamente, sinto que algo poderoso deve estar em ação no Universo. À medida que ingressamos nesse novo século, nossa curiosidade a respeito de quem somos e do que deve ser essa experiência que chamamos vida parece atingir um clímax. Quando esse questionamento ganha substância, se expressa no mundo – para mim, no cinema. Não estou dizendo que os produtores e diretores de *Matrix* e de *13º Andar* estavam conscientemente expressando essa massa crítica; na verdade, a intenção consciente é, de certa forma, irrelevante. Ambos os filmes foram produzidos e lançados, e para aqueles entre nós que tentamos estar em sintonia com essas mensagens, a presença delas no mundo representa uma constatação estimulante de que estamos, de fato, avançando.

A mensagem clara de ambos os filmes é que estamos questionando a natureza da "realidade". Quando fazemos isso, ingressamos corajosamente no desconhecido, e nos tornamos receptivos ao poder ilimitado da nossa inocência.

UMA MENTE BRILHANTE

Ganhador (merecidamente) do Oscar de Melhor Filme de 2001, *Uma Mente Brilhante*, superficialmente, pode não parecer se encaixar nesta categoria... ou, para algumas pessoas, nem mesmo neste livro. Afinal de contas, trata-se de uma história sobre uma doença mental, certo? A "verdadeira" história do brilhante matemático John Nash, a descoberta da esquizofrenia e sua extraordinária capacidade de finalmente enfrentar seus demônios. Assim sendo, tendo em vista nosso propósito... o que uma coisa tem a ver com a outra?

Para mim, *Uma Mente Brilhante* representa bem mais do que uma história sobre os demônios de um homem; na verdade, ilustra extraordinariamente a essência deste capítulo: O que é "real" e o que é "ilusão"?

O filme narra a saga de Nash (brilhantemente interpretado por Russell Crowe) desde seus primeiros dias como aluno de Princeton ao supremo triunfo sobre a doença e à conquista do Prêmio Nobel. Como este não é um livro de crítica de cinema, não vou gastar mais tempo detalhando a trama porque o que me fascina no filme é o "estratagema" em torno do qual se passa a história.

Observamos Nash e seu colega de quarto em Princeton desenvolverem um forte vínculo de amizade, que perdura além da formatura, e também conhecemos um misterioso agente do FBI que recruta Nash para ajudá-lo a decifrar complicados códigos de guerra. O colega de quarto, posteriormente, volta com uma jovem sobrinha que encanta Nash. A seguir, abruptamente, Nash tem uma crise, e nós, o público, descobrimos que o colega de quarto, o agente do FBI e a menina são apenas produto da imaginação do matemático. Que eles simplesmente "não existem". Nunca existiram.

Trata-se de uma grande surpresa no filme! Fiquei completamente aturdido com essa reviravolta... como também ficaram muitos, talvez a maioria, que não conheciam a verdadeira história. Aquelas pessoas certamente pareciam "reais" – tanto para Nash como para nós. Nash interagia com elas como se fossem completamente "reais". Mesmo quando medicado, ele continuava a encontrá-las. Nunca desapareceram. Mesmo quando Nash ganhou o Prêmio Nobel, elas estavam "lá". *Somente a aceitação suprema de que aquelas entidades eram representações do seu subconsciente possibilitou que Nash conseguisse viver adequadamente no mundo. Não é uma metáfora perfeita para o processo de mobilizar todos os nossos seres interiores e, talvez, até os demônios?*

Quando estamos meditando... ou apenas pensando... encontrando o mundo... ouvimos vozes interiores que nos dizem como interpretar os eventos que acontecem todos os dias de nossa vida. Temos também certos encontros instigantes que ressoam profundamente com os acordes de nossa alma e nos fazem lembrar de momentos alegres e trágicos, de grande importância em nossa vida. Essas experiências diárias produzem diferentes reações. A lembrança de um evento profundamente traumático da infância pode nos pegar completamente desprevenidos e, de repente, em vez de nos comportar como adultos, reagimos como a criança que viveu aquela experiência provocadora. Nesses momentos, essas vozes dos diferentes aspectos de nosso ser são tão reais para nós quanto as dos colegas de trabalho, familiares e amigos. Na verdade, freqüentemente parecem até mais reais e insistentes. Podem até mesmo nos forçar a agir de determinadas maneiras que sabemos serem contrárias à nossa natureza. "O diabo me obrigou a fazer isso", certo?

Somente quando somos capazes de distinguir essas vozes e compulsões podemos funcionar a partir de um lugar interior de verdadeira paz. Vamos usar um exemplo simples. Vejamos uma criança que foi criada por um pai ou uma mãe com um gênio horrível, que gritava o tempo todo. Esse tipo de energia, vinda de uma pessoa que, aos olhos da criança, parece enorme e assustadora, pode ser aterrorizante e até mesmo traumatizante. De algum modo, a criança segue em frente, mas enfrenta grande problema quando é alvo da raiva de outras pessoas. O tempo passa, a criança cresce e, sob quase todos os aspectos, funciona bem no mundo dos adultos, exceto quando alguém fica zangado ou furioso com ela. Quando isso acontece, sem mesmo estar consciente do motivo, ela fica intimidada, assustada e ouve sua criança interior lhe dizer: "Fique quieta. Não revide. Se fizer isso, irá se magoar e poderá até morrer." Assim sendo, na idade adulta, essa pessoa, de algum modo, retrocede ao comportamento infantil. A criança interior assume o comando e determina suas reações.

Grande parte do nosso trabalho quando adultos em um caminho espiritual concentra-se no reconhecimento desses momentos nos quais nos sentimos arrebatados pelas experiências da infância. Aprendemos a olhar a situação de fora, reconhecê-los pelo que são e nos recusar a ter o comportamento que essas entidades assustadas parecem exigir de nós. Quando conseguimos fazer isso – no momento preciso –, sentimos grande paz, porque vencemos um medo. Ainda ouvimos as vozes, mas somos capazes de reconhecê-las e nos manter distantes. Além disso, para mim, essa é a mensagem central e poderosa do triunfo de John Nash.

A pergunta que estou prestes a fazer com relação aos dois próximos filmes é considerada um verdadeiro insulto em quase todas as conversas tradicionais sobre o cinema:

A confusão é algo muito ruim?

A palavra confundir é, na verdade, bastante neutra. A maioria dos dicionários fornece definições como "tornar pouco claro ou indistinto". Não existe nada de depreciativo nessa definição, mas "confusão" parece ter assumido um sentido extremamente negativo nos últimos séculos. Enquanto espécie, podemos ter nascido com dúvidas, questionando tudo o que víamos, por não termos conhecimento sobre tais coisas; no entanto, a era moderna, que teve início na revolução científica há cerca de 400 anos, parece ter deslocado a "confusão" para o lado negativo do livro contábil. Parece que chegamos à conclusão de que a incerteza é um conceito extremamente perigoso para a sociedade, e, por isso, todas as respostas precisam ser claramente definidas para nos sentirmos seguros. Por sorte, grande parte do desenvolvimento do novo pensamento nos últimos 40 anos começou a levar de volta a discussão da "confusão" para uma posição mais neutra, até mesmo positiva. A maior parte do treinamento metafísico e espiritual de hoje exalta a virtude da incerteza – o paradoxo do lugar "intermediário". Existe um grande poder em "não saber" e uma grande sabedoria em estar no lugar do "prestes a saber".

Einstein, muitas vezes, falou sobre a incapacidade do ser humano de compreender o Universo usando apenas a mente lógica. Muitos conceitos de "realidade" foram postos em dúvida nos últimos 50 anos, tornando inevitável que os filmes começassem a abordar nosso entendimento crescente de que a vida não é nem de longe tão simples e fácil de explicar como a era científica desejava nos fazer acreditar. No Capítulo 5, discutiremos o conceito da vida após a morte nos filmes, mas vale a pena observar que as pessoas que sobreviveram a situações de quase-morte narram histórias nas quais vivenciaram a vida de maneira completamente não-linear, saltando para a frente e para trás no tempo e no espaço. Parece que um número suficiente de pessoas – uma massa crítica – está pronta para aceitar que a vida é mais do que apenas uma linha reta do nascimento até a morte, e os filmes começam a refletir essa aceitação.

Tanto *Vanilla Sky* quanto *Cidade dos Sonhos* são, propositalmente, confusos. As narrativas não são lineares e precisamos prestar muita atenção o tempo todo para ter uma chance de entender ao menos um pouco do que está se desenrolando diante de nós. Isso fez com que ambos os filmes fossem considerados pela cultura predominante em Hollywood como tendo apresentado "resultados ruins" de bilheteria – o que pode ser resultado do Efeito Magellan que discutimos anteriormente.

Para mim, os dois filmes são aventuras e fascinantes intrépidas no desconhecido.

VANILLA SKY

Lançado nos Estados Unidos em 2001, creio que *Vanilla Sky* se revelará um dos filmes mais subestimados da década.

Assim como em *Cidade dos Sonhos*, é quase impossível descrever a "trama" do filme de forma comum. Superficialmente, a história gira em torno de David Aames (Tom Cruise), jovem herdeiro de uma fortuna editorial, que leva a vida de sonhos de um playboy jovem, rico e bonito (afinal de contas, estamos falando de Tom Cruise). Ele tem uma parceira sexual chamada Julie (Cameron Diaz, em um desempenho subvalorizado e dolorosamente vulnerável), que acaba tão obcecada por Aames e pelo fato de este não assumir um compromisso com ela, que comete suicídio, jogando o carro com os dois dentro em uma ribanceira. Aames é terrivelmente desfigurado e mutilado no acidente, mas sobrevive.

Logo antes do evento, Aames havia conhecido uma mulher bela e misteriosa chamada Sofia (Penélope Cruz), por quem ficara fascinado. Depois do acidente, Aames volta a encontrá-la em diferentes situações, algumas das quais são, obviamente, cenários de sonho, e outras parecem estar realmente acontecendo. Também vivenciamos uma narrativa paralela com um psicólogo solidário chamado McCabe (Kurt Russell), que entrevista Aames na cadeia – ele está sendo acusado de assassinato. Quem ele matou é outro mistério, porque, em determinado momento, parece ter sido Sofia, enquanto Aames tem a impressão de ter sido Julie. O terceiro ato do filme envolve uma câmara de gelo – Aames parece ter feito um contrato para ficar congelado até determinado ponto no futuro... o que pode ou não ser o que vamos encontrar no fim do filme.

Uau!

Confuso?

Ótimo. Bem-vindo ao novo milênio, quando parece que estamos, finalmente, à vontade com a idéia de que "não saber" é uma posição poderosa.

Cada pessoa interpreta *Vanilla Sky* de maneira ligeiramente diferente. O filme foi o tema da primeira coluna "MovieMystic" em março de 2002, e os comentários que recebi sobre as interpretações de leitores foram fascinantes – não houve praticamente dois comentários iguais.

Há uma cena vital no filme que merece ser mencionada aqui e é digna de um lugar especial no panteão dos filmes espirituais memoráveis.

Em determinado ponto do filme, Aames está tão confuso que parece perder o contato com qualquer vestígio de sua sanidade. Em um bar, é abordado por um homem misterioso que revela estar criando a vida que ele parece viver no momento. Para descartar a idéia, Aames declara com desdém: "Bem, se isso é verdade, quero que todas essas pessoas calem a boca!", e todas as pessoas no bar imediatamente se calam e ficam olhando para Aames. *Este é o melhor exemplo já visualizado em um filme da noção de que cada pessoa cria sua própria realidade!*

Assista ao filme. Mais de uma vez. Convide amigos para assisti-lo com você. E prepare-se para uma conversa fascinante.

CIDADE DOS SONHOS

David Lynch é um dos grandes diretores do cinema americano; é original e absolutamente único. Independentemente da sua opinião a respeito do trabalho de Lynch (*O Homem Elefante* [*Elephant Man*], *Veludo Azul* [*Blue Velvet*] e o incrível seriado de tevê *Twin Peaks*), você sabe que está assistindo a um filme desde a primeira cena. Seus filmes são marcados por humor... estilo... e atitude. A trama nunca parece ser tão importante quanto a experiência em si. Assim sendo, quando Lynch volta esse talento prodigioso para um filme a respeito da experiência da vida – e da morte –, os resultados são impressionantes.

Para muitos espectadores, *Cidade dos Sonhos* torna *Vanilla Sky* tão banal quanto um desenho do Papa Léguas. O filme parece quase uma homenagem à frase da imortal "Strawberry Fields", dos Beatles: "Nothing seems real" (Nada parece real). E podemos sentir a enorme alegria de Lynch ao criar esse tipo de humor.

Mais uma vez, não é preciso muito tempo para explicar os elementos imediatos da "trama". Uma jovem (Laura Elena Harring), aparentemente, escapa de uma tentativa de assassinato em um acidente de carro na Mulholland Drive. (Estrada que serpenteia as colinas de Los Angeles que separam o Vale San Fernando da parte oeste da cidade. Com uma vista de toda a área de Los Angeles – em uma rara noite clara –, Mulholland Drive sempre foi o "caminho de amor" em Los Angeles, aonde as pessoas vão, estacionam e "se associam", por assim dizer.) Com amnésia, Laura entra por acaso em um apartamento aparentemente vazio, onde logo encontra Betty (Naomi Watts), moça insignificante, recém-chegada a Los Angeles na tentativa de se tornar uma atriz rica e famosa. Juntas, decidem descobrir quem realmente é Laura, que assume o nome de "Rita".

Tudo bem, mas mesmo o que acabo de descrever pode não ser exato, porque o restante do filme se desenrola de maneira completamente não-linear e não há meios de se descrever com clareza o que acontece. O filme nos apresenta personagens lynchianos, aleatórios e excêntricos, uma versão espanhola da imortal música "Crying", de Roy Orbison, que nunca esqueceremos, sexo apaixonado e reviravoltas suficientes para fazer inveja a uma montanha-russa.

Lynch recusa-se a falar a respeito da sua interpretação do filme, e agradeça-o por isso. Se você não assistiu ao filme, talvez prefira parar de ler neste ponto e alugá-lo... isso porque vou apresentar a interpretação do que o filme me parece ser. Não do que o filme é; apenas do que ele me diz. Aqueles que não assistiram ao filme, por favor, parem aqui e prossigam para *Waking Life*.

Então, aqui vai.

Para mim, o filme tem um precedente histórico: *Alucinações do Passado* [*Jacob's Ladder*] (Capítulo 5). Creio que toda a ação em *Cidade dos Sonhos* acontece na cabeça do personagem de Naomi Watts (Betty) no momento da sua morte. Ela revive todos os momentos importantes que a conduziram a esse último momento, e, como já discutimos anteriormente, esse tipo de experiência é totalmente não-linear. Ela salta para a frente e para trás no tempo, confunde-se com a amante e experimenta o que na verdade corresponde a um sonho febril no momento da morte.

Agora, depois de dizer isso, sinto-me relativamente confiante de que a interpretação de qualquer pessoa sobre o que "realmente" acontece em Vanilla Sky *ou em* Cidade dos Sonhos *é, de certo modo, irrelevante. Como diz a letra de uma música do REM, "life is a journey, not a destination" (a vida é uma jornada, não um destino). Quando aceitamos esse fato, e abrimos mão da necessidade de extrair um sentido lógico do momento, abraçamos a beleza da aventura de nossa alma.*

WAKING LIFE

Quase ninguém viu esse filme. Foi exibido apenas em alguns cinemas de arte no outono de 2002 nos Estados Unidos e depois, apesar das críticas apaixonadas, desapareceu um tanto rapidamente no mundo do DVD e do vídeo. Creio que terá uma longa vida nesses mercados domésticos, porque se trata de uma investigação sensacional e totalmente metafísica da questão do que é mais real: nossa "vida desperta" [*waking life*] ou nossa vida de sonho?

Até mesmo a forma do filme é pouco convencional e ousada. O diretor Richard Linklater filmou as cenas em *live action* e depois sobrepôs a animação à *live footage*, criando uma sensação assustadora e surrealista em cada quadro. Esse processo gera uma atmosfera inovadora para a ação do filme que, verdade seja dita, não é nada menos do que uma investigação psicológica e espiritual do significado da vida.

O filme não conta verdadeiramente uma história, de modo que não é possível fazer uma análise tradicional.

Começa com uma menina dizendo a um menino que "o sonho é o destino", e o filme, então, desenvolve esse tema. O menino sonha que está flutuando no éter, e o restante da película explora os vários estados despertos e de sonho do garoto, fazendo com que os expectadores se perguntem o tempo todo o que é real e o que é sonho. No caminho, o menino encontra vários filósofos, professores, músicos e até mesmo criminosos que têm algo a dizer a respeito da experiência que chamamos de vida. O menino compreende então que não tem mais motivo para acreditar que sua vida desperta seja mais real do que sua vida de sonho.

À semelhança do que ocorre com *Alguém Lá em Cima Gosta de Mim* [*Oh, God!*], o filme é mais notável por alguns dos seus diálogos, que estão a anos-luz de distância de qualquer diálogo tradicional que poderíamos imaginar. Alguns de vocês talvez se lembrem do filme *Ponto de Mutação* [*Mindwalk*]. Bem, se fizermos uma comparação, *Ponto de Mutação* é o jardim-de-infância e *Waking Life* a pós-graduação!

Pense nos seguintes comentários feitos por vários personagens do filme:

"Somos nós que criamos nossa vida. Quem somos é sempre uma decisão nossa."

"As palavras são apenas símbolos. Quando nos sentimos compreendidos, sentimo-nos espiritualmente conectados, e é para isso que vivemos."

"Talvez a vida inteira seja um sonho. Os sonhos são reais enquanto duram. E se pudermos dizer o mesmo a respeito da vida?"

"O nosso sistema nervoso não estabelece nenhuma diferença entre experimentar e sonhar com algo."

Além disso, no decorrer do caminho, acontecem longas discussões a respeito do sonho lúcido, um estado no qual a pessoa que sonha pode, efetivamente, estar consciente e influenciar o que acontece no sonho.

A fala mais notável, em minha opinião, é dita perto do fim do filme, e resume com precisão o tom de um modo geral otimista da película.

"Esta é, decididamente, a época mais estimulante que poderíamos ter escolhido para estarmos vivos... e as coisas estão apenas começando."

Definitivamente, não estamos mais no Kansas.*

---

*Alusão ao filme *O Mágico de Oz*. (*N. do R.*)

DE CASO COM O ACASO

De Caso com o Acaso [*Sliding Doors*] contém um dos conceitos metafísicos mais revolucionários já inseridos em um filme: e se vivermos simultaneamente vidas separadas? Lembre-se de que isso não é um vôo da imaginação. Trata-se de Albert Einstein.

Helen (Gwyneth Paltrow) é despedida do emprego em Londres e vai pegar o metrô para casa. Nesse ponto, de algum modo, Helen se divide em duas versões paralelas de si mesma. O filme não explica exatamente como isso acontece. Simplesmente a vemos dar um salto para o lado para evitar esbarrar em uma menina na escada, e por pouco perde o trem porque as portas se fecham (daí o título original, que faz referência a portas de correr). A seguir, vemos a mesma cena ser literalmente rebobinada, e agora Helen não precisa se desviar da menina, conseguindo por pouco entrar no trem.

Na versão em que embarca no trem, Helen senta-se ao lado de James (John Hannah), um homem muito agradável, que tenta, sem sucesso, animá-la. Helen chega em casa a tempo de encontrar Jerry, seu namorado, traindo-a com outra mulher. Sai de casa e vai até um bar onde volta a encontrar James. Depois de passar quase uma semana se lamentando, corta o cabelo e o tinge de louro (o que torna mais fácil distinguir entre essa Helen da outra, que continua morena), e com o tempo abre seu próprio negócio, apaixonando-se por James. Na outra versão, Helen perde o trem, não pega o namorado "em flagrante delito" e sofre muito mais, até que, finalmente, acaba descobrindo o caso amoroso do namorado.

Ela engravida em ambas as versões.

No final, a Helen loura é atropelada por um carro e a versão morena cai de uma escada, e ambas são hospitalizadas. Por incrível que pareça, a versão loura morre e a morena, depois de finalmente romper com Jerry, deixa o hospital. No elevador, ela encontra James e percebemos que também ficarão juntos nessa realidade.

Realidades separadas e simultâneas. O tempo é uma ilusão, de modo que, "cientificamente", isso é possível. Metafisicamente, esse conceito é bastante viável. Dizem, com freqüência, que temos infinitas versões de nós mesmos, e que nossa consciência determina a versão que vivemos conscientemente. Pequenos momentos na vida podem fazer toda a diferença a respeito de como essa realidade particular se desenrola. Fascinante e positivo é o fato de Helen acabar ficando com James, independentemente do que faz no intervalo.

A mensagem, nesse caso, é que acabaremos estabelecendo uma conexão com as pessoas com quem temos um destino comprometido, independentemente das barreiras que possamos encontrar. Essa é uma mensagem que deve ser verdadeiramente cultivada nas noites escuras da alma.

O TEMPO

EM ALGUM LUGAR DO PASSADO

Usar filmes que produzi como exemplo neste livro é um interessante desafio. Não quero que isto seja um exercício egoísta e egocêntrico, mas, ao mesmo tempo, sinto que eu seria negligente se não discutisse esses filmes quando, sinceramente, acredito que mereçam ser discutidos.

Afinal de contas, o que é a realidade? O que é supostamente o "agora"? Quantas vezes você acordou de um sonho e não apenas sentiu ou esperou, mas, efetivamente, *soube* que ele era mais real do que um estado desperto? Se a realidade e o tempo são subjetivos, você é capaz de viajar pelo tempo apenas "hipnotizando sua mente"? A resposta de Einstein, acho eu, seria um "sim" mais inequívoco. Se a consciência é o que determina nossa percepção do tempo, é razoável considerar que nossa consciência também pode curvar o tempo. Como já mencionei, até mesmo a "ciência" provou que o tempo é uma ilusão, de modo que é inteiramente possível que uma viagem no tempo aconteça utilizando-se apenas a mente. Quem vivenciou uma regressão a vidas passadas, por exemplo, sabe qual é a experiência que a mente possibilita.

Em *Em Algum Lugar do Passado*, Richard Collier (Christopher Reeve) apaixona-se pelo retrato de uma jovem enigmática chamada Elise McKenna (Jane Seymour), que encontra em um velho hotel. Ao descobrir que a moça fora uma atriz do teatro do hotel em 1912, Richard fica obcecado pela jovem e pesquisa todo o possível a respeito dela. Logo vê uma foto de Elise já idosa e percebe que foi ela a senhora que lhe deu um relógio muitos anos antes e, misteriosamente, pediu a ele que "voltasse" para ela. Richard também descobre que a velha Elise morreu na noite em que lhe deu o relógio. Antigos arquivos do hotel revelam um registro de 1912, no qual Richard descobre que realmente esteve hospedado lá nesse ano.

Richard Matheson imaginou que Richard Collier poderia remover do quarto tudo que lembrasse o presente, vestir-se com roupas da época, portar dinheiro da época (exceto por uma moeda amaldiçoada), hipnotizar sua mente e empreender uma jornada a 1912.

Quem pode afirmar que a viagem no tempo não poderia acontecer de uma maneira tão simples?

Richard encontra Elise no passado, quando descobre que a jovem, de fato, esperava por ele. ("É você?", pergunta Elise quando Richard aproxima-se dela pela primeira vez.) Eles se apaixonam, apesar da intromissão do empresário da atriz excessivamente protetor (Christopher Plummer), e estão certos de que têm adiante um futuro idílico. Então Richard encontra a moeda de 1979 em sua roupa de 1912, deixada lá por engano quando houve a hipnose para voltar ao passado. Quando Elise é deixada para trás segurando o relógio de Richard, este é empurrado de volta para 1979 onde, enfraquecido e arrasado, literalmente "morre de amor" e reúne-se a Elise depois da morte.

Algumas pessoas observaram que a jornada de Richard para 1912 acontecia exclusivamente em sua mente, um estado de sonho do qual é despertado pela desagradável descoberta da moeda de 1979. É possível. Mas também é possível que a experiência de 1912 fosse a experiência "real" e tudo mais fosse um sonho.

Uma das coisas que mais provocam a mente no filme é a questão da origem do relógio. Ele surgiu em 1979 e foi levado para o passado ou surgiu no passado e é trazido por Elise para o presente.

Nossa capacidade de encontrar uma alma gêmea onde quer que ela possa estar, quer no tempo ou no continuum da vida depois da vida, é a mensagem subjacente do filme.

Para mais idéias a respeito dessa questão e do restante da história de *Em Algum Lugar do Passado*, leia o Capítulo 14.

Uma convenção-padrão das histórias de viagens no tempo sempre foi a de que não devemos fazer nada para modificar os eventos do passado devido à suposta certeza dos terríveis resultados. Segundo essa teoria, o passado é imutável, e só poderemos piorar as coisas se tentarmos mudá-lo de alguma maneira. Afinal de contas, essa é uma das principais diretrizes da Enterprise em *Jornada nas Estrelas* [*Star Trek*], de modo que tem que estar certa... não é?

Talvez sim. Talvez não.

Esse interesse em alterar o passado é algo natural à envelhecida geração do final da Segunda Guerra que começa a olhar para trás, ou é uma indicação de que estamos mais conscientes do potencial de ser capazes de voltar e alterar as coisas do passado?

Parte do novo pensamento humano – da Nova Era, da espiritualidade e da meditação – dos últimos 30 ou 40 anos tem se dedicado a olhar de uma nova maneira as experiências que tivemos quando crianças. Como sabemos agora que o tempo é uma ilusão, existe um conceito amplamente aceito, embora controverso, de que nossa criança interior é, na verdade, um ser real que ainda vive em nós. Essa teoria sustenta que a meditação pode levar tanto a nós quanto a criança de volta a antigas experiências traumáticas e conscientemente modificá-las durante o processo meditativo. Quando a experiência é alterada, a criança pode ser modificada, e as cicatrizes deixadas pelo evento inicial podem ser curadas.

Esse conceito é bem-visto? É possível "provar" que a criança interior efetivamente existe? De jeito nenhum. No entanto, a existência das bactérias era apenas uma teoria até o microscópio ser inventado. Comprovada ou não, essa teoria invadiu a consciência de vários milhões de pessoas e é um fascinante propulsor aos três próximos filmes, nos quais o passado é efetivamente modificado. Até recentemente, esse fato teria sido considerado uma "blasfêmia", inclusive na filosofia dos filmes, de modo que essa mudança significa, uma vez mais, que mudanças estão efetivamente acontecendo.

O próximo grupo de filmes guarda uma poderosa mensagem sobre a possibilidade de alterar eventos do passado para que tanto o presente quanto o futuro possam ser mais positivos.

DE VOLTA PARA O FUTURO

Sem dúvida, o "avô" dos filmes modernos desse gênero é *De Volta para o Futuro* [*Back to the Future*], de 1985. O filme é tão popular que não vou desperdiçar muito tempo detalhando a trama. Basicamente, Marty McFly (Michael J. Fox) volta no tempo usando um excelente Delorean criado pelo ilustre e louco professor Emmett "Doc" Brown (Christopher Lloyd). McFly acaba modificando um momento crítico no passado fazendo com que seu pai (Crispin Glover) brigue para defender a si mesmo e a sua futura esposa (Lea Thompson) na noite do baile de formatura. No passado "original", não fez isso e tornou-se um homem fraco pelo resto da vida.

De Volta para o Futuro termina com a insinuação de que o fato de McFly ter mudado o passado acabou causando alguns problemas para si mesmo no futuro, mas seu pai tornou-se um homem diferente e sua mãe passou a sentir um respeito pelo marido que não sentia originalmente. A importância do filme reside no fato de ele ter sido a primeira produção extremamente popular a sugerir que podemos voltar e mudar o passado sem causar resultados desastrosos.

DUAS VIDAS *E* ALTA FREQÜÊNCIA

Em *Duas Vidas*, Bruce Willis interpreta Russ Duritz, um consultor de imagem que personifica estereótipos de Los Angeles escorregadios e céticos. Em outras palavras, ele precisa fazer um transplante de personalidade. Tem a oportunidade de fazer isso quando encontra a versão de 8 anos de idade de si mesmo (que, aliás, chega à conclusão de que se tornou um adulto "perdedor" quando descobre que Willis é solteiro, tem 40 anos, não pilota aviões a jato nem tem um cachorro).

A chave do filme nos é mostrada quando Willis passa a andar com o seu alter ego de oito anos e se depara com um incidente no playground que claramente influenciou toda a sua vida. No incidente original, ele apanhou do valentão da escola sem revidar. Dessa vez, ele orienta seu eu mais jovem a lutar, acreditando que isso mudará o futuro. No entanto, logo percebe que algo muito mais importante aconteceu naquele dia. Seu pai fica furioso porque o jovem Russ pediu que sua mãe fosse buscá-lo na escola depois da briga. O pai repreende Russ, diz a ele que sua mãe está morrendo e que precisa parar de chorar e crescer. O Russ adulto compreende que bloqueou as emoções naquele momento, e que essa fora, na verdade, a causa de ele estar onde estava na vida, e não a briga no playground, como imaginara.

Essa compreensão conduz ao clímax do filme, onde o Russ adulto de 40 anos e o Russ de 8 anos encontram seu correspondente de 70 anos – que se casou, tem um cachorro e pilota um jato! Descobrimos também que esse Russ futuro é aquele que conduziu seu eu de 40 anos nessa jornada.

Russ modifica um evento do passado (o incidente do playground), que conduz a uma nova percepção; dessa forma, modifica sua consciência atual, possibilitando a criação de um futuro completamente novo.

O filme simboliza nossa capacidade de manifestar nossos anseios mais profundos em qualquer momento. Um único momento de autoconsciência pode desencadear a compreensão dos sonhos de uma vida inteira. E essa é uma poderosa mensagem de esperança.

Em *Alta Freqüência*, John Sullivan (James Caviezel) interpreta um policial cujo pai, Frank (Dennis Quaid), que era bombeiro, morrera anos antes no cumprimento do dever. Raras manchas solares obstruem o canal que possibilita que pai e filho se comuniquem por meio de um velho rádio. John descobre uma maneira de evitar que o pai morra no incêndio, mas essa deformação do tempo cria uma situação na qual sua mãe (Elizabeth Mitchell) é assassinada. Sem nos aprofundarmos na complexidade da história, o ponto aqui é que, de algum modo, ambos os pais sobrevivem e James convive com os dois em sua vida atual.

A mensagem desses filmes é fascinante e confortante. Parecemos ficar aterrorizados em repetir o passado, particularmente se vivemos um trauma real quando crianças. O abuso físico, sexual e emocional pode representar os obstáculos mais difíceis de serem superados na idade adulta. Essas experiências são intimidantes, devastadoras e dolorosas, além de desafios violentos. Privam as pessoas da auto-estima, sem a qual a vida torna-se uma luta aparentemente interminável. Esses encontros ficam enraizados em nossa memória e nos inibe de avançar.

Além disso, mesmo quem escapa dessas experiências traumáticas quando criança sente-se, freqüentemente, inclinado a olhar para o passado a fim de desculpar seu comportamento atual. "Mamãe não me amava." "Papai me intimidava." "Eu não era popular na escola."

Existe, portanto, algo belo e confortante na mensagem que nos estimula a acreditar que podemos revisitar essas experiências e pelo menos encará-las de um modo diferente. Mais importante é a possibilidade de sermos de fato capazes de "refilmar" essas terríveis experiências do passado, e modificá-las, talvez não da maneira literal e física como nesses filmes, e sim de uma forma meditativa. Se decidirmos que essas realidades meditativas são mais "reais" do que a experiência original, por que não podemos alterar essas memórias dolorosas?

Podemos, conscientemente, "sair da matrix" para afetar e até modificar o que ocorre dentro da matrix? Podemos alterar os eventos traumáticos do nosso passado?

A mensagem desses filmes responde a essas perguntas com um enfático sim. Desse modo, podemos começar a imaginar que a dor do nosso passado pode ser transformada em esperança.

"Que a força esteja com você."
Guerra nas Estrelas

Capítulo Três

Aventuras visionárias

Um dos heróis da minha infância foi Bobby Kennedy, cuja citação mais lembrada é a seguinte: "Alguns homens vêem as coisas como são e perguntam por quê. Eu sonho com coisas que nunca existiram e pergunto por que não?" Não sou capaz de imaginar uma definição mais apropriada (acrescentando a palavra "mulheres" à citação, é claro) para essa categoria de filmes.

Os filmes verdadeiramente visionários olham para mundos que ainda não encontramos (pelo menos nesta vida) e refletem esperanças e sonhos a respeito desses mundos que ainda estão por vir.

Um dos aspectos mais fascinantes da natureza tradicional desses que a maioria das pessoas chama de filmes visionários é que eles parecem visualizar quase exclusivamente futuros não idealizados: o mundo depois de um desastre de grandes proporções como uma guerra nuclear, impactos de asteróides, poluição desenfreada etc. É quase como se nós, enquanto humanidade, recordássemos civilizações que experimentaram um fim trágico – Atlântida e outras – e projetássemos no futuro os nossos receios. Não parecemos capazes de imaginar como seriam as coisas se não nos autodestruíssemos ou não nos tornássemos vítimas de um desastre natural (não que essas sejam ocorrências mutuamente exclusivas). Até mesmo *Guerra nas Estrelas* acontece depois que o Império, basicamente, invadiu o Universo e obrigou os jedis a se esconderem.

Um exame da história e da mitologia humana revela as razões escondidas dessa triste perspectiva.

Nosso planeta passou por uma série de desastres naturais (que em geral envolveram uma mudança no eixo terrestre e gigantescas colisões com meteoros) que, de tempos em tempos, destruíram a vida na Terra como a conhecíamos. Além disso, nossa memória está marcada pela autodestruição da Atlântida e pela ascensão e queda de grandes impérios como o romano, grego, maia, sumério e egípcio. Simplificando, ainda não "fizemos a coisa funcionar". Nós, que acreditamos nos ciclos da vida, morte e renascimento, temos armazenados em nossas células milhares de anos de memórias sensoriais e experienciais de tentativas que se revelaram desastrosas.

É interessante observar que todos os prognósticos desastrosos a respeito do fim do mundo estão acessíveis agora. Durante décadas, ou até mesmo séculos, os entusiastas do Armagedon têm enfatizado que o Calendário Maia termina no ano 2012. Muitos dos prognósticos dos grande videntes da Antiguidade e também dos mais modernos, como Nostradamus, parecem pôr um fim aos nossos destinos nos próximos dez anos. (Imagino que de certa maneira isso aumente as chances de antigas expressões como o provérbio chinês que diz "Que você viva em tempos interessantes", não é mesmo?) Os filmes visionários não idealizados que compõem a maior parte das análises do Capítulo 4 lidam com várias versões desses "tempos finais".

Quantos filmes passados em um futuro utópico, num mundo onde a vida deu certo sem ter tido que passar por um Armagedon, um deslocamento do eixo terrestre ou outro desastre semelhante lhe vêm à cabeça? Se você encontrar *ao menos um,* por favor, me avise. Ainda estou procurando.

Esta é, certamente, uma maneira de olhar para tudo isso.

Existe, no entanto, uma outra.

Há uma outra escola de pensamento que olha para esse intervalo de tempo de uma maneira radicalmente diferente. Talvez todos os antigos prognósticos terminem hoje por que nenhum desses videntes foi realmente capaz de prever o que iria acontecer hoje e no futuro. Muitos de nós acreditamos recordar épocas e civilizações nas quais não enxergamos os belos mundos da nossa imaginação. Talvez os videntes do passado tenham previsto essa massa crítica de pessoas nascendo em meados do século XX, chegando a esta vida com o compromisso bastante novo e simples de não repetir os erros do passado.

Muitos de nós estamos procurando maneiras de criar futuros excelentes sem antes termos que atravessar os portões do inferno. Essa possibilidade representa uma transformação nos antigos cenários calamitosos. Nessa nova filosofia otimista, podemos encarar as profecias do "fim do mundo" como lembretes metafóricos e não como previsões para o futuro. O mundo que conhecemos poderá de fato terminar, não no Armagedon, e sim em uma nova e estimulante evolução da consciência. Visto sob esse prisma, o futuro é promissor, estimulante e repleto de esperança.

Recentes filmes revolucionários como *Matrix* estão começando a iluminar o admirável mundo novo para o qual nos dirigimos, tanto no cinema quanto culturalmente. Os filmes deste capítulo cobrem a barreira entre o futuro idealizado e o não idealizado. Embora estejam, de certo modo, estruturados em torno da luta, também contêm declarações muito esperançosas e positivas a respeito de quem poderíamos ser como seres humanos quando funcionamos no auge do nosso talento.

2001: UMA ODISSÉIA NO ESPAÇO

2001: Uma Odisséia no Espaço elevou o conceito das mensagens e metáforas do cinema a uma forma de arte e, para mim, é o filme mais importante desse gênero.

Stanley Kubrick, diretor de *2001*, foi, para mim, o maior cineasta do primeiro século do cinema. Sem dúvida, Frank Capra e Steven Spielberg também são diretores extraordinários, mas ninguém consegue aproximar-se de Kubrick no que diz respeito à visão e à audácia artística excepcional. Começando com *Glória Feita de Sangue* [*Paths of Glory*], cada filme de Kubrick foi um evento em si mesmo: *Lolita* [*Lolita*], *Dr. Fantástico ou Como Aprendi a Parar de Me Preocupar e Amar a Bomba* [*Dr. Strangelove, (or How I Learned to Stop Worrying and Love the Bomb)*], *2001*, *Laranja Mecânica* [*A Clockwork Orange*], *O Iluminado* [*The Shining*], *Barry Lyndon* [*Barry Lyndon*], *Nascido para Matar* [*Full Metal Jacket*], *De Olhos Bem Fechados* [*Eyes Wide Shut*]. As aulas de cinema só precisam estudar essas produções para depois entender o que os filmes podem ser quando um verdadeiro visionário está no comando. Kubrick era, pura e simplesmente, o mestre.

Ele produziu *2001* no final dos anos 60 (e o filme foi lançado nos Estados Unidos em 1968), quando toda uma nova geração, radicalmente diferente, mudava o diálogo internacional e os processos de pensamento a respeito do nosso lugar tanto no mundo quanto no Universo. O início de um movimento da Nova Era tinha lançado raízes na "consciência californiana" durante essa década e no final dos anos 50. As idéias estavam sendo cultivadas por toda parte, mas concentravam-se no extraordinário Esalen Institute em Big Sur, Califórnia, onde a maior parte dos primórdios do pensamento e da filosofia estava se cristalizando. *2001* foi lançado exatamente quando esse novo pensamento estava começando a fazer perguntas a respeito de quem poderíamos ser como raça humana, e as perguntas eram de uma natureza totalmente nova. Havia uma nova curiosidade a respeito de por que estamos aqui, porque existimos e aonde poderíamos estar indo: repensando o passado, reexaminando o presente e reinventando possíveis futuros. Eram esse pensamento e imaginação que brotavam no mundo quando *2001* foi lançado.

As imagens de abertura (com as palavras "The Dawn of Man" [O despertar do homem]) representam o momento no nosso passado evolucionário em que concebemos pela primeira vez a idéia de usar uma arma contra os nossos semelhantes. Vemos uma família de macacos procurando comida de forma casual lado a lado com gnus, vivendo em harmonia uns com os outros. Em seguida, na manhã seguinte, a família de macacos desperta e contempla uma visão aterradora: um enorme monólito erguia-se na área que ocupavam, aparentemente feito de mármore ou pedra, perfeitamente retangular e, obviamente, fabricado "em outro lugar". Os macacos reagem com medo e raiva, e aproximam-se com cautela do monólito, quando finalmente ousam tocá-lo ficam maravilhados com a superfície lisa da misteriosa estrutura. O "contato" com o monólito torna-se o momento que Kubrick pretende que seja o "despertar do homem". Vemos os macacos tocando assombrados o monólito e depois olhando para o céu, quando percebem que a estrutura parece estar perfeitamente alinhada tanto com o

Sol quanto com a Lua, enquanto um som penetrante emana do monólito. Nesse momento, algo se transfere para a psique dos macacos e rapidamente transforma os seus processos de pensamento. Um "elo" é formado entre os ossos secos de animais mortos espalhados pela área e a utilização desses ossos para efetivamente matar outros animais. Assistimos um macaco brincar com um osso e, a seguir, quando passa a esmagar outros ossos, ele começa a se imaginar esmagando criaturas vivas. O macaco logo mata um gnu para alimentar sua família, e não demora muito para que esses macacos descubram como matar um líder rival com um desses ossos.

Há muito tempo existe a hipótese de que "o elo perdido" entre o macaco e o homem não é uma criatura que ainda não foi descoberta, e sim uma intervenção de seres que não eram deste planeta na época; essa seqüência de abertura pode ser vista como a representação dessa filosofia. Para Kubrick, essa mudança quântica aconteceu quando os macacos aprenderam como era fácil e lucrativo matar outras criaturas. E a inspiração desse novo pensamento foi um monólito futurista deliberadamente colocado no meio deles para estimular "o despertar do homem". Uma idéia arrepiante e provocadora. Uma mensagem perturbadora, porém fascinante, a respeito do surgimento da humanidade moderna, e apenas a primeira de uma série de mensagens e imagens desconcertantes desse filme miraculoso.

No final dessa seqüência de abertura, o macaco que acaba de matar pela primeira vez um semelhante atira o osso para o ar, e Kubrick efetua a sensacional transição para uma nave espacial. Nesse ponto, Kubrick e sua equipe começam a estabelecer novos padrões para efeitos visuais, apresentando-nos a vastidão e os desafios do espaço (inclusive um encontro breve e maravilhoso com um toalete em gravidade zero) de maneira nova e surpreendente, incompativelmente enfatizados por peças musicais como "Assim Falou Zaratustra" e valsas de Strauss. Uma vez mais, o passado encontra o futuro.

Descobrimos então que "algo" foi desenterrado na Lua, e que isso poderá desestabilizar o mundo inteiro se a sua descoberta for amplamente divulgada. Sabemos apenas que isso foi deliberadamente enterrado ali há muito tempo.

Quando seguimos os membros da expedição à Lua, avistamos uma grande escavação que tem como objetivo encontrar uma única coisa: o mesmo monólito do "despertar do homem". Quando os nossos agora "evoluídos" cientistas em trajes espaciais tocam o monólito, ouvem emanar dele, assim como nós, o mesmo som penetrante que os macacos tinham ouvido tantos éons antes. Isso põe em funcionamento a essência de *2001*, que é a jornada a bordo de uma nave espacial cuja missão é tentar descobrir a origem do misterioso monólito.

Logo nos damos conta de que os cientistas descobriram que o som que ouvimos emanar do monólito era um sinal de rádio extremamente potente voltado para Júpiter, de modo que uma enorme missão científica é enviada a Júpiter para descobrir a origem do sinal. A nave é pilotada por um poderoso computador de bordo que a tripulação chama de HAL, indiscutivelmente o personagem mais famoso do filme. HAL foi o precursor do supercomputador de hoje. Lembre-se de que em 1968 os computadores eram do tamanho de depósitos (como o do filme *Colossus 1980* [*Colossus: The Forbin Project*], de 1968). Estávamos prestes a ingressar na era do computador. A era da informação. A revolução tecnológica que assinalaria nossa transição da era industrial para a era da informação. Uma mudança grandiosa, quântica, na maneira como os seres humanos se comunicam, armazenam o conhecimento e evoluem. Kubrick personificou todos esses aspectos pela primeira vez em HAL, um computador que podia, efetivamente, pilotar uma espaçonave, jogar xadrez, comunicar-se com a tripulação e também fazer uma análise psicológica sofisticada dos seres humanos que estava programado para ajudar.

HAL representa todos os sonhos e fantasias extravagantes daquela geração, que assistia à chegada de uma nova era; além disso, HAL tornou-se também o veículo para que expressássemos nossos maiores receios com relação aos computadores. E se eles se tornassem entidades independentes que suplantassem sua própria programação e "assumissem o controle"? Enquanto sociedade, estávamos apenas começando a pensar nessas questões. Enquanto filme, *2001* personificava tudo isso e ainda mais. Kubrick também acrescenta o fato que a maior parte da tripulação fora criogenicamente congelada para ser "descongelada" apenas quando a nave chegasse ao destino final, outro novo conceito na sociedade de 1968.

O conflito dramático crucial de *2001* começa quando HAL informa à tripulação que descobriu uma avaria em um importante sistema de orientação, que deixará de operar e precisa ser consertado ou substituído. Em um sensacional vislumbre de como seriam as andanças no espaço 30 anos mais tarde, o piloto remove o objeto em questão para levá-lo para bordo. Após examiná-lo atentamente, Dave (Keir Dullea), o piloto, informa a HAL que não consegue encontrar nada errado nele, fato que HAL acha "curioso" e os pilotos consideram extremamente perturbador. Todos tomam a decisão de colocar a unidade de volta e esperar que ela apresente o defeito previsto por HAL. Os pilotos tentam enganar HAL, fazendo com que pense que estão de acordo, mas trancam-se no módulo chamado *pod*, onde pensam que HAL não consegue ouvi-los, para expor uns aos outros suas verdadeiras preocupações. Fazem até mesmo um "teste" para verificar se HAL pode ouvi-los pedindo-lhe que gire o módulo. Como não obtêm resposta, falam livremente, confiantes de que HAL não pode ouvi-los. Comentam que a série HAL 9000 nunca cometeu um erro e estão muito preocupados que esse possa ser o primeiro incidente desse tipo. Se for o caso, perderiam a confiança nas habilidades cognitivas de HAL, o que os obrigaria a tomar a decisão de desligar as funções cerebrais de HAL caso o defeito no sistema não ocorresse, deixando intactas apenas as habilidades "motoras" para que pudesse pilotar a nave. De forma prudente, perguntam uns aos outros como HAL poderia reagir a essa eventualidade, já que até então nenhum HAL 9000 tinha sido desligado. Enquanto continuam a falar, Kubrick efetua uma *tour de force* diretorial filmando do lado de fora do compartimento, interrompendo o som e fazendo com que o brilhante olho vermelho do "rosto" de HAL efetivamente observe os lábios dos tripulantes enquanto falam, filmando do lado de dentro e do lado de fora, para que nós saibamos que HAL está lendo os lábios da tripulação e tem conhecimento do que estão planejando. Qualquer pessoa que tenha assistido ao filme no cinema sempre se lembrará dessa cena (a não ser, é claro, que o tenham feito sob a influência de uma "substância controlada", a qual, por sinal, tornou-se um conhecido fenômeno em torno desse filme, por razões que em breve serão descritas neste livro).

Quando um dos pilotos (Gary Lockwood) sai da nave para reinstalar a peça defeituosa, HAL assume o comando e corta o cabo de resgate do piloto, arremessando-o no espaço em direção à morte (o que efetivamente acontece). O outro piloto precipita-se em um compartimento de resgate sem o capacete espacial para resgatar o amigo, e HAL recusa-se a deixá-lo entrar de volta. Esse é um refinamento e uma projeção de nossos receios mais profundos a respeito dos computadores. Não apenas podemos perder o emprego para eles, como também podemos, de fato, perder a vida.

Por meio de uma absoluta engenhosidade, o piloto sobrevivente consegue entrar na nave e, com HAL implorando para que reconsidere, penetra no enorme complexo cerebral de HAL e começa a desligar suas funções superiores, dando origem ao único diálogo realmente clássico do filme, cujas falas são todas de HAL:

– Dave, o que você está fazendo? Estou com medo.

– Dave, por favor, pare. Minha mente está sumindo. Posso senti-lo. Por favor, Dave...

Nesse ponto, somos informados de que a missão é descobrir o que o monólito de fato pode ser e representar.

Quando chegamos a Júpiter, têm início as seqüências mais famosas e impressionantes do filme, com o subtítulo místico "Júpiter... e Além do Infinito".

"Dave" deixa a nave-mãe em um dos módulos *pod* e, quando parece aproximar-se da superfície de Júpiter, inicia a jornada que veio a ser conhecida como "o show de luzes", uma jornada fantasmagórica de três minutos em um universo de luzes, cores cintilantes, imagens misteriosas e uma música assustadora (a "suprema" viagem psicodélica, como foi chamada). Houve quem entrasse sorrateiramente no cinema bem no final do filme, completamente aéreo devido a qualquer substância alucinógena que conseguisse encontrar, apenas para assistir a essa seqüência. Ela já será bastante psicodélica mesmo se tivermos na mão apenas uma Coca-Cola. Para aqueles que viveram a experiência, nenhuma explicação é necessária. Para aqueles que não a viveram, nenhuma explicação é possível.

Quando Dave inicia essa parte da "odisséia" (escolha interessante para um título, não é mesmo?), vemos o monólito flutuando perto da nave-mãe. É como se soubéssemos que o grande passo seguinte na evolução da humanidade está próximo. O monólito simboliza esse fato. Está presente nos momentos de mudança de paradigma na humanidade. Também é um elo com os mundos mais além, não apenas com as esferas extraterrestres, mas também com os mundos da consciência "além do infinito". Para os entusiastas do filme, o monólito passou a representar a evolução, a humanidade, os extraterrestres, a própria consciência e, talvez, até mesmo Deus. Para mim, todas essas projeções guardam uma verdade. A imagem vem me obcecando nos últimos 34 anos. Quase tanto quanto a última imagem do filme. Quase.

Depois que Dave passa através do show de luzes, ainda está vivo e chega a Júpiter? Ou passou para "o outro lado"? A superfície do planeta parece irreal, as cores são em tons pastel, as formas, estranhas. É como se estivéssemos observando a humanidade ultrapassar uma nova fronteira. Uma esfera intermediária de assombro e admiração.

De repente, o módulo para e nos vemos na seqüência mais visionária e, creio eu, mais extraordinária jamais filmada. Estou ciente de que se trata de uma importante declaração, mas quantas seqüências de oito minutos você é capaz de mencionar nas quais séries inteiras de filosofia e cinema podem se basear?

O módulo "estacionou" em uma sala muito fria e estéril, porém, curiosamente, decorada com pitadas de uma mistura da arte da Antiguidade e da França do século XVI. Quando os sons do módulo desaparecem, ouvimos débeis ruídos na estranha sala. O que escutamos são sons débeis de macacos? Trata-se de uma conexão com o "despertar do homem" da seqüência da abertura?

De repente, Dave, ainda vestindo o traje espacial, está do lado de fora do módulo caminhando pela "sala", apenas com o som da sua respiração. Onde ele está? O que ele é? Ele vê seu reflexo em um espelho e constata que envelheceu consideravelmente depois que entrou no módulo para a viagem a Júpiter.

Ouvem-se novos sons. Vindos de outra sala. Quem poderá estar ali? Quando Dave encaminha-se para uma porta, vemos outra pessoa sentada em uma mesa. Tanto nós quanto Dave ficamos chocados e assustados. Quando a respiração de Dave torna-se mais pronunciada, a cena é cortada abruptamente e nos vemos diante do homem sentado à mesa, que dá a impressão de talvez estar escutando a respiração – mas esse homem é o próprio Dave e, quando ele se vira, com dificuldade, para verificar de onde está vindo o barulho, o Dave vestindo o traje espacial desaparece. Saltamos intervalos de tempo e nos encontramos em uma nova realidade, porque não existe uma maneira racional de encarar os eventos que estão se desenrolando.

Dave continua lentamente a comer à mesa. Ele está muito mais velho, seus movimentos, mais lentos. Quando estende a mão para um copo de vinho, derruba-o, estilhaçando-o no piso de mármore. Ao inclinar-se para examiná-lo, Dave olha para a direita onde, em um novo corte surpreendente, vemos um homem deitado em uma cama. Logo percebemos que também trata-se de Dave, muito mais velho, calvo, moribundo. Quando esse homem idoso começa a exalar o último suspiro, os seus olhos focalizam algo ao pé da cama. Ergue lentamente a mão para tocá-lo, quando ocorre novo corte e passamos a ver a cena a partir do ponto de vista de Dave. Ao pé da cama ergue-se o monólito.

Nesse momento, começamos a ouvir os acordes da música clássica que se tornou a característica inconfundível de *2001* e nos vemos novamente no espaço. Algo se move através do espaço, banhado em luz, em direção à Terra. Uma bolha de luz e, dentro dela, o feto de uma criança. Uma criança com um rosto angelical. Uma criança ainda no útero. E, ao contrário de qualquer criança que tenha estado anteriormente no útero, os seus olhos estão bem abertos. Enormes, cativantes e arregalados. (É "interessante" que o último filme de Kubrick viesse a se chamar *De Olhos Bem Fechados,* não é mesmo? Com certeza, apenas uma coincidência.)

Essa nova criança das estrelas avança em direção à Terra de olhos bem abertos e cheia de amor. Corta. Fim do filme.

Jamais me esquecerei do que senti aos 22 anos, sentado no Cinerama Dome, em Hollywood, ao assistir essa última seqüência. Não consegui, literalmente, levantar-me da poltrona. Estava impressionado demais para me mover. E não estava sozinho. Ao meu redor, as pessoas estavam sentadas sem saber exatamente o que tinham visto, mas cientes de que aquilo transcendera o que tradicionalmente passamos a aceitar como um "filme". "Que diabo era *aquilo*?", perguntei aos meus botões.

Levantei-me, saí do cinema, comprei um ingresso para a sessão seguinte e assisti a tudo de novo. Outro público, a mesma reação. Não de todo mundo. Algumas pessoas pareciam entediadas ou intocadas. Mas outras, como eu, estavam literalmente transformadas. Essa foi minha introdução formal à espiritualidade nesta vida. Nunca mais as coisas foram as mesmas para mim.

Levei muitos anos e tive que pensar muito para começar a formular minha versão pessoal do significado transcendental daquela última seqüência. A minha interpretação é puramente pessoal. Estou certo de que você tem a sua. Não existe uma "verdade" absoluta na percepção da arte mas, independentemente do valor que possa ter, eis a minha interpretação do final de *2001*.

Para mim, essa seqüência simboliza nada menos do que uma visão da próxima fase evolucionária da humanidade. O "despertar do homem" evolui "além do infinito".

Não há dúvida de que Dave morre na seqüência, quer na descida em direção a Júpiter, quer na sala propriamente dita. Acredito que seu corpo morra no show de luzes, e que a sala seja uma representação simbólica tanto da percepção dessa morte pela sua alma quanto da sua transformação em uma nova forma. A mente de Dave cintila para a frente, em direção aos seus últimos momentos. A sala não carrega nenhuma sensação de realidade, e Kubrick torna essa desconexão muito clara com relação à filmagem do início da seqüência, na qual o próprio módulo encontra-se de fato na sala.

Dave se transforma quando o monólito ergue-se diante dele. *O renascimento de Dave simboliza a emergência de um novo tipo de ser humano no mundo, e essa nova forma anuncia a alvorada de uma nova etapa na nossa jornada. Sua transformação em uma bela criança das estrelas, que retorna à Terra com os olhos bem abertos e cheia de amor, é uma mensagem visual atordoante que personifica a nova consciência que nascia no mundo em 1968.*

2001 representa, de muitas maneiras, um salto quântico. Sem dúvida, a tecnologia anunciava o advento de uma nova era em efeitos visuais e na nossa capacidade de criar visualmente mundos além do nosso. Dê uma olhada em *Guerra nas Estrelas, Contatos Imediatos do Terceiro Grau* [*Close Encounters of the Third Kind*] e no fenômeno de *Jornada nas Estrelas*. Todos pegaram *2001* e criaram a partir do filme.

O mais importante é que Kubrick ofereceu na tela, a um número enorme de pessoas, o vislumbre visual da magia da metáfora e da espiritualidade. Esse vislumbre me deu coragem para contribuir para o diálogo do cinema com outras histórias que poderiam ajudar a expandir essa nova linguagem nos filmes.

Para mim, *2001* é a peça fundadora de todo esse gênero. Outros filmes foram produzidos antes dele e muitos, depois; no entanto, para mim, ele é o marco decisivo.

GUERRA NAS ESTRELAS

Guerra nas Estrelas situa-se no vértice desse fenômeno. Embora a história do filme se desenrole após gerações de guerras interestelares, trata-se também de uma jornada poderosa e incrivelmente espiritual.

Vamos começar pelo começo: o que faz de *Guerra nas Estrelas* uma experiência tão estimulante e poderosa nesse gênero é a mensagem da "força".

Devemos lembrar que o filme foi lançado nos Estados Unidos em 1976, oito anos depois de *2001* e bem no meio da efervescência do pensamento espiritual dos anos 70. Você já reparou quantos livros memoráveis dessa ordem de pensamento foram publicados na década de 1970? *Ilusões,* de Richard Bach, *Dune,* de Frank Herbert, *The Education of Oversoul 7, Zen e a arte da manutenção de motocicletas,* sem mencionar *Em algum lugar do passado* e *What Dreams May Come,* de Richard Matheson. Houve, literalmente, uma explosão de títulos que se revelaram clássicos do gênero ao longo dos anos; além disso, sendo a década que sucedeu para nós, nascidos logo depois da Segunda Guerra, os turbulentos anos 60, os anos 70 foram uma época de profunda busca da alma e, para muitos, uma época para se repensar os valores essenciais. Como comentou certa vez um velho amigo (o diretor de cinema Floyd Mutrux): "Travamos as batalhas dos anos 60, que imaginávamos termos vencido. Nos anos 70, percebemos que havíamos apenas começado."

Nessa efervescência, entra "a força" e uma clássica batalha entre o bem e o mal – uma vez mais, dentro de nós e no mundo exterior. Luke Skywalker (um nome índio espiritual, se é que já ouvi um) é o clássico herói com um destino. Órfão, entregue à sorte, sente o chamado do seu futuro mas não sabe como torná-lo realidade. Uma vez mais, na grande tradição da prática espiritual, "Quando o discípulo está pronto, o mestre aparece". Na trilogia *Guerra nas Estrelas,* Luke possui três grandes mestres: Obe Wan Kenobee, Yoda e Darth Vader, seu pai. Ele aprende a alcançar o equilíbrio entre a luz e as trevas.

Na famosa seqüência do primeiro filme de *Guerra nas Estrelas* na qual Luke encontra Obe Wan pela primeira vez, ele aprende a história do Universo, da sua família e da sua tradição. É muita informação para um menino. É nessa seqüência que Obe Wan explica a força como "a energia que nos liga, que nos orienta e que está simultaneamente em toda parte". Luke aprende que Darth Vader "foi seduzido pelo lado negro da força". Mesmo que tenha feito apenas isso, esse filme seria lembrado para sempre como um clássico no gênero. Que maneira simples e convincente de descrever os poderes do Universo que estão expressos dentro de cada um de nós.

Darth Vader compartilha o segredo dos poderes do cosmo que estão equilibrados na natureza em perfeita harmonia entre a luz e as trevas. Cada um deles é reconhecido em pé de igualdade pelo Universo. Para os seres humanos, isso faz parte da nossa evolução: reconhecer todos os aspectos da nossa natureza e escolher seguir o poder da nossa beleza, alcançar nossa grandeza sem perder de vista nossa fragilidade e vulnerabilidade. Infelizmente, Darth Vader não consegue suportar a luz, ficando para sempre enredado nas trevas.

O confronto culminante no primeiro filme de *Guerra nas Estrelas* coloca Luke em uma posição que literalmente o "força" a transcender a "ilusão" que o cerca e a confiar em um poder superior. Essa seqüência nos apresentou uma das frases mais famosas da história do cinema: *Que a força esteja com você.*

Luke precisa deixar cair uma bomba em uma minúscula abertura na Estrela da Morte do Império para frustrar o plano do Imperador de destruir a resistência ao seu domínio. O momento da queda e o espaço no qual a bomba precisa se encaixar é tão preciso que nem mesmo seu computador de bordo consegue calcular corretamente. Quando Luke aproxima-se da sua última chance de evitar um desastre, ouve a voz do seu mentor que lhe diz: "Confie na força, Luke. Avance com os seus sentimentos."

"Confie na força." Três palavras. Uma poderosa lição para Luke, é claro, e uma mensagem ainda mais poderosa para todos nós, expressa de forma extremamente simples e com muita profundidade.

Um dos grandes desafios que enfrentamos como espécie é nossa capacidade de confiar no que não podemos ver. Estabeleço aqui uma distinção entre confiança e fé cega, no sentido que, para mim, a confiança é conquistada e a fé cega é, na verdade, uma falta de confiança. A fé cega, seja ela exigida ou oferecida, é concedida sem nenhuma base na experiência. Por exemplo, se duas pessoas já se conhecem há muito tempo e uma delas promete fazer algo pela outra, a certeza de que a promessa será cumprida é uma questão de confiança construída através de experiências semelhantes ao longo dos anos. No entanto, se você acaba de conhecer uma pessoa e depende de que ela honre uma promessa feita a você, trata-se de uma fé cega e talvez até de um martírio.

Luke, então, avançou o suficiente no seu treinamento como jedi para poder, justificadamente, confiar na força. Considero essa uma poderosa metáfora porque acredito que nós, humanos, estamos procurando confiar em algo além de nossos sentidos. As religiões clássicas exigiam uma fé cega dos seus seguidores com a única justificativa de que se tratava da "vontade de Deus". A ciência então entrou em cena e usou resultados de laboratório como justificativa para a confiança, o que funcionou durante quase 400 anos. Recentemente, contudo, a ciência descobriu dentro de si mesma que a intenção do experimentador exerce um impacto poderoso nos resultados da experiência. Respostas puramente científicas têm sido postas em dúvida pelos próprios cientistas.

Na condição de seres espirituais, buscamos hoje o poder dentro de nós mesmos. A grande mudança de paradigma que autores e filósofos como Neale Donald Walsch, James Redfield e Richard Bach trouxeram à vanguarda do mundo de hoje é a idéia de que, embora certamente exista um poder no Universo que conhe-

cemos fora de nós como Deus, o poder que temos dentro de nós é o tecido conjuntivo que nos liga à nossa espiritualidade essencial. O ponto crucial de todo o movimento da Nova Era dos últimos 40 anos tem sido, em essência, reconhecer, admitir, aceitar e entrar em contato com nossa conexão interior com o Universo. Talvez não haja uma maneira mais elegante de expressar essa nova consciência do que dizer "A força está com você" – eis a inspiração para o título deste livro.

Luke está sendo encorajado a fechar os olhos e confiar na sua conexão interior com o poder do Universo e em seu lugar exclusivo dentro dele. *Esta é uma distinção crucial.* Ele não está sendo incentivado a abrir mão do poder e rezar para que um poder independente, fora dele, sorria benignamente e lhe conceda seu desejo. Está sendo informado de que tem, dentro de *si mesmo*, o poder de possibilitar que o seu desejo aconteça conectando-se às forças que existem dentro e fora dele.

Essa poderosa mensagem no final de *Guerra nas Estrelas* é, para mim, o que torna a mensagem do filme tão inspiradora.

A HISTÓRIA SEM FIM

Eu poderia dizer que o título diz tudo e parar por aqui. Esse filme incrivelmente estimulante tem beleza e emoção suficientes para que eu possa ao menos considerar a possibilidade de ser tão irreverente com relação a ele; no entanto, trata-se desses filmes tão diretos em sua mensagem que uma breve descrição da história é suficiente para compreendermos sua eloqüência e seu poder.

Bastian, menino perseguido nas ruas por um grupo de valentões, encontra refúgio em uma velha livraria. Lá, ele descobre um livro chamado *A história sem fim* [*The Never Ending Story*], que leva consigo e imediatamente começa a ler. A história do livro concentra-se na crise de um reino mágico chamado Fantasia, que está sendo destruído por uma força chamada "o nada". Em breve, todo o reino será eliminado. A imperatriz de Fantasia está morrendo e convoca um menino chamado Atreyu para salvar o reino. Atreyu aceita a incumbência e parte em uma jornada destinada a resolver o desafio do "nada".

À medida que Atreyu se envolve na aventura, Bastian começa a perceber que também faz parte da história, embora não entenda como ou por quê. Quando Atreyu enfrenta um determinado perigo no livro, Bastian grita em voz alta e Atreyu efetivamente o escuta, fato que deixa ambos sobressaltados.

Numerosas vezes, a fé e a coragem de Atreyu são colocadas à prova. Na companhia de um enorme dragão voador chamado Falcor, ele ouve as seguintes palavras: "Nunca desista, e a boa sorte o encontrará." O menino sobrevive a um desafio que ameaça destruí-lo e lhe dizem: "Você precisa sentir seu próprio valor, caso contrário não conseguirá passar", e depois: "Você precisa enfrentar seu verdadeiro eu." Atreyu sobrevive aos dois desafios e ouve de um oráculo que poderá salvar Fantasia encontrando um menino além dos limites de Fantasia, que dará à imperatriz um nome e salvará o reino; no entanto, Fantasia está sendo despedaçada ainda mais rápido do que ele temera.

No final, ele se vê frente a frente com um violento animal que é a personificação do nada, quando finalmente descobrimos que Fantasia é, na verdade, o mundo da imaginação humana. Sendo assim, Fantasia não tem fronteiras e é o "lugar dos sonhos e esperanças da humanidade". A razão pela qual o reino está sendo destruído é que as pessoas começaram a perder a esperança e a esquecer os sonhos, e esse vazio é o nada que está destruindo o mundo. "É fácil controlar as pessoas que não têm esperança, e quem tem o controle tem o poder."

Nesse ponto, Fantasia, efetivamente, desintegra-se, deixando pequenos fragmentos que afortunadamente contêm a torre de marfim onde a princesa ainda vive. Atreyu acredita ter falhado, mas a princesa afirma que ele trouxe consigo o garoto humano, e agora Bastian começa a aceitar que é ele o menino que a princesa está procurando. Esta lhe diz que ele já faz parte da história sem fim. Assim como Bastian está compartilhando a história de Atreyu, outros estão compartilhando suas aventuras, e para isso continuar basta que ele pronuncie o nome da princesa. Finalmente convencido, Bastian grita seu nome e se vê na presença dela. Tudo que resta em Fantasia é um grão de areia que a princesa coloca na mão de Bastian. A imaginação dele recria, então, o reino exatamente como era, e ele parte na sua aventura com Falcor.

A mensagem desse filme não exige muita interpretação, não é mesmo? Segue diretamente para o coração da nossa capacidade humana de sonhar o mundo em que vivemos e depois torná-lo realidade. A criação da realidade na sua essência simples e requintada.

Simplificando, a mensagem é que "o nada" é tudo que pode nos destruir. Não se trata da guerra, da tecnologia, de meteoros ou de qualquer outra ameaça apocalíptica. Apenas "o nada", nossa falta de esperança. Se mantivermos viva a esperança e sonharmos tudo que nossa consciência pode imaginar, nada poderá nos destruir. Somos todos parte de uma história sem fim e, desde que conservemos essa percepção consciente, nossa condição humana e nossa vontade prevalecerão.

Outro aspecto sutil do filme, na minha opinião, é que ele dirige a atenção para o coração das crianças.

O mundo dos nossos filhos carrega hoje muita dor. Basta examinarmos questões como a trágica violência que irrompeu em nossas escolas e o índice chocante de suicídio entre os adolescentes para saber que muitas de nossas crianças estão chegando a um mundo que as assusta e intimida. Crianças matando crianças. O problema das drogas e do álcool, mas, acima de tudo, o desespero que tantas delas sentem. Desespero que se reflete em grande parte da música e em alguns dos heróis infantis. Essa nova geração de crianças escolheu sérios obstáculos para transpor nesta vida.

Diante disso, certas pessoas só enxergam a escuridão. Eu vejo a luz. Nossas crianças têm muito a superar, mas, passando algum tempo com elas podemos descobrir que estão à altura da tarefa. São mais inteligentes, mais conscientes e mais sofisticadas com relação ao mundo que as crianças de gerações anteriores. São, de fato, uma nova geração cuja responsabilidade será dar os próximos passos em direção a um futuro que, em minha opinião, será a personificação dos nossos sonhos mais belos, não dos nossos pesadelos. Assim como as tragédias exibem o lado negro de ser jovem hoje em dia, existe também um equilíbrio de luz no coração e na alma de muitas dessas crianças extraordinárias.

O fato de eu ter quatro filhas fez com que mantivesse contato com muitos jovens ao longo dos últimos 26 anos, e não tenho dúvida de que eles conseguirão superar todos esses obstáculos. Eles estão procurando inspiração e esperança, que muitos encontram na música e no cinema. Sem dúvida, grande parte da música diz respeito ao medo e à raiva, mas a grande maioria está voltada para encontrar um caminho através do confusão. Estão fazendo uma busca, exatamente como fizemos, mas a estão empreendendo com muito menos idade do que a maioria de nós jamais considerou.

Imagine o que nossos filhos podem se tornar quando ficarem mais velhos – desde que mantenham viva a esperança. E essa é a imagem principal de *História Sem Fim*, ou seja, que devemos manter viva a esperança mantendo nossa imaginação desperta e vibrante.

Um antigo provérbio indiano diz que não herdamos a terra dos nossos pais. Nós a pedimos emprestada aos nossos filhos.

Acredito nesse provérbio.

Também acredito que o futuro da nossa evolução reside, verdadeiramente, na imaginação dos nossos filhos, e que tanto nós quanto Fantasia estamos em muito boas mãos.

INDIANA JONES E OS CAÇADORES DA ARCA PERDIDA

A partir de um ponto de vista estritamente de entretenimento, *Indiana Jones e os Caçadores da Arca Perdida* [*Raiders of the Lost Ark*] é o mais perfeito filme de aventura já concebido. Steven Spielberg estava no auge da sua capacidade criativa de direção comercial, e ninguém que assistiu ao filme esquecerá a experiência. O filme é pura adrenalina do começo ao fim e seria memorável mesmo sem as poderosas mensagens espirituais que contém. Uso freqüentemente *Os Caçadores da Arca Perdida* em meus seminários como o exemplo clássico de como estruturar um roteiro e, mais particularmente, de como explicar as regras em um filme.

Para a nossa finalidade, no entanto, *Os Caçadores da Arca Perdida* é muito importante tanto pela maneira como usa a mitologia do poder destrutivo quanto pela mensagem que deixa conosco na última tomada do filme.

Quando é pedido a Indiana Jones (Harrison Ford) que explique a Arca da Aliança para representantes do governo, sua combinação de fato e ficção não apenas convence as pessoas *dentro* do filme, como também convence a nós, no cinema, que o folclore é um fato histórico quando, na verdade, grande parte dele foi inventada.

A arca é caracterizada como tendo o poder de destruir tudo que se encontre no seu caminho. O importante é que sabemos que a arca contém o poder de Deus e que "um exército que conduza a arca à sua frente é invencível". As ilustrações que nos são mostradas parecem indicar que a grande luz que emana da arca, literalmente, desintegra qualquer coisa que se coloque em seu caminho. Esse poder pode ser usado para o bem, porém, se mal aproveitado, pode devastar tudo que o cerca.

O que isso parece? Um perfeita metáfora para a energia nuclear e as armas, não é mesmo? Sem dúvida, o poder de Deus. Não poderá também ser considerado uma metáfora para os grandes poderes que os seres humanos alcançaram em muitas histórias hoje esquecidas? A utilização inadequada da energia nuclear gerada pelos grandes cristais da Atlântida é freqüentemente mencionada como o principal agente de destruição daquela civilização. (Nenhum filme jamais abordou a Atlântida. Sem dúvida, alguns filmes de aventura e fantasia esboçaram tentativas, mas não passavam de filmes de aventura que usaram a Atlântida como cenário, mas nunca, de fato, a abordaram como a extraordinária civilização que foi. A versão animada da Disney *Atlantis: O Reino Perdido* [*Atlantis: The Lost Empire*] é muito divertida, e retrata os cristais como poderosas imagens atlantes, mas, sendo um filme para crianças, não diz nem um pouco respeito à civilização perdida que Platão voltou a introduzir no mundo moderno.)

Se abusamos dessas grandes forças no passado, é muito fácil perceber por que nos identificamos tão fortemente com o medo de deixar que a arca caia em mãos erradas. Mesmo nas mãos "certas", ela provocou a queda de grandes civilizações. Quer se trate do poder de Deus ou de uma metáfora para o uso inadequado desse poder pelos seres humanos, colocar a arca nas mãos de um poder negro, naturalmente, nos assustaria. E que poder mais negro pode ser usado do que o dos nazistas, que são o ponto mais baixo dos impulsos inferiores do nosso lado negro?

É como se estivéssemos avisando a nós mesmos que não podemos nos esquecer de que o poder possui um lado claro e um lado negro, e que precisamos nos lembrar do que acontece quando o lado negro entra em ação.

Outro aspecto extraordinário de *Os Caçadores da Arca Perdida* no que diz respeito a este livro é a maneira como assemelha-se a *2001*. Nos dois filmes, são feitas grandes descobertas que poderiam, caso se tornassem públicas, modificar completamente nossa maneira de perceber quem somos e quem poderíamos ser. Em *2001*, a existência do monólito é mantida em segredo pelo mesmo motivo que a arca é embalada e armazenada no final de *Os Caçadores da Arca Perdida*: os "poderosos" chegam à conclusão de que o público não pode lidar com essas revelações, de modo que são consideradas confidenciais e mantidas em segredo.

O "governo" é um "ocultador" de informações onipresente em muitos desses filmes, não é mesmo? O que isso significa, na verdade?

Por que essa possibilidade é uma mensagem tão importante e onipresente em tantos filmes? Por que temos tanto medo de não termos acesso a revelações importantes? Ou será que temos medo de não conseguirmos lidar com elas? Ou será que as duas opções são verdadeiras?

Afinal, o que é exatamente o governo? Não se trata apenas de um acordo que fizemos com nós mesmos para nos protegermos da anarquia e do caos? Não existe nada como "o governo" na condição de um ser inanimado que toma decisões independentes para nós, como um computador impessoal. O governo é um grupo de pessoas semelhantes a nós que, por algum motivo, decidiram trabalhar no que é conhecido como setor público. Sem dúvida, alguns procuram trabalhar no governo por conta de estabilidade no emprego e de benefícios, ao passo que outros gostam da idéia de ter poder e influência. Outros, ainda, optam por essa carreira porque realmente desejam ser importantes no mundo. Por que temos tanto medo do que essas pessoas representam a ponto de o governo funcionar como um vilão tão útil e universalmente aceito nos filmes?

Acredito que a parte negra da resposta reside na desconfiança que sentimos de nós mesmos.

O conceito do lado sombrio da natureza humana está profundamente embutido no pensamento junguiano. Não sou terapeuta nem especialista em Jung, de modo que a análise da teoria da sombra que se segue não tem a intenção de ser clínica ou científica. (Se você quiser obter uma explicação maravilhosa e mais completa do fenômeno da sombra, recomendo entusiasticamente o excelente livro de Debbie Ford intitulado *Lado sombrio dos buscadores da luz* [*The Dark Side of the Light Chasers*].)

Para nós, leigos, o lado sombrio da nossa personalidade contém toda a raiva e a frustração que nunca estamos seguros para expressar. Digamos, por exemplo, que um menino apanhe de um valentão. A criança fica humilhada, frustrada, com raiva e com um sentimento de impotência. O garoto tem vontade de reagir, mas sabe que não conseguirá ganhar a briga, de modo que empurra todos esses sentimentos para o seu lado sombrio, onde ficarão eternamente, ou até que seja seguro expressá-los. Ou, então, seu chefe o repreende sem um motivo claro, mas, como você tem medo de ser demitido, pega o abuso e os sentimentos de raiva e os coloca na sombra. Em determinado momento, a sombra fica "cheia", e é nesse momento que surge o verdadeiro perigo. Ou enfrentamos conscientemente essas coisas e as aceitamos como parte de nós ou elas continuam a nos assombrar no mundo que nos cerca. Se continuarmos a negar a sombra, poderemos nos dividir e nos tornar, em último caso, perigosos para nós mesmos e para o mundo à nossa volta (com freqüência, isso forma o ponto crucial da "crise da meia-idade"). Nos casos avançados, nós nos fechamos de tal maneira para a sombra que nos tornamos capazes de cometer crimes horríveis e negá-los completamente para nós mesmos. Um bom exemplo é o de Albert de Salvo, o abominável estrangulador de Boston. Quando foi finalmente confrontado com a verdade dos seus crimes, entrou em um estado de fuga do qual nunca realmente saiu.

Por sorte, nossa sombra clara forma um belo equilíbrio com a sombra negra, e vamos examinar mais de perto esse aspecto na introdução à discussão dos "Poderes e percepções desenvolvidos", no Capítulo 8.

O governo, então, revela-se uma maneira útil de projetarmos no mundo os receios da nossa sombra. Temos um grande medo de ter lidado erroneamente com o poder no passado e não temos nenhuma certeza de poder lidar com ele agora; por esse motivo, criamos um vilão, que na verdade somos nós, com outra aparência, e usamos esse vilão como nosso inimigo. Você conhece a velha frase: "Vimos o inimigo e nós somos ele"? A meu ver, é por isso que o governo funciona tão bem como vilão. Não temos certeza de poder lidar com informações que poderiam nos tirar do nosso comodismo e, certamente, não confiamos na maneira como fizemos uso do poder no passado, de modo que simplesmente criamos outra manifestação de nós mesmos, a chamamos de governo e a culpamos. Simples. Uma atitude baseada no medo, porém simples.

A outra parte da resposta está no anseio de conhecimento e evolução da nossa sombra clara. Os aspectos integrados e visionários do nosso ser sabem que nossa vida tem um propósito. Não sabemos conscientemente qual é esse propósito individual ou social, mas nos esforçamos para olhar além da próxima montanha e enxergar o que está à frente.

Quando vemos a arca ser escondida em um depósito do governo no final do filme, ficamos, ao mesmo tempo, aliviados e zangados. Aliviados por ela ter ficado fora do alcance de nossas partes desintegradas, que poderiam usá-la de forma inadequada, mas também zangados, porque as qualidades corajosas e criativas da nossa alma querem tentar lidar novamente com esses poderes e revelações. A natureza corajosa do nosso eu integrado acredita que somos capazes de lidar com essas revelações, agora, ou em um futuro bem próximo.

Quando um filme explora esses temores profundos e anseios extremados, ele permanece conosco para sempre; e nesse ponto reside o legado duradouro de *Os Caçadores da Arca Perdida*.

HORIZONTE PERDIDO

Esse é o primeiro filme de Frank Capra que examinamos. O outro filme que vamos analisar é, claro: *A Felicidade não se Compra* (Capítulo 11).

Frank Capra acreditava nas pessoas e na bondade intrínseca delas. Os seus filmes tratavam da condição humana básica e eram sempre otimistas. Capra era um homem cheio de compaixão e esperançoso cuja carreira desenvolveu-se durante uma época muito difícil no mundo – as décadas de 1930 e 1940. Mesmo com a depressão econômica e as guerras, Capra permaneceu fiel a sua fé na nossa bondade fundamental enquanto espécie. Infelizmente, nunca houve outra pessoa exatamente como ele.

Horizonte Perdido [*Lost Horizon*] (lançado nos Estados Unidos em 1937) é mais um filme que poderia encaixar-se em diferentes capítulos. Coloco-o no grupo de filmes de aventura porque descreve a jornada épica em busca de uma terra lendária chamada Shangri-La.

Shangri-La. Hoje em dia, essa palavra faz parte da maioria dos dicionários por ser comumente usada como sinônimo para paraíso perdido. Utopia. Nossa fascinação como um paraíso fora das regras do tempo e do espaço está tão profundamente embutida em nossa cultura quanto os mitos sobre um grande dilúvio, e não é preciso ser gênio para saber que o Jardim do Éden vem exatamente daí. É claro que o Éden representa muitas coisas em nossa consciência, mas nenhuma é mais pura e simples do que o modelo-padrão da nossa inocência. Antes da tentação. Antes do mal. Antes da ganância. Um tempo e um lugar onde estávamos em harmonia com Deus e com nós mesmos.

Ronald Colman interpreta o diplomata Robert Conway, que faz uma aterrissagem forçada nas montanhas do Tibete e é conduzido a um idílico paraíso oculto chamado The Valley of the Blue Moon (O Vale da Lua Azul). Conway logo descobre que o seu avião não caiu por acidente. Foi levado para Shangri-La por Chang (Sam Jaffe), Grande Lama que vê em Conway o sonhador idealista que poderá sucedê-lo. O Grande Lama tem 200 anos de idade, mas em Shangri-La o processo de envelhecimento é muito diferente.

Chang diz a Conway que o mais importante conceito de Shangri-La é "ser gentil". Essa foi uma mensagem muito poderosa em 1937 porque, devido ao difícil período econômico mundial e à agitação que era vivida na Europa, o suprimento de delicadeza estava em grande baixa.

Conway é convencido pelo irmão, que se apaixonou por uma moça de Shangri-La, e abandona a cidade idílica (sem estar terrivelmente convencido como personagem ou convincente como um recurso da trama). Quando o grupo já está fora da proteção de Shangri-La, a namorada do irmão de Conway reverte à sua idade cronológica verdadeira e, literalmente, murcha na mesma hora.

A última seqüência do filme é narrada por um personagem chamado Lorde Gainsford, que estava no Tibete para ajudar a encontrar Conway. Ele menciona os rumores de que Conway seria reconhecido de tempos em tempos tentando escalar as montanhas, resmungando a respeito de um lugar chamado Shangri-La. No final, Gainsford propõe um brinde pouco antes de vermos Conway encontrar novamente a entrada de Shangri-La.

A última fala do filme e sua mensagem subjacente é: "Espero que Robert Conway encontre seu Shangri-La. Espero que todos encontremos nosso Shangri-La."

O TIGRE E O DRAGÃO

O Tigre e o Dragão foi lançado nos Estados Unidos no final do outono de 2000, com muito pouco alarde. Afinal de contas, tratava-se de um filme chinês, com um elenco totalmente oriental e legendado em inglês. A estratégia para esse tipo de filme é muito simples: lançá-lo em algumas grandes cidades cosmopolitas com uma tradição de forte apoio aos cinemas de arte por parte de pessoas de meia-idade e esperar o melhor.

Desde o início, no entanto, ficou bastante óbvio que *O Tigre e o Dragão* era um filme muito diferente.

Os críticos ficaram encantados, o que, sem dúvida, ajudou a estabelecer uma identidade inédita para o filme; entretanto, foi o público jovem que logo foi assistir, em massa, a um filme convencionado como de arte, e o interesse deles imediatamente indicou que algo excepcional estava acontecendo.

O Tigre e o Dragão é um filme incrivelmente original. A história se dá em torno de Li Mu Bai (Chow Yun Fat), famoso guerreiro da China feudal que deseja aposentar-se mas sente que seu mundo está inacabado porque ainda não conseguiu vingar a morte do seu mentor. Sua espada mágica do Destino Verde é roubada e ele descobre que o ladrão é Jen (Ziyi Zhang), jovem protegida do assassino do seu mentor. Li Mu Bai nutre um amor não correspondido por Shu Lien (Michelle Yeoh) e ambos tentam fazer amizade com Jen para encontrar seu mentor. Jen é de linhagem nobre, mas sempre viveu à margem do seu mundo e depois foi seduzida por Lo, jovem guerreiro do deserto. No final, as quatro vidas se cruzam e o guerreiro consegue sua vingança, mas acaba morrendo também.

Resumidamente, esta é a história, mas o poder do filme está na sua essência, ferramentas visuais e espiritualidade. O filme está impregnado de misticismo e constantemente cruza a barreira do que a maioria das pessoas considera realidade. As seqüências espetaculares de artes marciais desafiam qualquer noção ordinária das ações humanas. A mais bela das seqüências, por exemplo, acontece na copa das árvores de uma floresta. A noção da gravidade está totalmente ausente quando o guerreiro e o seu jovem adversário voam de galho em galho e de árvore para árvore. O que torna o filme tão especial é que os espectadores simplesmente acompanham tudo sem fazer perguntas. Assim como a aura de magia que está na essência de todas as artes marciais, os personagens têm uma crença inabalável no modo como vivenciam essas antigas artes.

A mensagem central do filme está em uma história que Lo conta para Jen quando estão juntos no deserto.

Lo descreve para Jen uma montanha mística onde os desejos se tornam realidade. Lo fala de um rapaz que, preocupado com a saúde dos pais, saltou da montanha. "Ele simplesmente foi embora flutuando, sem nunca voltar, mas sabia que o seu desejo havia sido satisfeito. Deus fará a vontade de qualquer pessoa que ouse pular da montanha. Quando temos fé, a coisa acontece. O coração sincero faz com que os desejos se tornem realidade." Essa profecia prenuncia a última tomada do filme, quando Jen, percebendo que causara a morte de Li Mu Bai, salta de uma ponte na montanha e, literalmente, flutua em direção à eternidade.

A coragem de saltar dessa montanha é, ao mesmo tempo, uma mensagem e uma metáfora para onde estamos hoje como seres humanos. Ao ficar na ponta do pé na beira do precipício, sentimos o conforto de saber que um "coração sincero" não apenas nos impedirá de cair no abismo, como também possibilitará que atravessemos uma ponte de fé em direção a nosso destino.

"Parece que acabam de nos pedir para salvar o mundo."
Armageddon

Capítulo Quatro

Inundações, incêndios, terremotos e tumultos

A PIADA (E COM FREQÜÊNCIA A TRISTE VERDADE) DIZ QUE AS INUNdações, os incêndios, os terremotos e os tumultos são as quatro estações do sul da Califórnia.

São também o que a maioria dos filmes visionários livres de utopias aborda.

Por que tantos filmes postulam que a única maneira de se chegar ao futuro é passando, primeiro, pelo desastre? Como mencionei, acredito que a resposta está na nossa memória sensorial como espécie, que só experimentou a catástrofe ou a decadência. Temos dificuldade em visualizar um futuro positivo porque, no passado, não conseguimos evoluir para um futuro tranqüilo – e os cineastas extraíram sua "inspiração" de nossos temores e criaram o grupo de filmes que agora vamos examinar.

Todos os filmes contêm mensagens de advertência sobre as maneiras como causamos nossa destruição no passado – a tecnologia, a superpopulação, a poluição, a energia nuclear, a violência, os desastres naturais, a perda da liberdade – e servem de lembretes do que devemos evitar dessa vez.

Examinadas superficialmente, as mensagens dos filmes deste capítulo poderiam ser percebidas pelos entusiastas dos "fins dos tempos" como assustadoras, mas eu as encaro de uma maneira extremamente diferente.

Quando enfrentamos o medo com decisão, ele perde seu poder. Se uma luz de advertência se acende no painel do carro informando que o nível do óleo está baixo, paramos em um posto de gasolina e adicionamos óleo ao motor. E a luz se apaga. Quando analisadas a partir dessa perspectiva, as mensagens dos filmes deste capítulo na verdade são confortadoras, ou seja, estão presentes para nos lembrar do nosso entendimento e da promessa que fizemos uns aos outros e a nós mesmos de que não permitiremos que nenhum desses cenários do fim dos tempos aconteça... novamente.

O medo da tecnologia avançada (*Exterminador do Futuro 1* e *2* [*Terminator 1* e *2*]) e das falhas nucleares (*Limite de Segurança* [*Fail Safe*], *Síndrome da China* [*The China Syndrome*]) parecem ser temas predominantes em muitos desses filmes. A abordagem do "copo meio vazio" veria esses receios como um prenúncio de terríveis tragédias prestes a acontecer. A abordagem do "copo completamente cheio" encara os temores, reconhece-os e simplesmente determina que, por mais complexo que pareça o motor, a simples adição de óleo manterá a luz apagada.

SÍNDROME DA CHINA *E* SILKWOOD – O RETRATO DE UMA CORAGEM

Como veremos em outros filmes neste capítulo, temos um medo obsessivo da destruição nuclear desde que o Enola Gay lançou as bombas atômicas sobre Hiroshima e Nagasaki para acabar com a Segunda Guerra Mundial. Quando o gênio saiu da garrafa, soubemos que tínhamos inventado (ou redescoberto?) o poder supremo capaz de aniquilar instantaneamente o planeta e todos os seus habitantes.

Mencionei a palavra "redescobrir" porque tenho a convicção de que quase todos nós que estamos vivendo hoje também estávamos aqui na época de grandes destruições cataclísmicas como a devastação da Atlântida. Não é fundamental, neste caso, que se aceite a existência da Atlântida. O medo da destruição nuclear pode certamente ser justificado pela mera existência da energia atômica; acredito, no entanto, que muitos de nós sentimos que estávamos por aqui quando a Atlântida desapareceu. Creio que quase todos que temos essa lembrança também sentimos que a destruição foi auto-imposta; por esse motivo, embora aqui não seja o lugar adequado para uma análise histórica detalhada das possíveis causas da destruição da Atlântida, acho importante ao menos registrar uma das teorias predominantes da destruição dessa antiga e avançada civilização.

Como comentei brevemente no Capítulo 3, *Atlantis: O Reino Perdido*, desenho animado da Disney lançado no verão de 2001 nos Estados Unidos, foi basicamente concebido como uma aventura infantil. Nessa condição, ele diz que a Atlântida ainda existe no fundo do oceano e que foi destruída por um maremoto de origem desconhecida; no entanto, o filme contém uma mensagem fascinante a respeito da Atlântida que está em sintonia com aqueles que, como eu, sentem uma poderosa afinidade pelo assunto. De acordo com o desenho, a Atlântida era uma civilização altamente evoluída, impulsionada por um enorme cristal. A força motriz do poder do cristal era a *consciência coletiva dos cidadãos da Atlântida*. Trata-se de um conceito incrivelmente evoluído para um filme infantil e uma mensagem poderosa para todos nós.

Quando lemos a obra de Edgar Cayce sobre a Atlântida ou qualquer uma das dezenas de outras interpretações desse mundo da Antiguidade, está muito claro que a Atlântida de fato descobrira uma imensa forma do poder do "cristal". As interpretações de Cayce em particular apontam para algo semelhante a um episódio nuclear. Esse tipo de tragédia, certamente, explicaria como um continente inteiro poderia submergir. Se um grande número de pessoas realmente estavam vivas na época da destruição, certamente viriam à tona memórias sensoriais bastante intensas quando a energia nuclear voltasse a ameaçar nosso mundo, não é mesmo?

Memória sensorial ou não, vamos examinar vários filmes neste capítulo que nos projetam em um futuro *posterior* a um importante holocausto nuclear. Esse medo está na origem do argumento de *Síndrome da China*. O que realmente aconteceria se ocorresse um acidente nuclear em uma das usinas nucleares relativamente novas (o filme foi lançado nos Estados Unidos em 1979) que estávamos construindo? O título faz referência não apenas a uma das respostas potencialmente assustadoras à essa pergunta: a "combustão" poderia atravessar a Terra e sair do outro lado, na China.

78 A FORÇA ESTÁ COM VOCÊ

A trama do filme gira em torno de Jane Fonda e Michael Douglas (também o produtor), que representam uma repórter da televisão e o seu cinegrafista gravando uma história de rotina na usina quando acontece um acidente. Além de se envolverem no incidente, tornam-se testemunhas e alvos diretos de uma tentativa de ocultá-lo.

O que torna o filme tão extraordinário para nós não é a trama em si, mas a incrível "coincidência" que ocorreu *12 dias* depois do lançamento do filme: um acidente na usina nuclear na Three Mile Island, na Pensilvânia, que facilmente poderia ter atingido dimensões terríveis. O acidente refletiu inexplicavelmente não apenas a trama de *Síndrome da China* como também a tentativa de ocultar o incidente. Os nossos medos só se concretizaram sete anos depois, quando efetivamente teve lugar um acidente na usina nuclear de Chernobyl.

A mensagem que reflete a profundidade da nossa preocupação com o manuseio da energia nuclear era tão poderosa que um filme foi lançado 12 dias antes que um incidente verdadeiro acontecesse. Coincidência? Certamente é possível. Não posso *provar* que não seja o caso. Mas é uma "coincidência" terrivelmente esquisita, não é mesmo? Michael Douglas teve muita dificuldade para produzir o filme (ver Capítulo 14), que só recebeu a devida atenção *depois* do acidente na Three Mile Island.

Acredito que, através desse filme, enviamos uma mensagem muito intensa para nós mesmos e para o mundo de que estamos de fato lidando com o "fogo" supremo e que é melhor sermos extremamente cuidadosos. Não temos medo de que as nossas mãos sejam queimadas pelo fogo, mas que se desintegrem.

Cinco anos antes de *Síndrome da China* ser lançado, um operário de uma usina nuclear de Oklahoma desapareceu em circunstâncias extremamente misteriosas e nunca mais se ouviu falar nele.

Quatro anos depois do lançamento de *Síndrome da China*, Mike Nichols dirigiu Meryl Streep em *Silkwood – O Retrato de uma Coragem [Silkwood]*, a versão cinematográfica da história de Karen Silkwood, e agora comento brevemente esse fato porque ele reflete novamente o medo que nasce não apenas com o perigo da energia nuclear, mas também o receio de que as pessoas que tentam alertar o público a respeito dos verdadeiros perigos envolvidos o fazem sob a ameaça de perder a vida.

Síndrome da China, Three Mile Island, *Silkwood,* Chernobyl. A mensagem nesses filmes e acidentes é que nutrimos um medo profundamente enraizado a respeito do uso inadequado da energia nuclear, e estamos alertando a nós mesmos que devemos nos lembrar do que aconteceu antes, quando falhamos em nossas tentativas de utilizá-la de uma maneira segura. Estávamos lembrando a nós mesmos que a luz do óleo estava acesa, não que o motor estava prestes a explodir!

LIMITE DE SEGURANÇA

Limite de Segurança, dirigido por Sidney Lumet, foi lançado nos Estados Unidos em 1964.

Limite de Segurança é um filme muito mais sério e radical a respeito de outro tipo de "erro" do abordado tanto em *Síndrome da China* quanto em *Silkwood.* O erro, nesse caso, é bem mais parecido com o de outros filmes, como *Dr. Fantástico* (Capítulo 6): o que acontece quando uma ordem de "fogo" é dada a um avião bombardeiro e, por um motivo tecnológico ou humano qualquer, ele não pode ser cancelado?

A peculiaridade em *Limite de Segurança* é que o presidente americano (Fredric March) sabe que não pode chamar o avião de volta e compreende que está diante da possível destruição da humanidade se os russos revidarem (e ele tem certeza de que eles farão isso, pois o avisaram). Decide, então, adotar uma linha de ação audaciosa, mas terrivelmente difícil. Determina que o embaixador americano em Moscou (a cidade-alvo do avião) permaneça no telefone enquanto o bombardeiro se aproxima. Isso significa que ele está ordenando a morte do embaixador, que está ciente do fato. Ainda mais surpreendente é o entendimento de que o presidente determinou que um bombardeiro americano deixasse cair uma bomba nuclear em Nova York quando a bomba detonasse em Moscou (estando o piloto munido de uma injeção suicida). Essa é a promessa que o presidente fez ao primeiro-ministro russo provando que tudo havia sido um acidente pelo qual aplicaremos a vingança a nós mesmos. A última peça do quebra-cabeça macabro é o fato de que a esposa do presidente está em Nova York e morrerá quando a bomba explodir.

O filme termina com as duas bombas atingindo o alvo.

Essa situação transformou nosso medo da guerra nuclear em algo muito pessoal, e o sentimento de que "está acontecendo perto de casa" é a mensagem do filme. Uma coisa é ver bombas caírem sobre cidades onde as pessoas são desconhecidas e outra, bem diferente, é quando as vítimas são, na verdade, nossa própria família.

O EXTERMINADOR DO FUTURO 1 *E* 2

Lançado nos Estados Unidos em 1984 (um ano "interessante" para que o lançamento de narrativas apocalípticas – ver *1984, o Futuro do Mundo [1984]* adiante), filmes da série *O Exterminador do Futuro* são muito criativos sob vários aspectos.

A trama de *O Exterminador do Futuro 1* conduziu nosso *pavor* da tecnologia a novas e espetaculares alturas e, depois, *O Exterminador do Futuro 2* redefiniu o campo de efeitos especiais em 1992, promovendo *avanços* sem paralelo na tecnologia cinematográfica.

O Exterminador do Futuro 1 foi um filme revolucionário tanto para o astro Arnold Schwarzenegger quanto para o diretor James Cameron (que posteriormente ganhou o Oscar com *Titanic* [*Titanic*]).

O Exterminador do Futuro 2 foi, na ocasião do seu lançamento, o filme mais caro já produzido até então, devido à nova tecnologia que promoveu.

A trama básica de *O Exterminador do Futuro 1* se passa principalmente no presente, no qual uma criatura (Arnold) do futuro é enviada para matar uma determinada mulher, representada por Linda Hamilton. Outro viajante do tempo (Michale Biehn) é enviado por facções antagônicas para proteger a mesma mulher. *O Exterminador do Futuro 2* apenas desenvolve o mesmo tema. A mulher é extremamente importante porque, no futuro, ela vai gerar um filho que será o líder da revolta contra as máquinas, e as próprias máquinas enviam uma delas ao passado para tentar matar a mulher e, desse modo, evitar o nascimento do menino. Embora a maior parte da ação se paase nos dias atuais, a essência da mensagem do filme é sua visão do futuro da humanidade e por isso se encaixa em nosso estudo.

A premissa de ambos os filmes é que, no futuro, o homem perdeu a batalha para as "máquinas". A tecnologia, sob a forma de grandiosas máquinas assassinas, desenvolveu uma consciência própria independente, chegou à conclusão de que os seres humanos são desnecessários, representando, na verdade, uma ameaça e, como resultado, persegue e mata as pessoas com a intenção de exterminar a raça humana.

Para mim, a mensagem dos dois filmes (bem como a de *Matrix*) é uma condensação do nosso medo da ameaça de que a tecnologia acabe destruindo nossa condição humana.

Para alcançar os fantásticos resultados visuais de *O Exterminador do Futuro 2,* o diretor Cameron comandou a mais grandiosa realização de efeitos visuais na história do cinema até aquela data, e, ao fazer isso, empurrou o orçamento do filme para a casa dos 130 milhões de dólares, o que o tornou a produção mais cara já produzida. (Vários anos depois, é claro, Cameron superaria a si mesmo ao produzir *Titanic*, o filme mais caro já produzido – a um custo de cerca de 250 milhões de dólares. Cifra, por sinal, superior ao PIB de vários países. Voltaremos a esse assunto daqui a pouco.)

A equipe de Cameron conduziu a tecnologia de computador a alturas vertiginosas a fim de criar um filme sobre o domínio supremo da tecnologia. Por esse motivo, cito *Alguém Lá em Cima Gosta de Mim* no início do Capítulo 16: "Deus é um comediante que se apresenta diante de uma audiência que tem medo de rir." Que ironia incrível e deliciosa.

O mais importante é que o talento da realização tecnológica de *O Exterminador do Futuro 2 afetou profundamente o rumo de toda a indústria cinematográfica*; por esse motivo, o fenômeno precisa ser abordado aqui com certa riqueza de detalhes antes de passarmos à análise de outros filmes visionários.

O Exterminador do Futuro 2 demonstrou que os efeitos digitais podem realmente alcançar quase qualquer patamar, e o "quase" é provavelmente supérfluo. Não existe, literalmente, nenhum lugar, cenário ou evento que não possa ser criado ou deslumbrantemente aprimorado em um computador, inclusive, como discutiremos no Capítulo 7, os próprios seres humanos, como é o caso de *Final Fantasy*.

Mundos outrora "inacessíveis" aos cineastas hoje podem ser repensados, devido aos computadores. Apenas como um exemplo pessoal, a vida após a morte de *Amor Além da Vida* jamais poderia ter sido realizada visualmente sem a utilização de avançados efeitos digitais. Um dos desafios desse filme durante toda a sua história tortuosa (detalhada no Capítulo 15) foi o fato de o cenário situar-se quase que totalmente na experiência após a morte do personagem principal, algo que antes do advento dos efeitos digitais simplesmente não poderia ter sido realisticamente realizado.

O Exterminador do Futuro 2 também "elevou o nível" para estonteantes novas alturas no que diz respeito às expectativas da audiência nos filmes. O clichê "Como vamos mantê-los na fazenda depois que virem Paris?" é totalmente adequado neste caso. O público agora já viu o que pode ser alcançado com os efeitos especiais e, depois de *O Exterminador do Futuro 2*, tornou-se impossível tentar fazer filmes "baratinhos" de ação ou de efeitos especiais. Você se lembra da "vida após a morte" de *O Céu Pode Esperar* [*Heaven Can Wait*], por exemplo, em 1976? Nuvens brancas, uma óbvia montagem? Funcionou às mil maravilhas na época, mas se você, atualmente, tentar algo desse tipo, afastará imediatamente o seu público, que hoje espera certo nível de precisão técnica e talento artístico, e é o que temos que apresentar.

Um dos desafios dessa "elevação de nível" é que ela produziu um profundo "choque do preço na etiqueta" no orçamento dos filmes quando qualquer tipo de efeito visual está em jogo. Para continuar a expandir a arte dos efeitos visuais, os filmes importantes desafiam continuamente suas equipes de efeitos especiais a criar efeitos novos e melhores. O maior custo dos efeitos visuais está em sua fase de pesquisa e desenvolvimento, não no desafio de efetivamente dar forma a eles. Exibi-los é dispendioso, mas é na concepção e no desenvolvimento do software que os custos podem se acumular. Depois que um efeito é efetivamente criado e adquire forma, utilizá-lo é muito mais fácil devido à ausência de custos adicionais de pesquisa e à explosiva e rápida evolução do próprio software e dos computadores.

Pense no seguinte: praticamente todos os efeitos que levaram *O Exterminador do Futuro 2* a ser o filme mais caro já produzido na época *podem hoje ser exibidos em um computador doméstico*!

Uma vez mais, uma história pessoal pode exemplificar essa questão. (Pretendo usar o mais possível a experiência pessoal neste livro porque assim poderei falar a partir de um conhecimento direto dos eventos. Quando precisamos falar com outras pessoas a respeito de suas próprias experiências, nunca podemos confiar totalmente na precisão das informações, não necessariamente devido a uma falta de veracidade e sim porque, como em *Rashomon* [*Rashômon*], todo mundo se lembra das coisas de uma maneira diferente. Pensando melhor, estou certo de que isso se aplica a mim também, mas vou me esforçar ao máximo.) Quem assistiu a *Amor Além da Vida* vai se lembrar da natureza fascinante do que chamamos no filme de "a seqüência pintada do mundo", quando Robin Williams acorda pela primeira vez na sua experiência de vida após a morte. Quando o nosso brilhante diretor Vincent Ward concebeu inicialmente esse mundo, ninguém sabia como executá-lo. E quero dizer realmente ninguém. Vincent queria que os atores interagissem em um mundo tridimensional pintado, no qual a tinta parecesse fresca. Uma idéia brilhante e inspirada, mas como executá-la? Entramos em contato com todas as empresas de efeitos visuais do mundo, e todas ficaram fascinadas com o desafio mas, inicialmente, ninguém sabia como realizar a façanha. O desafio e o custo de desenvolver e exibir o efeito desse mundo pintado acabou fazendo com que cada uma das 54 tomadas de efeitos especiais da seqüência custasse 250 mil dólares! A inventividade e a habilidade artesanal foram extraordinárias, e a equipe merecidamente ganhou o Oscar de Efeitos Especiais de 1999. O ponto relevante aqui, contudo, é que os técnicos envolvidos no processo me disseram que era quase certo que a mesma tecnologia logo seria utilizada nos comerciais da televisão... isso vai ser maravilhoso, não é mesmo?

Assim sendo, *O Exterminador do Futuro 2* abriu as portas para uma maneira totalmente nova de conceber visualmente os filmes e, ao contrário da determinação de alguns juízes, nenhum júri pode realmente desprezar algo que lhe tenha sido apresentado; então, gostemos ou não, estamos lidando agora com uma indústria com expectativas de público que só tendem a crescer. O gênio não está apenas fora da garrafa – a garrafa foi enviada para reciclagem e nunca será vista novamente da mesma forma.

Os custos crescentes dos efeitos especiais, tradicionalmente relacionados junto a outros custos físicos como "abaixo da linha", foram igualados pelos salários dos atores, que também dispararam, conhecidos como "custos acima da linha". (Os nomes dizem respeito ao orçamento dos filmes, que primeiro relaciona os custos com atores, roteiristas, diretores etc., após ser traçada uma linha, os custos físicos são listados abaixo dessa linha.) A combinação desses fatores, acrescida da explosão dos custos de marketing, gerou um efeito econômico tsunami que varreu a estrutura da indústria, deixando contadores e executivos aturdidos.

Em 1975, o custo médio da produção de um filme de estúdio era de 8 milhões de dólares e sua distribuição custava em torno de 4 milhões, perfazendo um total de 12 milhões de dólares.

Em 2000, o custo médio da produção de um filme de estúdio era de 54 milhões de dólares e sua distribuição custava em torno de 30 milhões, perfazendo um total de 84 milhões de dólares.

E esses são os *custos médios*! Pouco mais do que a inflação, certo?

O que está acontecendo?

No que diz respeito ao marketing, a natureza da comercialização dos filmes foi afetada pela mudança da sociedade de um modo geral, porém, mais especificamente (embora não de modo exclusivo), pelo íngreme declínio da predominância das redes de televisão, da invenção dos gravadores de vídeo (VCRs), da proliferação do controle remoto da televisão e de um mercado de entretenimento cada vez mais competitivo. Outros fatores importantes que também contribuíram são o fato de os principais estúdios terem renunciado ao seu papel tradicional no processo criativo e a aquisição do controle acionário de Hollywood pelas grandes corporações.

Sozinho, o parágrafo anterior poderia ser a base de um livro inteiro – ou de vários –, mas tentarei abordar agora, em poucos parágrafos, as questões individuais nele mencionadas, e depois costurá-los de volta na nossa discussão atual dos filmes visionários, porque dizem respeito diretamente a toda questão que se descortina diante de nós. Para fazer isso, terei que resumir e generalizar, de modo que quero comunicar aqui com bastante clareza que as restrições de espaço exigem explicações muito simplistas. Eu não me iludo, e não quero induzi-lo ao erro, afirmando que essas razões são conclusivas.

Já especificamos a explosão do custo técnico. Quanto aos custos de marketing, o principal sistema de distribuição para a propaganda de filmes na era moderna tem sido a televisão. Há 30 anos, havia três redes nos Estados Unidos (ABS, CBS e NBC). Naquela ocasião (segundo recente pesquisa realizada pela CNN), 92% das pessoas que assistiam à televisão no horário nobre assistiam a esses três canais. Hoje, esse número caiu para 40%, uma redução de mais de 50%. Além disso, o número de aparelhos de televisão é imensamente maior, mais pessoas assistem à televisão de um modo geral, e os custos da propaganda subiram vertiginosamente. O controle remoto, os videocassetes e os aparelhos de TiVo fizeram com que a busca e a troca de canais se tornasse muito mais fácil, e hoje não há como saber quem está efetivamente *assistindo* ao horário comercial comprado pelos estúdios; por conta disso, uma quantidade maior de horários está sendo comprada a um preço muito mais elevado para que o púbico em potencial possa ser alcançado, e alcançado com mais freqüência.

Além disso, a competição pelo dinheiro gasto com entretenimento é hoje muito maior do que há 30 anos – videocassetes, video games, dezenas de novos canais de tevê a cabo, computadores, a Internet, a explosão da popularidade dos esportes, tanto dos tradicionais quanto de novas modalidades etc. Desse modo, o marketing igualou-se aos custos técnicos na alimentação do estonteante aumento dos custos.

Adicione agora a renúncia do papel tradicional dos estúdios no processo criativo e a total aquisição do controle acionário de Hollywood pelas grandes corporações.

Até bem recentemente (nos últimos 15 anos), a esmagadora maioria dos projetos cinematográficos era iniciada nos principais estúdios e por eles desenvolvidos. Por várias razões excessivamente numerosas e detalhadas para descrever aqui, essa situação mudou completamente.

Hoje em dia, muito poucos projetos são desenvolvidos inicialmente pelos estúdios; em vez disso, um número de roteiristas que está encolhendo rapidamente redige sozinho os roteiros (conhecidos em inglês como *specs*, como em *speculation* [especulação]), e depois os vende para quem pagar mais.

Os estúdios também se encantaram com a idéia de pagar aos atores e atrizes famosos enormes salários, freqüentemente de 10 a 25 milhões de dólares por filme. Essa explosão na parte superior da escala faz com que a estrutura salarial de toda a indústria seja revisada e arroxada. Uma vez mais, muitas das razões para isso ultrapassam o propósito deste livro. De um modo geral, no entanto, grande parte das causas subjacentes têm sua origem na aquisição acionária de Hollywood pelas grandes corporações.

Nos últimos 30 anos, todos os estúdios e principais entidades de produção (como a Miramax) foram adquiridos por importantes empresas multinacionais. *Esse fato mudou tanto a filosofia pessoal quanto toda a filosofia operacional do setor.* (A única exceção atualmente é a Dreamworks, que foi financiada por um pequeno grupo.)

Resumindo, a atividade cinematográfica foi fundada e desbravada por empresários que viam a indústria como "show" e como "business". Os grandes nomes dos primeiros anos de Hollywood como Louis B. Mayer, David O. Selnick, Harry Cohn, Jack Warner, Daryl Zanuck e Irving Thalberg eram homens de espírito independente e de visão, capazes de se arriscar. Não os estou endeusando porque todos sabem que eles também podiam ser pessoas muito difíceis. (Uma piada famosa passou a circular após o enterro de Harry Cohn, que atraiu quase 3 mil pessoas: dê às pessoas o que elas querem, e elas darão as caras.) A questão é que eles sentiam paixão pelo que faziam. Adoravam os filmes e corriam riscos.

A indústria cinematográfica de hoje é uma atividade muito diferente, administrada por homens e mulheres cuja perspectiva é totalmente distinta da experimentada por seus fundadores de algumas décadas atrás. Os estúdios hoje são apenas parte de enormes estruturas corporativas internacionais. Na maioria dos casos, a compra desses estúdios foi baseada em coeficientes preço/rentabilidade exorbitantes, exercendo, desse modo, enorme pressão na administração dos estúdios para que produzam resultados financeiros o mais rápido possível. Em decorrência disso, hoje a atividade é administrada de uma maneira muito semelhante a um negócio. O espírito empreendedor, repleto de iniciativa, das décadas de 1930 e 1940 foi substituído por uma mentalidade corporativa.

O grande poeta e biógrafo Carl Sandburg escreveu uma frase maravilhosa em "The People, Yes": "Dizer a um peixe congelado que ele é um waffle quente é tão produtivo quanto dizer a um waffle quente que ele é um peixe congelado." Expressando a idéia de uma maneira simples, os dirigentes dos estúdios hoje em dia são basicamente escolhidos pela capacidade administrativa do lado esquerdo do cérebro e não pela capacidade criativa do lado direito do cérebro. Não se pode esperar uma criatividade desenfreada de dirigentes escolhidos pelas suas habilidades administrativas, assim como não se pode, justificadamente, esperar que pessoas criativas tornem-se administradores eficientes.

Não estou dizendo que as pessoas que hoje dirigem a indústria do cinema não se importam com a integridade do produto. Na maioria dos casos, elas se importam; além disso, existem diretores de estúdio hoje em dia (como Sherry Lansing, da Paramount; Joe Roth, da Revolution; e Harvey Weinstein, da Miramax) com experiência no setor da produção de filmes e que adoram o cinema. Na verdade, ao contrário do que reza a opinião popular, os estúdios são, em sua maior parte, dirigidos por pessoas muito corretas. O problema é que essa pessoas recebem instruções específicas das empresas controladoras para apresentar lucros de uma forma sistemática e, como ocorre na maioria das estruturas corporativas, as empresas controladoras são muito pouco pacientes. Em outras palavras, os diretores de estúdio operam em um ambiente extremamente inseguro, que não possibilita a opção de correr riscos e, na verdade, pune regularmente aqueles que ousam ser inovadores e não quando alcançam um sucesso imediato.

A maneira "mais segura" que as pessoas têm de evitar ser posteriormente criticadas pela alta direção corporativa é reciclar idéias que já deram certo. Quando falham ao fazer isso, pelo menos estão protegidas pelo precedente histórico. Se elas arriscam fazer uma coisa nova, que não funciona, a luz do refletor cai em cheio sobre o discernimento delas. Esse tipo de filosofia funciona bem em uma estrutura corporativa, mas é venenosa para a criatividade.

Desse modo, eis o que os diretores de estúdio enfrentam hoje:

- Uma hierarquia corporativa que exige eficiência pragmática, enorme retorno de bilheteria e que não aceita bem a opção de correr riscos.
- Uma competição cada vez maior pelo dinheiro que o consumidor gasta com entretenimento, o que coloca mais decisões sobre os filmes a serem produzidos nas mãos de especialistas em marketing e não em cineastas.
- Custos de filmagem e de marketing que aumentaram de 12 para 84 milhões de dólares.
- Um mercado mundial em rápida transformação, no qual a quantia recebida do exterior representa hoje quase 60% da receita bruta dos filmes, um aumento de 30% em menos de 20 anos. Existe a perspectiva de que, nos próximos anos, esse percentual atinja os 70%.
- Quase 100 anos de produção de filmes, o que torna cada vez mais difícil encontrar histórias originais.

Você está se perguntando por que os diretores de estúdio recebem salários tão exorbitantes? Se você conseguir prosperar nesse tipo de ambiente, sua capacidade de adaptação ofusca até a dos vencedores de reality shows da televisão.

Por todas essas razões, *O Exterminador do Futuro 2* continuou e acelerou o efeito dominó que já havia sido acionado pelos fatores que acabamos de discutir.

O resultado?

Titanic é uma perfeita metáfora para o local onde a indústria do cinema se encontra hoje.

Exatamente como o famoso navio depois de atingir o iceberg, a indústria cinematográfica pode parecer estar bem superficialmente; no entanto, abaixo da linha d'água, existem feridas profundas que ameaçam sua sobrevivência.

Que outros futuros aterrorizantes podemos imaginar ou recordar — para nós mesmos?

O PLANETA DOS MACACOS (O ORIGINAL)

Em uma fascinante "coincidência", *O Planeta dos Macacos* [*Planet of the Apes*] original foi lançado nos Estados Unidos em 1968, mesmo ano do lançamento de *2001*. Um filme clássico olhando para a frente, um filme clássico olhando para trás... e para a frente?

O cenário de *O Planeta dos Macacos* situa-se em "outro lugar". O astronauta Coronel George Taylor (Charlton Heston — pessoalmente, nunca consegui realmente superar a idéia de que se tratava de um Moisés do espaço) perde-se no tempo e no espaço e acaba indo parar em um misterioso planeta no ano 3978 d.C., no qual os seres humanos são uma espécie secundária e ultrajada numa sociedade governada por uma hierarquia de macacos.

Vale a pena comentar aqui por um momento a natureza socialmente consciente do filme em vez do seu conteúdo visionário. Afinal de contas, estávamos nos anos 60. Violentas batalhas eram travadas na fronteira das relações raciais: passeatas pelos direitos civis, a Lei dos Direitos Civis e, no mesmo ano em que o filme foi lançado, o trágico assassinato de Martin Luther King e de um dos seus grandes defensores, Robert F. Kennedy. Os racistas rudes freqüentemente referiam-se aos negros como macacos, e então surge esse filme, que inverte completamente a ordem social, no qual os macacos são a classe dirigente! Sempre encarei esse aspecto do filme como uma das suas deliciosas ironias e uma declaração eloqüente da ignorância e da crueldade do racismo. Se considerarmos apenas esse nível, *O Planeta dos Macacos* merece um lugar especial na história do cinema.

O Coronel Taylor está convencido (bem como nós, espectadores) de que aterrissou em um estranho planeta nos confins da galáxia onde a "evolução" foi invertida. Os seres humanos são ultrajados e mantidos como escravos, ou simplesmente aniquilados ou expulsos. As discussões sobre os humanos também são rigorosamente limitadas, e eles são vistos como uma espécie feia e deficiente. Ele até conhece uma mulher, considerada pelos macacos como sendo fisicamente tão repugnante quanto Heston, e que, para nós humanos, é estontanteamente bela. O olho de quem contempla.

A seqüência mais clássica e memorável de *O Planeta dos Macacos* é, sem dúvida, o final. Heston e a moça, Nova (Linda Harrison), de quem ele se torna amigo, conseguem permissão para cavalgar em direção à "zona proibida" na qual os macacos são proibidos de se aventurar. Quando partem, é perguntado ao chefe da sociedade dos macacos o que Taylor irá encontrar lá e ele responde, de um modo enigmático: "O seu destino."

Seguimos Taylor e Nova a cavalo ao longo de um litoral triste e árido até que o vemos desmontar ao mesmo que contempla algo que encontrou na praia. Ainda sem vermos o que ele está vendo, Heston cai de joelhos horrorizado e angustiado, e grita: "Meu Deus! Seus idiotas! Vocês estragaram tudo! Vocês finalmente conseguiram! Seus idiotas!" Então a câmera revela a última tomada do filme: Taylor encontrou os destroços da Estátua da Liberdade que o mar tinha jogado na praia dessa paisagem desolada. Sabemos, assim, que ele está na Terra e que a sociedade que conhecia destruíra a si mesma. É por esse motivo que os "legisladores" da sociedade dos macacos ultrajavam tanto os seres humanos. Eles conheciam a verdadeira história do planeta. Sabiam que os seres humanos um dia o haviam governado e depois permitido que ele fosse destruído.

Foi um momento incrível para os espectadores. Que choque impressionante!

É claro que esse tipo de choque ainda era possível nos cinemas. Duvido intensamente de que hoje em dia fosse possível manter esse tipo de final em segredo. Nos anos 60, os filmes estavam apenas começando a ser comercializados na televisão, e nenhuma das obsessões com tudo que vem de Hollywood existia na época. Não havia *Entertainment Hollywood,* não havia *Extra,* as revistas *Premiere* e *Entertainment Weekly* ainda não tinham sido criadas. As informações sobre filmes e atores não eram nem de longe tão onipresentes quanto hoje em dia, e ainda era possível fazer com que esse tipo de final fosse uma total surpresa em um grande filme de Hollywood. Hoje, estou certo de que o segredo já seria bastante conhecido antes mesmo que o filme fosse lançado, particularmente na Internet. É seguro afirmar que os gurus do cinema na Internet, como o onipresente Harry Knowles, teriam os seus espiões nas primeiras apresentações para a crítica. Essa foi, sem dúvida, uma das mudanças provocadas pela Internet. Antigamente, as empresas podiam fazer essas apresentações fora de Los Angeles e ter a garantia do anonimato. Hoje, somos obrigados a imaginar que vários membros da platéia nessas apresentações preliminares em cada cidade voltarão para casa depois da apresentação, entrarão no computador e divulgarão as notícias. Por exemplo, o final de *O Sexto Sentido* [*The Sixth Sense*] foi rapidamente espalhado. As minhas filhas já conheciam a "surpresa do final" muito antes de o filme ser lançado. Esse fato exerce muito maior pressão sobre os diretores do que anteriormente, no sentido que uma apresentação preliminar realmente ruim pode destruir com muita rapidez o zunzunzum a respeito do filme. Lamentavelmente, esse fato faz com que as pessoas corram menos riscos e promove maior homogeneização do produto, mas esse aspecto da Internet é um inconveniente inevitável para o que é, como descrevo no Capítulo 12, uma grande vantagem para o futuro do entretenimento.

Voltemos a *O Planeta dos Macacos*.

O final do filme foi outra condensação do medo de um mundo dominado pela Guerra Fria. O que aconteceria se não nos impedíssemos mutuamente de intensificar a corrida armamentista? O que dizer sobre "o fim do mundo que conhecemos" (*The End of the World as We Know It* – famoso título de uma música de Barry Maguire que fez sucesso nos anos 60). Esse era nosso maior medo na época, e *O Planeta dos Macacos* trouxe a importante mensagem que, expressa de forma simples, é a seguinte: precisamos ter consciência dos nossos temores porque o simples ato de os enfrentarmos os priva do poder que têm sobre nós.

Outros filmes também lidaram com o tema do mundo sendo devastado pela guerra nuclear, como *A Hora Final* [*On the Beach*], adaptação clássica de 1957 de Stanley Kramer do best-seller *On the Beach* — mas acho que já abordamos o assunto e podemos seguir em frente.

ARMAGEDDON E IMPACTO PROFUNDO

De que outra maneira poderíamos nos destruir?

Ou, talvez, uma pergunta mais apropriada fosse: qual a maneira que nos aniquilou antes e que ainda nos assusta?

Que tal o impacto de um meteoro?

À semelhança do que ocorreu com *Matrix* e com *13º Andar*, sempre que dois filmes importantes são lançados no mesmo ano, com a mesma premissa básica, sabemos que estamos elaborando algo muito importante na nossa consciência coletiva.

A essência de cada filme é a mesma: um gigantesco meteoro está se encaminhando para a Terra. Se o planeta não for, de alguma forma, destruído antes do impacto, toda a vida será extinta. Não é preciso ser um gênio para decifrar a importância dessa situação, quer em um filme, quer na vida real. Sabemos que os dinossauros foram extintos porque a Terra foi atingida por um meteoro e também sabemos que o planeta foi devastado por outros meteoros.

Em *Armageddon* [*Armageddon*], os cientistas espaciais da NASA tomam a decisão de enviar ao espaço uma equipe de perfuradores de petróleo de profundidade (dirigida pelo personagem de Bruce Willis) para aterrissar no asteróide e estilhaçá-lo, enterrando uma bomba nuclear bem abaixo de sua superfície.

Em *Impacto Profundo* [*Deep Impact*] a NASA envia uma equipe ao espaço (chefiada por Robert Duvall) para tentar, basicamente, projetar o asteróide para longe do céu – ou desviá-lo o suficiente – para que não atinja a Terra.

O resto da trama dos dois filmes é irrelevante para o nosso propósito neste livro (*Armageddon* é muito mais um filme de ação e efeitos visuais e *Impacto Profundo*, a não ser pelo final, é muito mais um drama pessoal).

Os filmes, realmente, divergem no seu clímax.

Em *Armageddon,* os "caras do bem" saem vitoriosos, com Willis oferecendo-se como voluntário para permanecer no asteróide e detonar manualmente a bomba, o que ele efetivamente faz, dando a vida para salvar a Terra do impacto.

Em *Impacto Profundo,* a equipe de Duvall também parte em uma missão suicida e é apenas parcialmente bem-sucedida. O menor dos segmentos do asteróide que nos ameaça atinge a Terra, destruindo a maior parte das cidades litorâneas e matando milhares de pessoas, inclusive os dois principais personagens, representados por Tea Leone e Maximillian Schell, que aguardam na praia o tsunami que, eles sabem, irá destruí-los. (Essa cena relembra sinistramente a última cena de *A Hora Final,* na qual o principal personagem aguarda a nuvem radioativa que ele sabe estar vindo em sua direção.) A principal ameaça, no entanto, é evitada.

O que me fascina nesses dois filmes é que eles não apenas refletem o medo que sentimos do possível impacto de meteoros, como também nosso relacionamento paradoxal com a tecnologia. *Somente nossa extrema perícia técnica é capaz de nos salvar em ambos os filmes.*

Essa mensagem reflete uma transformação no nosso modo de pensar apocalíptico. Esses filmes realmente transmitem uma recém-descoberta esperança e convicção de que já evoluímos o bastante enquanto espécie para podemos confiar em nossa avançada tecnologia. Podemos ter a satisfação e a segurança de aceitar que nossa tecnologia poderia, de fato, evitar esse tipo de "extermínio global" quando, no passado, não conseguimos sobreviver.

Basicamente, portanto, a mensagem desses filmes reflete nossa decisão de que não precisamos temer o dia de amanhã.

Os dois próximos filmes, *1984, o Futuro do Mundo* e *THX 1138* [*THX 1138*]*,* contêm mensagens de advertência a respeito da perda da liberdade pessoal em um mundo no qual parecemos ter perdido temporariamente o sentimento de conexão com a condição humana.

1984, O FUTURO DO MUNDO E THX 1138

Obviamente, a principal obra clássica nesse campo é o best-seller profético de George Orwell *1984*, que foi lançado como filme em 1956.

1984, o Futuro do Mundo projetou um planeta no futuro no qual a liberdade individual havia sido abolida e o governo, constantemente personificado por toda parte em monitores de vídeo onipresentes pelo rosto do líder conhecido como "Big Brother" (Grande Irmão), tudo decidia. (Hoje, poderia ser Joe Isuzu.*) Aqueles que se recusavam a obedecer ao rígido código de conduta eram "reeducados", sendo obrigados a enfrentar os seus medos mais profundos que, no caso do personagem, principal, representado por Edmond O'Brien, eram os ratos. Qualquer pessoa que tenha assistido à cena horripilante na qual O'Brien é jogado em um quarto cheio de ratos jamais a esquecerá.

THX 1138, dirigido por George Lucas e lançado nos Estados Unidos em 1971, é muito semelhante a *1984, o Futuro do Mundo* no sentido que o seu futuro macabro envolvia não apenas a opressão do governo e a superpopulação como também levou ao extremo o conceito da poluição. O ar, supostamente, se tornara tão tóxico que nenhum ser humano poderia viver ou mesmo ousar colocar os pés na superfície da Terra. A população vivia abaixo da superfície em minúsculas cápsulas cujos ocupantes são identificados apenas por números e letras (daí o título do filme), sem permissão para fazer sexo nem mesmo para amar, sendo impedidos de fazer isso por terem que consentir em permanecer constantemente drogados. Mais uma vez, monitores de vídeo observam cada movimento das pessoas. (A essa altura, o "Big Brother" de *1984, o Futuro do Mundo* tornara-se sinônimo da opressão do governo, e a expressão em si tornou-se popular entre os americanos.)

---

*Personagem que estrelou uma série de comerciais de automóveis notórios pelas mentiras e exageros a respeito do desempenho dos carros. (*N. do E.*)

O personagem principal, representado por Robert Duvall, pára de tomar o medicamento e, junto com a namorada e outras pessoas, tenta se libertar da opressão. Na cena do clímax, ele luta e efetivamente consegue chegar à superfície supostamente venenosa da Terra, onde o ar na verdade parece tão tranqüilo e sereno quanto o espetacular pôr-do-sol que ele encontra. A fascinante pergunta que fica sem resposta no final de *THX 1138* é se o ar é realmente tão puro quanto parece, querendo dizer que o governo está comandando uma grande farsa apenas para subjugar a população ou se o ar, aparentemente limpo, está na verdade poluído, significando que o personagem de Duvall morrerá em decorrência da sua fuga.

O que une *1984, o Futuro do Mundo* e *THX 1138* neste livro é que ambos projetam sociedades nas quais o amor é efetivamente declarado ilegal. Na minha opinião, esse medo é mais profundo do que a ameaça da destruição. Somos a única espécie deste planeta com a capacidade – o dom! – de ser *conscientemente* capaz de escolher amar. Se perdêssemos essa capacidade, o que restaria da nossa humanidade?

A mensagem de ambos os filmes não é um exame assustador do que poderemos ter pela frente. Trata-se, simplesmente, de um lembrete de que não devemos perder de vista nossa capacidade única de amar nem nossa apreciada individualidade.

NO MUNDO DE 2020

Lançado nos Estados Unidos em 1972, *No Mundo de 2020* [*Soylent Green*] teve no papel principal Charlton Heston, que acaba de voltar do seu choque aos pés da Estátua da Liberdade para se tornar um policial calejado e dedicado em um mundo americano futurista no qual a superpopulação e a poluição são tão opressivos que não existem espaços livres para as pessoas poderem se mover, a comida é escassa e a polícia usa, regularmente, máscaras de gás quando patrulha as ruas. A polícia do governo está em toda parte, particularmente quando o suprimento público de comida – um produto verde com a aparência de um cream-cracker chamado *soylent green* – é distribuído a um povo faminto.

Heston passa a desconfiar dos métodos do governo e começa secretamente a investigar por conta própria o que o *soylent green* realmente é e como é fabricado. A cena do clímax mostra Heston entrando furtivamente em um gigantesco complexo industrial onde descobre o segredo do *soylent green*. Os "biscoitos" são o resultado final de um processo de fabricação que tem como origem o cadáver de seres humanos. A população tornara-se uma raça de canibais inconscientes.

Mais uma vez, o filme guarda uma mensagem de advertência com relação a um mundo de pesadelo para o qual podemos estar caminhando se não descutirmos questões como a superpopulação e a poluição. Quando contemplamos o mundo atual, é óbvio que estamos de fato examinando de perto as questões da poluição e da população. *Embora esses desafios não possam ser solucionados da noite para o dia, nós os estamos submetendo ao tipo de intenso escrutínio que na maioria das vezes resulta em soluções, não no fracasso.*

Poderíamos dizer, com relação ao nosso próximo filme, que parte da população tornou-se conscientemente canibalesca, pelo menos em certo sentido.

LARANJA MECÂNICA

Lançado nos Estados Unidos em 1977, *Laranja Mecânica* foi o exame profundamente controverso e perturbador de um mundo no futuro próximo no qual a violência tornou-se um modo de vida para muitos jovens.

Alex (Malcolm McDowell) e sua gangue de delinqüentes vagam pela noite em busca de violência e divertindo-se com isso – espancando vagabundos, participando de brigas de gangues e estupros e aterrorizando cidadãos escolhidos ao acaso, inclusive um homem e sua mulher. Esta última é estuprada e tão brutalmente aterrorizada (ao som perturbador de "Singing in the Rain" [Cantando na chuva]) que acaba morrendo, e o homem é mutilado. Alex é finalmente preso. A seguir, é "reeducado" pelo governo, recebendo uma lavagem cerebral e sofrendo uma tortura tão violenta que o deixa como uma versão humana de Robby o Robô em *O Planeta Proibido* [*Forbidden Planet*]

(Capítulo 7), no sentido que ele basicamente se fecha diante de qualquer menção à violência.

Dirigido por Stanley Kubrick, o filme representa nosso medo cada vez maior da violenta sociedade na qual os Estados Unidos se transformaram no final da década de 1970. *Laranja Mecânica* é favorecido tanto pelo senso de humor malévolo de Kubrick quanto pelo seu talento visionário. O fato de o filme ter perturbado profundamente grande número de pessoas é outra prova do singular talento artístico de Kubrick.

A mensagem do filme também nos adverte de que devemos observar a violência dentro da nossa sociedade e perceber a profundidade dessa ameaça ao nosso bem-estar. Tudo que precisamos fazer é examinar o exaltado debate que atualmente se alastra na mídia e na sociedade em geral para saber que estamos na verdade analisando o que poderíamos fazer para lidar com essa ameaça à nossa segurança.

WATERWORLD – O SEGREDO DAS ÁGUAS
E O MENSAGEIRO

Inundações são um tema recorrente em todas as culturas.

Um dos muitos pontos fascinantes para os quais Graham Hancock chamou atenção no extraordinário livro *As digitais dos deuses* é o fato de que todas as culturas do mundo possuem um "mito" cultural a respeito de uma grande inundação que destrói toda a vida do planeta (exceto, em algumas culturas, em que um Noé e uma arca cheia de criaturas conseguem se salvar). Parece que temos memórias profundamente entranhadas de uma época em que as águas da Terra subiram acima da nossa cabeça e afogou todos nós.

Em *Waterworld* [*Waterworld*], mais famoso pelo seu colossal estouro de orçamento (150 milhões de dólares) do que por qualquer outro aspecto, as calotas glaciais derreteram-se e o que restou da humanidade navega pelos mares infinitos do mundo em busca de uma segurança que não pode ser encontrada. Kevin Costner representa um misterioso personagem conhecido como Mariner que acaba protegendo uma mulher e o seu filho, e todos entram em conflito com o "Deacon", o que faz com que Dennis Hopper roube a cena como o melhor vilão exagerado fora dos filmes de Batman.

Quando debatemos os efeitos do aquecimento global, somos advertidos das conseqüências de não abordar a questão para que possamos adotar medidas corretivas a fim de evitá-lo, e esta é a mensagem fundamental do filme.

Todos esses filmes retratam receios e desafios trágicos; no entanto, seu verdadeiro propósito é criar uma consciência que conduzirá à resolução das ameaças, não à sua concretização.

Para encerrar este capítulo em um tom claramente positivo e para mostrar novamente que nem todos os filmes catastróficos estão necessariamente ligados a eventos negativos, terminamos o capítulo com *O Mensageiro* [*The Postman*].

Kevin Costner devia estar com uma disposição tremenda porque, depois de *Waterworld*, produziu *O Mensageiro*, que se passa em 2013, após um holocausto nuclear. Essa é a boa notícia. A má notícia é que os serviços dos correios não existem mais.

Trata-se de filme catastrófico que projeta um futuro que quase certamente já ocorreu.

O enorme sucesso da FedEx e de outros serviços de encomendas expressas combinou-se ao uso difundido do e-mail na Internet para garantir que os dias dos serviços tradicionais dos correios estão definitivamente contados.

Provavelmente, não haverá muitas pessoas chorando no enterro, a não ser nossos valentes carteiros.

> "Vejo pessoas mortas. O tempo todo."
> O Sexto Sentido

Capítulo Cinco

A vida depois da vida

MORTE.

Para muitas pessoas, a simples menção da palavra faz com que a conversa acabe imediatamente. Você acha que religião é um "tabu" que não deve ser discutido em uma conversa? Esse tema é eclipsado pelo tema da morte. É possível perceber uma repulsa física no rosto de algumas pessoas diante da mera menção da palavra.

A morte sempre me fascinou. Quando meu pai morreu, pouco antes de eu completar quatro anos, tive uma experiência direta, em uma tenra idade, da tristeza da morte. Entender que a pessoa que acabara de morrer não estaria mais por perto fisicamente foi uma das primeiras lições de vida que tive de aprender.

Quando fiquei mais velho, a experiência da morte começou a me fascinar, não a partir de uma perspectiva mórbida e obsessiva, e sim de um ponto de vista filosófico. Para mim, a morte não fazia sentido da maneira como era apresentada pela maioria das pessoas e na literatura. A suposta condição final da morte sempre me pareceu inapropriada. Não conhecia o motivo, mas sabia que parte da minha vida seria conduzida à questão do que a morte pode e não significar.

Na década de 1980, tomei conhecimento do trabalho de Elisabeth Kübler Ross sobre a morte e o ato demorrer, e comecei a ler tudo que pude sobre o assunto. Quando eu ouvia músicas como o sucesso do Kansas "Dust in the Wind" ("all we are is dust in the wind" [somos apenas poeira no vento]) eu pensava: "Espera aí. Não sinto que as coisas sejam assim." Nunca fez sentido para mim, mesmo antes de eu chegar a um despertar espiritual consciente, que simplesmente nascemos, vivemos e morremos. Poeira no vento? De jeito nenhum. A interpretação de Carl Sandburg a respeito do assunto sempre me pareceu muito mais razoável: "A morte chega como um oceano que parece fácil atravessar."

Olhando para trás, estou certo de que estava apenas me preparando para o momento eu que leria *Bid Time Return* (que posteriormente recebeu o novo título *Somewhere in Time*) e descobriria o verdadeiro caminho da minha vida. Quando li esse livro, tudo se encaixou para mim. Embora as duas pessoas que se amavam não se reúnam no livro depois que morrem, eu sabia que a história tinha que terminar dessa maneira e que lidar com o desafio da vida e da morte na esfera dos filmes era um dos objetivos da minha vida.

Não foi, portanto, "por acaso" que produzi *Em Algum Lugar do Passado* e (com Barnet Bain) *Amor Além da Vida*. Acredito de todo coração que nossas atitudes tradicionais a respeito da morte não são mais viáveis, caso um dia tenham sido.

Este não é o local apropriado para um longo debate a respeito do que, para mim, é prova irrefutável de que a morte é apenas uma transição para uma nova forma; além disso, esta é uma daquelas situações em que só podemos falar com segurança a partir das nossas próprias convicções. O *continuum* da vida, morte e renascimento não pode ser provado ou refutado. Ambos os lados podem apresentar argumentos veementes, e cada pessoa precisa decidir sozinha no que vai acreditar. Quero apenas deixar claro um "ponto" a respeito de todas essas convicções. Os pesquisadores da vida depois da vida de fato "demonstraram cientificamente" pelo menos uma coisa: há séculos pessoas que são declaradas clinicamente mortas e depois revividas (ou que apenas voltam) relatam uma experiência comum. Uma luz branca confortante, a visão de um túnel, de parentes e amigos que morreram e uma sensação de paz. Essas histórias são narradas em todas as culturas e em todas as sociedades do mundo, inclusive nas primitivas, onde não existe o contato com nenhum tipo de cultura externa. Até mesmo os céticos reconhecem o fenômeno, mas o chamam de alucinação em massa. Engraçado. É dessa maneira que alguns de nós encaramos a experiência que chamamos de "vida".

Curiosamente, existe um grupo de pessoas que relatam uma experiência após a vida muito diferente da que acabamos de descrever. Na pesquisa que Richard Matheson realizou para o livro *What Dreams May Come*, descobriu que as pessoas que tentaram cometer suicídio e são posteriormente revividas contam uma história muito diferente e assustadora. Foi essa discrepância que o motivou a escrever o livro.

Não tenho nenhuma dúvida de que já estou aqui há milhares de anos. Eu me submeti a várias versões de regressões a vidas passadas e sei que essas experiências foram reais. Eu as sinto profundamente. Sei também que vivi várias vidas com as minhas filhas, os meus amigos, os meus pais e outras pessoas íntimas. Na verdade, eu acredito que nós viajamos pelos tempos em grupos de almas. Temos vínculos cármicos uns com os outros, e nos ajudamos mutuamente a crescer e aprender através de inúmeras vidas. Nossos papéis e relacionamentos uns com os outros mudam, mas sempre nos ajudamos a aprender e incorporar as lições que escolhemos experimentar em uma encarnação específica.

Quando conhecemos alguém com quem temos um desses pactos, nos identificamos de imediato, freqüentemente por motivos que não entendemos ou que, às vezes, interpretamos de modo incorreto, mas simplesmente sabemos.

Uma amiga do norte da Califórnia me relatou um dos exemplos mais maravilhosos desse tipo de encontro. Estava viajando de carro no Novo México, um estado que nunca visitara antes. Quando passou por uma pequena cidade, parou em um sinal de trânsito e um rapaz começou a atravessar a rua na frente dela. Minha amiga nunca o vira antes, mas ela o conhecia e ele a conhecia. O rapaz se aproximou do carro, sorriu para ela, e simplesmente disse: "Devemos apenas nos cumprimentar desta vez." A seguir, voltou a sorrir e foi embora. Minha amiga sabia que o rapaz fazia parte do que James Redfield define como "grupo de almas", alguém com quem ela não teria mais nenhum contato nesta encarnação além daquele único momento em que disseram olá um para o outro. Esse era o acordo deles: se encontrarem apenas uma vez e dizer olá.

Avançando um pouco mais, acredito que também escolhemos nossos pais, tanto pelas lições que podemos aprender com eles quanto por aquelas que eles podem aprender conosco. Esses papéis podem ser trocados de vida para vida. O meu pai agora pode ter sido, anteriormente, minha filha, e vice-versa. É como se houvesse uma enorme "sala de reuniões" na vida futura. Todos os que estão entre as vidas e têm relacionamentos em um grupo de almas sentam-se ao redor de uma grande mesa (bem, pelo menos uma mesa virtual) e discutem o que precisam aprender e qual a melhor maneira de ajudarem uns aos outros a aprender as lições necessárias. Depois, nós nascemos. Parte da experiência envolve o fato de que perdemos toda a ligação consciente com os acordos que fizemos, e por isso temos que descobri-los à medida que vamos vivendo, e às vezes isso é muito cansativo, certo? Outro amigo fez uma maravilhosa analogia desse processo: é como se fôssemos de manhã (entre as vidas) para uma pista de corrida e nela colocássemos alguns obstáculos que teríamos que saltar. A seguir, vamos almoçar (nascemos). À tarde (depois que nascemos), voltamos à pista e, quando começamos e encontrar os obstáculos, ficamos realmente zangados com a pessoa que os colocou ali (esquecendo-nos de que fomos nós) porque são muito altos e estão bem perto uns dos outros.

Se você seguir esse tipo de filosofia, acabará entendendo que tudo que acontece em sua vida é responsabilidade sua, e que a aceitação, por sua vez, apaga o conceito da "culpa". Neale Donald Walsch escreveu um livro maravilhoso intitulado *Little Soul and the Sun,* que leva esse conceito um passo adiante: mesmo as pessoas que lhe trazem dor de cabeça na vida são vistas de forma diferente porque você passa a aceitar a idéia de que elas estão apenas representando papéis que tanto você quanto elas aceitaram antes de nascer.

De qualquer modo, são essas questões que convenceram a mim e a milhões de outras pessoas de que a morte é apenas uma passagem para outra existência. Os céticos, freqüentemente, afirmam que essa convicção baseia-se exclusivamente na satisfação do desejo, ou seja, como tememos a morte, criamos a ilusão de que ela é apenas transitória para tranqüilizar nossos receios. Tudo bem. Trata-se de um argumento justo. Não posso "provar" que os céticos estão errados. Por outro lado, tampouco eles podem "provar" que estão certos.

Na minha opinião, esses filmes guardam mensagens de grande esperança e transformação. Se todos acreditássemos que existe uma vida além da morte, na qual examinamos nossas vidas e verificamos o que ainda precisamos aprender na seguinte, esse fato não exerceria um efeito interessante na *maneira* como efetivamente vivemos hoje nossa vida? E se, por exemplo, a experiência universalmente relatada de ver a vida passar de relance diante dos nossos olhos for verdadeira? E se de fato examinarmos a vida que acabamos de viver de forma totalmente objetiva? As nossas ações durante a vida não seriam muito diferentes se soubéssemos estar experimentando esse auto-exame objetivo sem a capacidade de racionalizar? (A minha fala predileta a respeito desse assunto está em um filme que não vamos analisar nestas páginas. Em *O Reencontro [The Big Chill]*, um dos personagens afirma que a necessidade que temos de racionalizar é mais importante do que a necessidade que temos de fazer sexo. Quando é desafiado a provar o que está dizendo, ele declara: "Muito bem. Posso provar. Você já passou um dia sem fazer uma racionalização?")

Mesmo sem termos como "provar" nada disso, essa filosofia, certamente, faz o mundo parecer um lugar mais doce e ameno. Uma amiga me pediu certa vez que lhe desse um exemplar do livro *What Dreams May Come* para que pudesse presentear sua mãe, que estava morrendo de câncer. Minha amiga não acreditava totalmente na idéia da vida após a vida, mas achou que o livro poderia ajudar a acalmar os temores da mãe, que leu o livro literalmente no seu leito de morte e morreu em paz.

A idéia da vida depois da vida é uma ponte de convicção que algumas pessoas escolhem cruzar, outras, não. Se você não encara a morte como uma fase de transição, existem milhares de filmes nos quais a morte é final. Vivemos e depois morremos. Isso é tudo. Ponto final. Eu nem poderia começar a relacioná-los.

Os filmes que discutiremos neste capítulo encaram a morte de outra maneira. A mensagem que colhemos em todos eles não é apenas a de que a vida se estende além da morte e sim que uma grande beleza e um amor imenso nos aguarda lá. Qualquer coisa que possa proporcionar esse tipo de conforto certamente vem de um lugar muito mais belo do que este em que vivemos.

O SEXTO SENTIDO

Esse filme brilhantemente concebido e executado é, na minha opinião, o mais perfeito veículo comercial da mensagem sobre o *continuum* da vida.

Ao fazer uma criança (Haley Joel Osment) interpretar o personagem de Cole, o roteirista e diretor M. Night Shyamalan revelou um enorme talento. A experiência de uma criança apavorada com as suas visões não apenas é algo com que podemos nos relacionar a partir da nossa infância, como também possibilita que nós, espectadores, fiquemos mais preocupados com Cole do que talvez ficássemos com nós mesmos. Esse conceito forma um caminho brilhantemente concebido sobre a ponte de convicção que confronta todo cineasta que se aventura nessas esferas. *Como tornar a situação verossímil e passível de ser descrita?* Ver as coisas através dos olhos de uma criança a torna assustadora, mas incrivelmente verossímil e passível de ser descrita, exatamente como o foi em *O Exorcista* [*The Exorcist*] e em *E.T. – O Extraterrestre* [*E.T. – The Extra-Terrestrial*].

Cole vê "pessoas mortas andando de um lado para o outro", e jamais duvidamos dele. Queremos apenas ajudá-lo. Por quê? Por que confiamos mais nas reações de uma criança do que freqüentemente confiamos em nós mesmos?

Compartilho com outras pessoas a convicção de que, quando bebês e crianças pequenas, temos uma ligação muito forte com quem realmente somos e com os mundos entre as vidas. As crianças ainda parecem conectadas a uma impressão da sua divindade que esmorece quando deixam para trás os primeiros estágios da infância. Você já viu bebês olhando uns para os outros? Não parecem ter uma conversa não-verbal muito especial? Também acho que essa é uma das razões pelas quais *O Sexto Sentido* fez tanto sucesso: sabemos que as crianças sabem algo muito especial. No filme, Cole está tão conectado que efetivamente vê o espírito das pessoas mortas, e para nós é muito fácil acreditar nele.

O Sexto Sentido também contém outra mensagem que ressoa profundamente dentro de nós. Como aconteceria com qualquer criança, Cole, no início, fica morrendo de medo das pessoas que vê. Somente quando o psiquiatra que está tentando ajudá-lo (Bruce Willis) diz a

Cole que talvez essas pessoas estejam apenas pedindo ajuda, os receios do menino se atenuam.

A idéia de espíritos que permanecem no plano terrestre devido a questões inacabadas tem sido usada nos filmes praticamente desde que o cinema foi criado. O Sexto Sentido *é um lembrete comovente de que esses seres não precisam nos assustar; mais exatamente, nosso amor e compreensão podem ajudá-los a transcender este plano e reunir-se aos entes queridos que os aguardam, bem como a nós, do outro lado.*

É claro que esse conceito também gerou centenas de filmes de horror, nos quais os espíritos que permanecem na Terra possuem intenções malévolas. O contato com esse tipo de espírito não fica muito menos assustador quando aceitamos a idéia de que talvez eles só precisam de ajuda, em vez de temermos que pensam em comer nosso cérebro ou fazer alguma outra coisa horrível injustificável?

Outro aspecto da beleza de *O Sexto Sentido* é que o filme considera a continuidade da existência dessas pessoas uma "realidade admitida". Não vemos justificativas elaboradas para os eventos que estão ocorrendo. Não existem cenas nas quais um dos personagens pára o filme para que certas coisas possam ser explicadas à audiência. É muito difícil estabelecer as regras de um filme sem uma cena desse tipo, de modo que o truque é tentar fazê-lo de uma forma visual e dramática muito convincente. Uma das melhores cenas desse tipo está no primeiro filme da série *Indiana Jones, Os Caçadores da Arca Perdida* (ver Capítulo 3), no qual Harrison Ford explica a Arca da Aliança para representantes do governo. A explicação foi fantástica. *O Sexto Sentido* alcança seu objetivo sem nenhuma dessas cenas ou personagens, e é insuperavelmente único nesse aspecto.

É claro que *O Sexto Sentido* também é favorecido por um brilhante recurso de enredo que avança do início ao fim do filme quando o assistimos novamente. O fato de o personagem de Willis também estar morto, embora tanto ele quanto nós só tenhamos consciência disso no final do filme, fala muito a respeito da natureza daquilo que normalmente chamamos de realidade, não é mesmo?

Se Willis desconhece o ponto de demarcação entre a vida e a morte, não é razoável que nós também estejamos testando esses supostos limites? Esse fil-

me maravilhoso guarda ainda outra mensagem que nos faz lembrar que, como Dorothy disse ao seu cachorro Toto no filme O Mágico de Oz [The Wizard of Oz]: *"Não estamos mais no Kansas."*

O nosso próximo filme também lida com a idéia de espíritos que permanecem nas sua antigas realidades porque têm questões inacabadas.

GHOST – DO OUTRO LADO DA VIDA

Lançado nos Estados Unidos em 1990, *Ghost* foi um enorme sucesso de bilheteria, principalmente graças a sua engenhosa combinação de romance, comédia e mistério.

Como em muitos filmes do gênero, *Ghost* existiu um longo tempo como roteiro – mais ou menos dez anos – antes de ser finalmente produzido. O improvável incentivo para que o filme finalmente recebesse o sinal verde (a aprovação da produção) foi o fato de Jerry Zucker ter ido à Paramount e implorado para dirigi-lo. Zucker foi um dos diretores de *Apertem os Cintos, o Piloto Sumiu* [*Airplane*], um sucesso gigantesco para a Paramount, mas uma referência estranhíssima para alguém que queria dirigir um filme romântico como *Ghost*. No entanto, Zucker fizera a Paramount ganhar muito dinheiro e tinha uma grande idéia para tornar a personagem mediúnica Oda Mae (interpretada no filme por Whoopi Goldberg) mais cômica. A idéia era brilhante porque atenuava a tensão dramática do resto do filme, oferecendo aos espectadores um personagem com o qual poderiam se relacionar, particularmente se tivessem as suas próprias dúvidas com relação à idéia de poder entrar em contato com os mortos. Oda Mae se considera um blefe até que Sam (Patrick Swayze) efetivamente se comunica com ela.

Zucker conseguiu o trabalho, e o filme foi produzido. Os filmes são produzidos nos estúdios por uma série de razões, freqüentemente grotescas. Diretores que fizeram os estúdios ganhar muito dinheiro no passado estão entre as razões menos esquisitas para que um filme receba o sinal verde.

Sam é assassinado no início de *Ghost* e não segue adiante por causa do seu amor pela mulher Molly (Demi Moore) e pelo perigo que seu ex-sócio Carl (Tony Goldwyn) representa para ela. Os espíritos em

O Sexto Sentido permaneceram neste plano e recorreram a Cole porque precisavam da sua ajuda. Swayze fica porque deseja ajudar e confortar a mulher. Quantas histórias não ouvimos a respeito de pessoas que perderam entes queridos e depois sentiram a presença deles aqui na Terra?

Essa presença é quase sempre confortante, em particular se a pessoa deixada para trás está aberta ao contato. Invertemos essa situação em *Amor Além da Vida* porque a personagem de Ann sempre acreditara que "quando morremos, morremos". Como relatei, meu pai morreu quando eu tinha quatro anos. Durante algum tempo tive a sensação de que havia "um homem na parede" do meu quarto à noite. Somente muito mais tarde compreendi que essa presença era o meu pai fazendo uma verificação para ter certeza de que eu estava bem.

Todos desejamos ter a sensação confortante de que a pessoa amada fez uma transição tranqüila e está em paz; além disso, acredito que gostaríamos de enviar e receber a mensagem de que esses entes queridos estão nos protegendo do mal sempre que possível. Essa é uma das mensagens e consolos permanentes de Ghost.

Outro aspecto notável de *Ghost* é a maneira como o filme estabelece uma distinção entre a experiência da vida futura do que poderíamos chamar aqui de justos e injustos. Quando Sam efetivamente "segue em frente", no final de *Ghost*, ele o faz em uma linda luz branca, totalmente em paz e dominado por uma alegre expectativa. Quando o sócio e o verdadeiro assassino de Sam morrem, figuras assustadoras das trevas emergem das ruas para reivindicar suas almas. Distinguimos o terror no rosto dessas pessoas, e fica claro que não estão exatamente vendo luzes brancas e parentes felizes. Para alguns, isso pode ser interpretado como o fato de que estão indo para o Inferno. Acho que tudo depende de como definimos o Inferno. Como diz o personagem de Cuba Gooding em *Amor Além da Vida*:

"O Inferno nem sempre é composto de fogo e enxofre. O verdadeiro Inferno é nossa vida que deu errado."

O auto-exame sem a capacidade de racionalizar poderia ser o pior Inferno? Imagine uma alma que tenha nascido para aprender certas lições mas que se afasta muito do caminho. Que pior dor uma alma poderia imaginar do que saber que regrediu em vez de evoluir?

Parafraseando uma fala maravilhosa em *Capítulo Dois – Em Busca da Felicidade* [*Chapter Two*], de Neil Simon: e se você tivesse chegado à letra *m* e percebido que tinha que voltar e recomeçar da letra *a*? E se não tiver à sua disposição a muleta da culpa ou da manipulação da autocomiseração? Você não tem outra saída além de caminhar penosamente até o começo da fila e começar de novo.

Essa é uma mensagem muito poderosa e importante quando tentamos resolver as limitações dos desafios da vida no início deste novo milênio.

AMOR ALÉM DA VIDA

A saga de *Amor Além da Vida* é detalhada no Capítulo 15, no final deste livro, mas vou abordar aqui um dos aspectos da história por acreditar que ele é um dos filmes mais relevantes neste capítulo.

A história de *Amor Além da Vida* gira em torno de Chris (Robin Williams) e Annie (Annabella Sciorra) Nielsen. Os filhos do casal morrem no início do filme. Annie quase não sobrevive à perda, e somente o seu amor por Chris faz com que ela supere o trauma e acabe retomando sua vida como pintora e curadora de um museu de arte. Chris morre três anos depois. Sofrendo com a morte do marido, e completamente sozinha, Annie se suicida.

Não é exatamente uma comédia de Mack Sennett, não é mesmo?

Tudo isso acontece no primeiro terço do filme. O restante da película se passa na vida futura de Chris e Annie. Chris vive primeiro a continuação da sua vida através das pinturas de Annie e depois empreende uma jornada para encontrar Annie e salvá-la de um Inferno Pessoal ao qual *ela* se condenou.

Não se trata de *a* vida futura, e sim da vida futura de *Chris*.

Não se trata de *o* Inferno, e sim do inferno de *Annie*.

As distinções são cruciais.

A mensagem fundamental de Amor Além da Vida *é que criamos nossa realidade, tanto na vida quanto na morte.* Todos temos um conceito pessoal de como é a vida futura. Jamais ousamos afirmar que estamos retratando *a* vida futura como se essa experiência fosse igualmente idealizada por todos. É nesse ponto que nos separamos de algumas religiões tradicionais, e não me desculpo por esse fato.

Não acredito que possa haver uma verdade universal para questões de credo. Para mim, todas as pessoas têm o direito de acreditar no que desejam, e respeito *todas* essas perspectivas desde que respeitem a inviolabilidade e a integridade de cada vida humana. (Minha declaração, obviamente, rejeita conceitos como o nazismo e outras convicções baseadas na humilhação de outras pessoas.) Respeito católicos, budistas, muçulmanos, judeus etc., e não acredito de modo algum que minhas convicções sejam mais válidas ou mais "verdadeiras" do que os princípios dessas religiões.

Tenho um grande problema quando me dizem que estou errado e que minhas convicções violam um "verdadeiro" credo. É *precisamente* esse tipo de intolerância que deu origem a quase todos os conflitos da história. Quando um grupo acha que somente a sua crença é verdadeira, pessoas geralmente morrem por sustentar suas convicções.

Quando a Igreja Católica chegou à Inglaterra, há vários séculos, os druidas na verdade deram as boas-vindas ao membros dessa Igreja e ofereceram-se para trabalhar lado a lado com eles, como um credo separado, porém de igual valor. Com o tempo, a Igreja Católica alcançou uma posição suficientemente segura na Inglaterra e sentiu-se à vontade para perseguir os druidas, que acreditavam em tudo que era metafísico e mágico. Os druidas foram caçados e eliminados até que se retiraram para *As Brumas de Avalon* (o maravilhoso livro de Marion Bradley, que infelizmente foi adaptado para uma minissérie de televisão que, na minha opinião, não captou o sentido do livro e o período histórico).

A nossa premissa em *Amor Além da Vida* era que cada um de nós cria a própria realidade na vida e na morte.

Chris está atuando no mundo das pinturas da mulher porque isso é confortante e familiar para ele. Sempre brinquei que a vida futura teria sido completamente diferente se Woody Allen tivesse sido nosso astro – nesse caso, ela seria uma rua interminável de Nova York, cheia de livrarias, cinemas e cafeterias.

Annie vive uma versão de pesadelo da sua vida com Chris porque este é o carma que ela escolheu para poder trabalhar as questões que a levaram a tirar a própria vida.

É fascinante a maneira como muitas pessoas criaram diferentes realidades para si mesmas com relação ao que cuidadosamente expusemos na tela. Quero relatar uma experiência que esclarece a maneira muito diferente pela qual as pessoas podem perceber um evento aparentemente único.

Algumas semanas depois do lançamento do filme, compareci à festa de aniversário do meu querido amigo Gay Hendricks em sua casa em Santa Bárbara. Gay e Katie, sua mulher, são especialistas em relacionamentos mundialmente conhecidos, autores de vários best-sellers, inclusive *Conscious Loving*. São amigos realmente preciosos. Gay também é famoso entre os amigos por adorar nos ver constrangidos sempre que consegue criar um momento apropriado. No início da festa, Gay pediu silêncio às 60 ou 70 pessoas presentes e nos agradeceu por estarmos ali. A seguir, anunciou que sabia que a maioria tinha assistido a *Amor Além da Vida* (era um grupo muito metafísico), e que estava "certo de que Stephen Simon adoraria ouvir todos os comentários sobre o filme. Ele está ali". Dito isso, apontou para mim com um sorriso bem travesso que basicamente dizia: "Vamos começar a brincadeira." Obrigado, companheiro!

Vou descrever apenas as quatro primeiras de alguma dúzias de conversas que se seguiram. Essas discussões particulares aconteceram em menos de dez minutos. No total.

Primeiro, um homem muito simpático se aproximou, se apresentou e me disse que vira o filme com uma grande amiga que lhe pedira para transmitir uma mensagem dela se algum dia viesse a conhecer qualquer pessoa relacionada com o filme. A seguir, muito educadamente, pediu então permissão para fazê-lo, e imediatamente encorajei-o a falar.

"Ela quer que você saiba que você é um monstro desumano."

Não costumo ficar sem fala, mas certamente não soube o que responder naquele momento, embora tivesse percebido de imediato o que despertara nela essa reação. Ele confirmou minha suspeita quando disse que o pai da amiga havia cometido suicídio anos antes e que ela interpretara a mensagem do filme como sendo a de que todas as pessoas que se suicidam vão diretamente para o Inferno. Entendi a reação dela e senti-me totalmente solidário. Embora tenhamos feito um enorme esforço no filme para explicar que não havia regras ou juízes e que Annie escolhera aquela existência a partir do seu livre-arbítrio, aquela mulher viveu uma realidade muito diferente. O homem, então, se afastou e disse: "Espero que não tenha sido pessoal demais." Não, claro que não. Não há nada pessoal em ser chamado de monstro desumano, não é mesmo? Agora, falando sério, eu já ouvira antes esse tipo de reação, e respeitei a dor que ela deve ter sentido.

Em seguida, e estou querendo dizer logo que o homem foi embora, uma mulher se aproximou com lágrimas nos olhos e me abraçou enquanto me agradecia por "criar uma mensagem tão bonita a respeito do suicídio". Ela trabalhava para uma linha direta de prevenção do suicídio em Santa Bárbara e me disse saber que o filme já tinha evitado algumas tentativas de suicídio. Disse estar certa de que a mensagem do filme era que controlamos o que acontece depois que morremos e que Annie escolheu viver aquela horrível existência para poder evoluir e aprender.

Logo depois, um homem muito zangado e agitado se aproximou para me criticar por eu "finalmente ter tido a oportunidade de produzir um filme espiritual a respeito da vida futura e tê-la destruído ao usar *imagens cristãs tradicionais* (a ênfase é minha) ao longo do filme". A seguir, ele se virou abruptamente e foi embora.

Literalmente atrás dele surgiu um rapaz de vinte e poucos anos que me disse o quanto adorara o filme e que o que mais o impressionara fora o fato de "não termos usado no filme nenhuma *imagem cristã tradicional*".

Essas pessoas haviam se sentado no cinema e assistido a uma única versão de *Amor Além da Vida*, mas cada uma o percebeu de uma maneira totalmente diferente. Como Cuba disse no filme: "Vemos o que queremos ver."

O CÉU PODE ESPERAR

Esse filme se baseia em uma versão anterior da mesma história intitulada *Que Espere o Céu [Here Comes Mr. Jordan]*. Em *O Céu Pode Esperar*, lançado nos Estados Unidos em 1976, o *quarterback* do futebol americano Joe Pendleton (Warren Beaty) é prematuramente conduzido a um posto de trânsito na vida futura porque um dos seus guias (Buck Henry) erroneamente reclamou sua alma, e quando o engano foi descoberto, o corpo já tinha sido cremado. Como é encantadoramente explicado pelo sr. Gordon (James Mason), Executivo do Posto de Trânsito, a alma de Beaty ainda não está pronta para deixar a Terra. Como resultado, Beaty tem a possibilidade de encontrar um novo corpo e atingir sua meta de ganhar o Super Bowl.*

Beaty finalmente concorda em habitar temporariamente o corpo de um magnata e, nesse corpo, compra seu time (os Rams) e treina para o Super Bowl. O sr. Gordon continuamente lhe assegura que, se o seu destino for jogar no Super Bowl, ele jogará. Como ele diz: "Sempre há um plano, Joe." (Embora eu não acredite completamente no destino, acredito que temos objetivos específicos quando nascemos e que faremos praticamente qualquer coisa para realizá-los.)

Na tela vemos Warren Beaty mas, como é explicado pelo sr. Jordan, todas as outras pessoas vêem Leo Farnsworth, o corpo que Beaty estava habitando. Que metáfora maravilhosa e engenhosa para a identidade separada da alma com relação ao corpo!

Na maior parte do filme, contudo, existe uma distinção no sentido de que Beaty tem *consciência* de que está habitando outro corpo. Quando nos aproximamos do clímax, o personagem Farnsworth é assassinado pela esposa e por seu amante, e Joe perde sua chance, pelo menos temporariamente. Tragicamente, vemos o *quarterback* substituto morrer no campo (o que é um pouco exagerado, já que não é comum morrerem atletas *durante* um jogo, mas mesmo assim é uma licença poética perfeitamente aceitável). Nesse momento, a alma de Beaty entra no corpo do *quarterback* e conduz o time à vitória; no entanto, dessa vez, a situação é para valer, não apenas temporária. Assim sendo, ele perde toda e qualquer lembrança do que o fez vencer os desafios ao longo do caminho.

Sei que o filme parece complexo, mas é mais difícil de explicar do que de assistir.

A mensagem, nesse caso, é que Joe havia estruturado uma vida para si mesmo na qual iria vencer o Super Bowl. Isso fazia parte da essência do seu ser. *De algum modo, sua alma encontrou o caminho para cumprir*

---

*Torneio que marca o fim da temporada de futebol americano profissional dos Estados Unidos. (*N. da T.*)

seu destino mesmo em circunstâncias extremamente difíceis. Se encontrarmos nosso verdadeiro caminho, não precisaremos nos preocupar sobre como vamos percorrê-lo. A nossa alma iluminará o caminho.

DEPOIS DA VIDA

Vamos agora de um posto de trânsito na vida futura para outro muito diferente.

Depois da Vida [After Life] é um filme japonês, pura e simplesmente genial, lançado nos Estados Unidos em 2000.

A premissa é simples: depois que morremos, precisamos escolher uma das lembranças de nossa vida e passar nela a eternidade.

O filme se passa em um posto de trânsito na vida futura onde as pessoas ganham uma semana para escolher essa memória na qual irão viver.

As escolhas são significativas.

- Um homem escolhe o momento em que sentiu pela primeira vez o sabor de arroz salgado depois de quase morrer de inanição na Segunda Guerra Mundial.
- Uma mulher escolhe o momento em que deu à luz seu filho.
- Uma mulher escolhe o momento em que reencontrou o noivo depois da guerra.

A propósito, ninguém escolhe uma memória relacionada ao trabalho. Como diz o velho ditado, ninguém declara no final da vida que gostaria de ter passado mais tempo no escritório.

Essas pessoas são informadas de que *precisam* escolher uma memória; no entanto, é revelado mais tarde no filme que todas as pessoas que trabalham no posto de trânsito estão lá para ajudar outras a se lembrar das coisas porque não conseguiram ou não quiseram escolher uma memória.

A história mais comovente do filme envolve um homem de negócios idoso que levou uma vida tão medíocre que não consegue escolher. Finalmente, escolhe um momento com a mulher em que estavam sentados no banco de um parque e resolvem assistir a um filme juntos. Tratava-se de um casamento arranjado, e eles nunca foram apaixonados um pelo outro. A mulher tinha um noivo que morrera na guerra e que foi o grande amor da sua vida. Descobrimos que o homem que está ajudando esse senhor a escolher uma lembrança era, na verdade, o noivo que morrera. Ele compreende que a mulher, quando morreu, escolheu a memória do momento em que se sentara em um banco com ele antes que partisse para a guerra. Essa constatação possibilita que o rapaz, que trabalhara nesse posto de trânsito durante 45 anos, finalmente escolhesse a mesma lembrança que a noiva. Ele faz essa escolha não porque a memória fosse igualmente tão feliz para ele, e sim porque "ela era parte da felicidade de outra pessoa".

Se soubéssemos que só poderíamos guardar conosco uma única lembrança por toda a eternidade, essa conscientização tornaria cada momento da vida bem mais precioso.

Que lembrança você escolheria?

O CAMPO DOS SONHOS

Mesmo que não se tratasse de um filme maravilhoso em vários níveis, sua mensagem fundamental mereceria um lugar no panteão dos filmes espirituais simplesmente por esta frase:

"Se você o construir, eles (ou ele) virão (virá)."

Kevin Costner interpreta Ray Kinsella, um fazendeiro de Iowa que começa a ouvir uma voz lhe dizendo para construir um campo de beisebol bem no meio de sua fazenda. Apesar de a construção do campo parecer absurda tanto para Ray quanto para Anni (Amy Madigan), sua mulher, ele se sente obrigado a construí-lo. Quando o faz, fica feliz ao observar famosos jogadores emergirem dos milharais para jogar no campo. São homens que ele idolatrou e idealizou no decorrer dos anos, e agora pode vê-los jogar o jogo que tanto ama. Ray proporciona um espaço para que eles vivam o sonho deles e, ao fazer isso, vive indiretamente sua vida de fantasia como jogador. Apesar de todos os obstáculos que enfrenta da parte de sua mulher e de outros fatores, como a pressão financeira de investir seus escassos recursos na improvável iniciativa de construir um campo de beisebol nos milharais de Iowa, ele obedece àquela "voz".

Por quê? Quem ou o que é essa voz?

A voz de Deus? A voz de um anjo da guarda? A voz de seu pai? Creio que não.

É a voz dele. A voz interior. A voz que todos temos nas profundezas de nossa alma e que nos fala a verdade nos momentos mais importantes. A voz que é nossa ligação com o divino, independente de como cada um de nós interpreta essa palavra. A voz que freqüentemente confundimos com as outras pequenas vozes que ouvimos, como a do ego e a da criança interior.

A conexão com essa voz divina dentro de nós é, para mim, o ponto crucial do poder de *O Campo dos Sonhos*.

O Campo dos Sonhos foi lançado nos Estados Unidos em 1989, exatamente quando entrávamos na década de 1990, quando grande parte da literatura relacionada à evolução da nossa consciência espiritual concentrava-se na conexão com o divino dentro de nós. O meu querido amigo e mentor Neale Donald Walsh chegou a uma situação tão dolorosa e desesperada na vida que somente o seu despertar para essa voz o impediu de cair no abismo. Os seus livros visionários *Conversando com Deus* estão, de certa forma, relacionados à conexão com essa voz especial dentro de cada um de nós, que é nossa ligação individual com o divino.

Ray escuta o lugar mais sagrado dentro de si mesmo, e por isso, sem nenhuma razão supostamente racional, começa a construir o campo. Ele não consegue realmente explicar por quê. Sabe apenas que precisa construir o campo. Uma das características inconfundíveis da sabedoria é a capacidade e a coragem de enxergar além da lógica e raciocinar, sem perdê-la de vista. O personagem de Costner consegue fazer exatamente isso. Mais importante ainda é o fato de ele confiar nessa voz interior, mesmo diante de uma crescente oposição e do fato de não poder justificar suas ações de uma maneira racional. Ele está, na verdade, seguindo seu coração e seu destino. (É curioso que dois dos filmes de maior peso nessa área, ou seja, este e O Céu Pode Esperar, tenham sido criados em torno de metáforas esportivas: uma delas, o futebol americano, a outra, o beisebol.)

Quero registrar algo para aqueles que poderão fazer perguntas a respeito da sabedoria e da integridade de pessoas como Timothy McVeigh,* que também poderia alegar seguir uma voz interior. Minha resposta seria citar um verso de uma música intitulada "Cross of Changes", escrita e executada pelo Enigma que, para mim, refletiu com muita precisão na sua música o espírito dos anos 90: "Nenhum deus agiria dessa maneira." Um dos grandes desafios da vida é ser capaz de diferençar as diversas vozes que ouvimos diariamente dentro de nós. Seja qual for a voz que possa ter influenciado McVeigh, certamente não era sua conexão com o divino.

Filmes que fazem uma associação em um nível profundo como *O Campo dos Sonhos* guardam poderosas mensagens, caso contrário não nos identificaríamos tão intensamente com eles. Esse filme não apenas ilumina nossa ligação com a voz interior, como também rompe o véu entre a vida e a morte, tendo na sua essência o amor e o perdão. Ao descobrir o que acontece no final do filme, entendemos o verdadeiro motivo pelo qual a voz interior de Ray o obrigou a construir o campo: para que ele pudesse se religar e perdoar seu falecido pai. Acredito que esse tema não repercuta em nós apenas no nível óbvio do nosso desejo de resolver as coisas com os nossos pais, ele também nos coloca em contato com a questão mais profunda do perdão.

O perdão é, ao mesmo tempo, um poder imenso e uma arma descomunal.

Quando escolhemos perdoar, liberamos tanto a nós mesmos quanto a pessoa que estamos perdoando. Uma vez que o poder de perdoar seja exercido, a energia muda. Quando retemos o perdão, conservamos a nós mesmos e a pessoa que busca o perdão nos mesmos lugares de vítima e perpetrador. É claro que podemos guardar rancor para sempre e permanecer no lugar da pessoa ofendida ou podemos perdoar e seguir em frente. Optar por perdoar e ser perdoado está na essência do clímax de *O Campo dos Sonhos*. Ray perdoa o pai, possibilitando que

---

*Timothy McVeigh nasceu em 23 de abril de 1968 e morreu em 11 de junho de 2001. Considerado terrorista pelo FBI, foi executado pela participação no atentado de 19 de abril de 1995 na cidade de Oklahoma, no qual centenas de pessoas foram feridas e 167 morreram quando um caminhão carregado de explosivos caseiros foi detonado diante do Alfred P. Murrah Federal Building, no horário de início das atividades das repartições federais. (*N. da T.*)

ambos sejam curados. Essa é uma mensagem poderosa e viva para todo mundo. Para muitas pessoas, trata-se de uma lição crítica de vida que decidimos viver nesta vida.

Como já observamos, um número surpreendentemente grande de pessoas que empreendem uma jornada espiritual consciente nesta vida experimentou um grave trauma na infância e problemas em sua formação. É como se muitos de nós tivéssemos escolhido obstáculos difíceis e complicados a serem superados na infância, como todos os tipos de abuso, abandono e outras coisas horríveis. Em última análise, o caminho para a solução desses problemas passa pelo jardim do perdão.

O Campo dos Sonhos apresenta uma mensagem particularmente poderosa a respeito do perdão para aqueles que lidaram e estão lidando com esses problemas.

ALUCINAÇÕES DO PASSADO

Alucinações do Passado (1990) foi escrito por Bruce Joel Rubin, o mesmo autor de *Ghost*. Bruce é um dos muito poucos roteiristas de prestígio na indústria cinematográfica convencional que realmente entendem e abraçam esse tipo de assunto.

Alucinações do Passado foi uma decepção tanto sob o aspecto comercial quanto da crítica porque o público teve uma extrema dificuldade em distinguir o que era e o que não era real no filme.

Como mencionei na análise de *Cidade dos Sonhos,* no Capítulo 2, minha interpretação do objetivo do filme foi mostrar o que podemos vivenciar no momento da morte. O final deixou muito claro que toda a história do filme era o que seu protagonista (Tim Robbins) viveu no momento da morte.

Lembre-se de que todas as histórias narradas por aqueles que tiveram experiências de quase-morte relatam que uma certa versão da nossa vida passando em alta velocidade diante de nós efetivamente ocorre. No entanto, nessa versão, o tempo não é linear como na vida. Saltamos para trás e para a frente entre eventos reais e imaginários relacionados com as experiências que tivemos durante a vida.

O problema desse filme é que a experiência do tempo e do espaço desconexos produz exatamente a mesma reação em um espectador no cinema que na pessoa que a está vivendo, ou seja, a desorientação.

Também passamos por isso em *Amor Além da Vida*. Na idéia original para a primeira parte do filme, Chris tinha uma experiência totalmente desconexa dos eventos da sua vida até que resolveu deixar de pensar no assunto e permitiu-se seguir adiante. Editamos a primeira versão do filme exatamente dessa maneira. Infelizmente, o público para o qual o exibimos não tinha a menor idéia do que estava assistindo e, em vez de ficar curioso, ficou irritado e distanciou-se do filme. Quando experimentamos essa separação depois da vida, não há nada que podemos fazer a respeito. Em um filme, voltamos para a sala de edição e, se possível, o tornamos mais acessível. Em *Alucinações do Passado,* a desorientação está inserida na estrutura do filme. A idéia central era que a experiência é uma jornada mística na vida futura e, como tal, trata-se de uma vivência intrépida e única.

LINHA MORTAL

Lançado nos Estados Unidos em 1990, *Linha Mortal* [*Flatliners*] conduziu nosso fascínio pela experiência da vida futura a um outro nível. Estudantes de medicina chegam à conclusão de que a única maneira de determinar se a experiência do túnel/luz/ente querido é verdadeira ou não é morrendo para descobrir! Arquitetam um plano no qual farão uma experiência com a morte e a seguir os seus colegas reunidos os reviverão, para que eles possam relatar o que efetivamente experimentaram.

As assustadoras conseqüências para os estudantes que tentam criar artificialmente a experiência da morte nos apresentam uma mensagem muito simples e breve: causar prematuramente nossa morte traz graves conseqüências. O trocadilho é bastante intencional.*

---

*A palavra *grave* em inglês tem dois significados: "grave, sério" e "sepultura". (*N. da T.*)

"O Inferno não existe, embora eu tenha informações de que Los Angeles está chegando perto."
Um Visto para o Céu

Capítulo Seis

Comédia

"Morrer é fácil... difícil é a comédia."

Assim falou o famoso comediante W. C. Fields nos seus últimos dias, e a citação é de tal modo apropriada que este capítulo precisa vir logo em seguida ao último.

O comentário do grande comediante é uma enorme verdade.

A comédia é, provavelmente, o gênero mais difícil com o qual podemos trabalhar (sem contar o gênero espiritual, que *certamente* conquistaria essa honra porque ainda hoje não foi reconhecido como gênero. Espero que este livro ajude a modificar essa condição para que, em breve, possamos dizer que "A espiritualidade é fácil... difícil é a comédia").

Se você usa um dublê que não dá muito certo em um filme, ninguém realmente se importa. Se uma fala dramática não estiver bem adequada, em geral podemos recuperá-la em outro lugar no roteiro. No entanto, na comédia, uma piada que não é engraçada simplesmente fica parada no lugar como um tomate podre que ninguém quer limpar. Não existe nada tão inadequado ou embaraçoso quanto uma piada ou cena cômica que não funcione.

Um número extremamente reduzido de roteiristas e diretores consegue criar com regularidade comédias que nos fazem rir. Em geral, eles produzem alguns filmes bons (às vezes, apenas um), e o que fazem depois deixa de ser engraçado. Pessoas que fazem sucesso uma única vez não são exclusivamente músicos e, no mundo do cinema, são mais abundantes na comédia do que em qualquer outro gênero. Os atores também parecem ter uma vida útil muito curta nesse setor, e é isso que torna tão especiais os grandes mestres dessa arte. Charlie Chaplin, Abbot e Costello, Laurel e Hardy (O Gordo e o Magro), Jerry Lewis, Danny Keye e Jim Carrey (embora a longevidade deste último ainda esteja por ser determinada) nos vêm à mente como atores cômicos capazes de criar diversos filmes engraçados. Muito poucas mulheres, não é verdade? Não me sinto à vontade com esse comentário, mas só me ocorre a lendária Lucille Ball, e o seu grande sucesso ocorreu basicamente na televisão. Mae West e Judy Holliday talvez? No entanto, um grande número das artistas de cinema que interpretaram grandes papéis cômicos não se dedicou principalmente ao gênero. Shirley Maclaine, Carol Lombard, Barbra Streisand, Katherine Hepburn, Meg Ryan etc. fizeram grandes apresentações em comédias, mas também realizaram um trabalho notável em filmes dramáticos (o mesmo podemos dizer de atores de comédia como Tom Hanks).

Outro problema da comédia é saber como cronometrar as piadas e as falas cômicas nos filmes. Os cômicos que se apresentam no palco têm um feedback imediato do público e podem cronometrar sua apresentação de modo compatível. Cronometrar uma piada na tela é muito mais traiçoeiro, e realizar uma série de apresentações prévias é muito útil ao processo de edição.

Outro desafio é o senso de oportunidade da piada ou cena cômica. Jay Leno e David Letterman ganham muita prática a partir de eventos que acontecem no próprio dia do programa e que ainda estão vivos na cabeça do público. Roteiristas e atores trabalham em um intervalo de 12 a 18 meses, de modo que referências a assuntos atuais podem ser fatais se o assunto saiu de moda nesse ínterim.

No que diz respeito ao tema deste livro, aprendi uma lição fascinante (uma entre centenas) com o meu mentor Ray Stark no início da minha carreira. Quando comecei a trabalhar para Ray, ele vinha tentando havia algum tempo desenvolver um roteiro com Warren Beaty que fosse uma nova versão de um filme da década de 1940 chamado *Ele e a Sereia* [*Mr. Peabody and the Mermaid*]. O filme é um drama no qual um homem encontra e se apaixona por uma sereia, mantendo-a em um tanque no quintal da sua casa. Ray e Warren estavam tentando descobrir como recriar em um ambiente atual quando *Splash – Uma Sereia em Minha Vida* [*Splash*] foi lançado nos Estados Unidos, em 1984. Ray e eu assistimos juntos ao filme. Quando acabou, ele me disse: "Bem, Stephen, este é o final do nosso projeto da sereia com Warren Beaty e aqui está uma grande lição para nós dois: existem coisas que o público engole em uma comédia mas que simplesmente se recusa a aceitar em um drama." Palavras sábias pronunciadas por um homem sábio.

Como espectadores, estamos, em geral, dispostos a suspender nossa descrença nos filmes e conferir aos cineastas o benefício da dúvida, pelo menos na configuração do filme. Desde que "as regras" nos sejam explicadas, temos a tendência a aceitá-las desde que sejam, de alguma forma, compreensíveis e possamos nos relacionar com elas. No entanto, é muito mais fácil aceitar alguns temas, como a paixão por uma sereia, quando estamos rindo *com* o filme, em vez de estar tentando ao máximo não rir *dele*. Essa é uma grande distinção que devemos fazer como cineastas, particularmente no gênero da espiritualidade. O conceito também se estende a ter a comédia *dentro* de filmes dramáticos. Já mencionei, por exemplo, a mudança cômica que Jerry Zucker fez na personagem Oda Mae (Whoopi Golberg) em *Ghost*. A premissa do filme era suficientemente dramática para que o público realmente precisasse e apreciasse o alívio cômico dessa personagem que se julgava uma paranormal fraudulenta até começar a ouvir as mensagens de Patrick Swayze.

A comédia é um grande revigorante nesses filmes; no entanto, também enfrentamos o desafio de não introduzir falas e trechos cômicos sem motivo. O público pode sentir do lado de fora do cinema o cheiro desse tipo de manipulação, e podemos desagradar as pessoas com a mesma facilidade com que as divertimos. Tentamos arduamente, por exemplo, inserir mais humor em *Amor Além da Vida* porque compreendemos como tanto a premissa quanto a jornada eram desafiantes. O problema era que quase todos os intervalos cômicos que tentamos introduzir não eram inerentes aos personagens, à atmosfera ou ao filme em si. Poderia ser nosso fracasso. Poderia ser como não poder dizer a um waffle quente que ele é um peixe congelado. Não sei.

A comédia também pode ser usada satiricamente para mostrar o absurdo de certas situações na vida, e o primeiro filme neste capítulo não se enquadra apenas diretamente nessa categoria, ele na verdade a define.

DR. FANTÁSTICO OU COMO APRENDI A PARAR DE ME PREOCUPAR E AMAR A BOMBA

É bastante adequado iniciarmos esta seção com outro filme do mestre Stanley Kubrick. (Contrariando a opinião popular, esse não foi o título de filme mais estranho da incrível década de 1960, que se caracterizou pelo excesso em todas as esferas possíveis e imagináveis. Na minha opinião, essa incerta honra deveria pertencer a uma farsa extravagante de Anthony Newly intitulada *Can Hieronymous Bosch Ever Forget Mercy Humpe and Find True Happiness*? [Será Hieronymous Bosch capaz de esquecer Mercy Humpe e encontrar a verdadeira felicidade?])

Vale a pena observar que, apenas por outra "estranha" coincidência, *Dr. Fantástico* foi lançado nos Estados Unidos em 1964, cerca de 18 meses depois da Crise dos Mísseis cubana, de outubro de 1962. O mundo estava à beira da guerra nuclear e, acredito, visões de outras civilizações que se autodestruíram foram alçadas ao centro da nossa consciência.

Entra a sátira maldosa do sr. Kubrick com relação a tudo que é nuclear. *Dr. Fantástico* pega cada mensagem e estereótipo trágico possível e o eleva às finalidades extremas e sombrias imagináveis:

- ◘ Você teme que um oficial militar mau-caráter possa começar a Terceira Guerra Mundial? Conheça o sutilmente chamado General Jack D. Ripper* (Sterling Hayden), que está obcecado pela sensação de que "os Russkies" interferem secretamente nos nossos "fluidos corporais".
- ◘ Você receia que nossos avanços tecnológicos acabem nos levando a um lugar onde nem eles nem nossos superzelosos militares poderão ser superados pela nossa humanidade? Conheça o Ge-

---
*Tradução literal: Jack O Estripador. (*N. da T.*)

neral Buck Turgidson (George C. Scott), que fica tão extasiado ao descrever para o presidente nossa perícia militar para evitar a detecção do radar que, convenientemente, se esquece de que ela significa o fim do mundo.
- Você teme que essa mesma tecnologia seja engenhosa demais para o próprio bem dela? Conheça bombardeiros cujo equipamento e tecnologia são tão sofisticados que não podem ser chamados de volta em certas situações, aconteça o que acontecer.
- Aliás, e essa situação "aconteça o que acontecer"? Está com receio que a Terceira Guerra Mundial possa ser deflagrada por um erro nas comunicações? Conheça o Capitão "King" Kong (Slim Pickens), o piloto do bombardeiro em questão, que não acredita em ninguém ou em nada depois que recebe o sinal verde para soltar a bomba.
- Você teme que um chefe de Estado estrangeiro possa começar uma guerra apenas por estar tendo um mau dia? Conheça o primeiro-ministro russo, que está embriagado durante os telefonemas dados pela linha vermelha com o presidente americano Muffley.
- Você receia que cientistas maus-caracteres, particularmente os "ex-nazistas que emigraram para os Estados Unidos e que não são de confiança", possam, efetivamente, iniciar a Terceira Guerra Mundial apenas para testar suas situações trágicas? Conheça o Dr. Fantástico (Peter Sellers, que na verdade interpreta três papéis no filme), um cientista alemão repatriado com uma prótese no braço que se alterna entre fazer uma continência nazista e... bem, quanto à outra função, veja o filme... este é um "livro família".
- Você teme que alguns militares amem tanto a guerra a ponto de começar outra? Bem, relembre o Capitão Kong (Slim Pickens), que com o chapéu de caubói lançado no ar, efetivamente, monta a bomba que acaba de deixar cair no chão como se ela fosse um cavalo xucro.

E isso não é tudo!

Dr. Fantástico é um desses filmes em que ficamos sentados balançando a cabeça e pensando coisas do tipo: "Ele não fez aquilo, fez?" ou "Ele não vai fazer aquilo, vai?", e depois descobrimos que o filme imediatamente vai além dos nossos palpites mais extravagantes.

Kubrick e Terry Sothern, o brilhante roteirista/redator de sátiras, captaram nossos mais profundos receios e os projetaram na tela. Como foi mencionado, tínhamos muito medo da tecnologia naquela época. Havíamos criado armas nucleares literalmente capazes de destruir o mundo. Novamente sem entrar em um excesso de detalhes, acredito que, para muitos de nós, o medo de que possamos utilizar a tecnologia de forma inadequada e, inadvertidamente, causar o fim do mundo tem sua origem em vidas passadas na Atlântida. A leitura de qualquer história sobre a Atlântida nos faz chegar à conclusão de que os atlantes também usaram indevidamente e compreenderam mal a tecnologia avançada, o que acabou provocando as devastadoras conseqüências que se seguiram.

Levando ao extremo nosso medo da tecnologia, Kubrick criou outra seqüência final brilhante, sombria e em forma de advertência.

Depois que vemos Slim Pickens montado na bomba nuclear gritando como o caubói de rodeio que ele era também, assistimos a várias cenas de bombas nucleares explodindo no mundo inteiro, o que era na época nosso medo mais negro e profundo. Durante a seqüência dessas explosões, Kubrick toca a antiga canção clássica:

We'll meet again.
Don't know where. Don't know when.
Just know we'll meet again... some sunny day.

(Nós nos encontraremos de novo.
Não sei onde. Não sei quando.
Sei apenas que nos encontraremos de novo... em um dia de sol.)

Eu me lembro de ter ficado de queixo caído com aquele final.

Dr. Fantástico *conseguiu fazer a corrida armamentista parecer completamente louca, e essa era de fato a intenção da mensagem. Reconhecemos o absurdo da escalada das ameaças mútuas de destruir uns aos outros e estávamos lembrando a nós mesmos que havíamos decidido evitar as conseqüências dessa hostilidade naquela época.*

Há 40 anos, o primeiro-ministro russo Nikita Khrushchev jurou aos Estados Unidos: "A Rússia vai enterrá-los." Hoje, a Guerra Fria acabou, o Muro de Berlim desapareceu e a Rússia vê nos Estados Unidos seu modelo de democracia!

Primeiro prestamos atenção à mensagem do Dr. Fantástico *e depois a transcendemos.*

DOGMA

Lançado nos Estados Unidos em 1999, *Dogma* [*Dogma*] contempla a religião com a mesma irreverência sarcástica que *Dr. Fantástico* contemplava a guerra nuclear.

Dogma começa com um aviso qualificando o filme como uma obra de fantasia cômica e pede ao público que leve em conta o seguinte: "Antes de pensar em ferir alguém por causa disso, lembrem-se de que Deus tem senso de humor. Basta olhar para o ornitorrinco."

Por que esse aviso?

- Em vez de um Deus bom, amoroso e gentil, como no caso de George Burns em *Alguém Lá em Cima Gosta de Mim*, o filme apresenta um Deus colérico e temerário com a aparência da cantora de rock Alanis Morrisette, que fará praticamente qualquer coisa para provar que não está errada. Ela também é fanática por *skee-ball* e fica aprisionada em forma humana em uma das excursões secretas que faz à Terra para jogar seu jogo predileto.
- Os anjos não têm órgãos genitais porque não seria possível confiar neles caso os tivessem, e eles não estão nada satisfeitos com isso; além do mais, não podem "absorver" álcool, de modo que o põem na boca e cospem.

- A Muse Serendipity [Musa da Sorte] (Salma Hayek) está trabalhando como stripteaser em um bar de baixo nível a fim de inspirar os homens de uma nova maneira.
- A Igreja Católica, por meio do "moderno" Cardeal Click (George Carlin), está empreendendo uma campanha em prol do catolicismo para atualizar sua imagem. Entre outros "pequenos ajustes" estão a substituição da imagem do Cristo crucificado pela de um Cristo sorridente, que aponta para nós com uma das mãos e, com a outra, faz o sinal de positivo com o polegar para cima (Roger Ebert, regozije-se!). (Talvez o crítico de cinema Gene Siskel estivesse do outro lado e tenha dado uma "mãozinha" na inspiração dessa idéia. Por falar nisso, Gene era um conhecido meu da época de faculdade e sempre brincava dizendo que não gostava dos filmes que eu produzia. Ele brincava, e eu me encolhia, porque era verdade até o lançamento de *Amor Além da Vida*, que Gene realmente adorou. Foi um dos últimos filmes que criticou antes de morrer, e sempre me perguntei o quanto sua morte iminente não terá afetado a percepção que teve do filme. Por falar nisso, ele foi um homem incrível.)

Dogma quase não foi produzido. Mesmo com o talento de uma grande celebridade e um jovem e respeitado diretor, o filme era uma batata quente que ninguém queria pegar até que a Lion's Gate entrou na disputa e resolveu correr um risco que no final compensou para todos.

Como você deve imaginar, *Dogma* é uma comédia extremamente sinistra. Seria impossível produzi-la como drama! A trama envolve basicamente dois anjos caídos, Bartleby (Ben Affleck) e Loki (Matt Damon), que Deus expulsou do céu porque Bartleby convenceu Loki, o anjo da morte, a parar de fazer o trabalho sujo e violento que Deus exigia que fosse feito para Ele (na verdade, para Ela). Desde então, ficaram presos na Terra, mas acreditam ter encontrado uma brecha que lhes permitirá voltar sorrateiramente ao céu. Deus envia todos os tipos de mensageiros para impedir que eles tenham sucesso. Um deles (Alan Rickman) explica a uma moça, Bethany (Linda Fiorentino), recrutada para ajudar (constata-se depois que ela é sobrinha-neta de

Jesus), que toda realidade baseia-se na aceitação da perfeição de Deus e que, se esses anjos conseguirem voltar ao céu, Deus terá revelado que é falível, e toda realidade cessará. Deus aparece, impede o último anjo de voltar e fica plantando bananeira enquanto os seres humanos resolvem seus problemas.

A importância de *Dogma* é simplesmente o fato de ele existir. Sem dúvida, é um filme escandaloso e escandalosamente divertido, mas isso é totalmente irrelevante. O fato de o filme ter sido produzido diz muito a respeito do ponto em que nos encontramos hoje enquanto humanidade.

A religião organizada (tradução: a Igreja Católica) tem sido tradicionalmente considerada uma vaca sagrada na indústria cinematográfica. Não deve ser tocada, discutida e, certamente, ridicularizada. Podemos brincar com a morte, com os relacionamentos raciais e até mesmo com o Holocausto. A versão para a Broadway de Mel Brooks do seu filme anterior *Primavera para Hitler* [*The Producers*], lançado nos Estados Unidos em 1968, recebeu um recorde de 12 prêmios Tony em 2001 (dois a mais do que *Hello Dolly* [*Hello Dolly*]) e a seqüência de destaque na peça é "Springtime for Hitler" ["Primavera para Hitler", título que foi dado no Brasil ao filme de 1968]! Se um judeu pode ridicularizar o Holocausto, já está mais do que na hora de também podermos nos divertir com a Igreja Católica, não é mesmo?

O fato de termos alcançado uma abertura em algumas dessas questões é sinal de que estamos realmente questionando quem somos, querendo saber por que estamos aqui e examinando mais profundamente algumas das respostas às perguntas que até agora estavam fora de cogitação.

Isso não quer dizer que estamos rejeitando a religião. Estamos apenas olhando para ela com novos olhos. Na verdade, Bethany pergunta no filme o que deve fazer a respeito dessas novas respostas a antigas perguntas. Deveria esquecer quem era ela e tudo que sabia?

A resposta, que é a mensagem do filme, é muito simples: "Continue a ser quem você sempre foi. Apenas seja isto também."

Quando Deus parte no fim do filme, Bethany pergunta a ela por que estamos aqui; Deus apenas sorri e belisca o nariz, piscando os olhos como quem diz que a mera pergunta é também a resposta. Dogma, de fato.

ALGUÉM LÁ EM CIMA GOSTA DE MIM

De uma extremidade do espectro de "Deus" para o outro.

George Burns interpretando Deus. Quem mais poderia ter interpretado esse papel no filme? Na verdade, talvez não houvesse outra pessoa no mundo que poderia ter interpretado esse papel naquela época, porque *Alguém Lá em Cima Gosta de Mim* é o exemplo clássico da tentativa de transmissão de uma mensagem através de um veículo cômico que simplesmente não seria digerível em um drama. Se vamos efetivamente personificar Deus em um filme, é melhor fazê-lo com humor e ter um intérprete cuja personalidade desperte grande empatia no público a ponto de ele interromper temporariamente sua descrença e apreciar a jornada (a não ser que você resolva enlouquecer na escolha do elenco, como no caso de Alanis Morrisette em *Dogma*). Experimente fazer isso em um drama e veja como funciona. (Na verdade, a Metafilmics está usando esse tema em uma versão dramática filmada da série de livros *Conversando com Deus*. Os nossos filmes, contudo, não tentam personificar Deus como um ser à parte. O Deus dos livros de Neale está dentro de todos nós e é por nós personificado.)

Em *Alguém Lá em Cima Gosta de Mim*, Deus aparece para Jerry, balconista de uma mercearia (John Denver), e depois personifica-se para poder falar com ele sobre a maneira como os seres humanos estão conduzindo a própria vida. Na trama do filme, Jerry está convencido de que é um mensageiro de Deus, mas tem de encarar a desconfiança da sua mulher (interpretada por Teri Garr), do seu chefe (David Ogden Stiers) e do mundo (inclusive a apresentadora céptica de um programa de entrevistas interpretada por Dinah Shore). Jerry também é confrontado por líderes religiosos e é efetivamente processado por difamação por um deles, um evangelista (maravilhosamente interpretado por Paul Sorvino), que Jerry acusa de impostor.

O filme termina em um tribunal no qual Deus realmente aparece e depois desaparece de repente. Jerry ganha a causa, mas não consegue "provar" a existência de Deus.

Mas o importante nesse filme não é a trama e sim Burns interpretando Deus e transmitindo mensagens a respeito de suas observações sobre a humanidade com o seu jeito delicado e inimitável. Grande parte do diálogo parece um manifesto da Nova Era dos anos 70 (o filme foi lançado nos Estados Unidos em 1977). O filme pode ter sido chamado de *Oh, God!* (Ó, Deus!), mas esse Deus não se expressa como nenhuma divindade tradicional. Ele fala com humor e sabedoria, de uma maneira que seria totalmente desconcertante para a maioria dos tradicionalistas não fosse o jeito delicado de Burns e a objetividade e simplicidade do diálogo.

Só de brincadeira, vou citar aqui alguns dos diálogos, porque *existem mensagens nesse filme produzido há 25 anos que formam a base de parte da consciência espiritual da época atual.*

Todas as falas são de George Burns:

- "Mesmo os descrentes desejam que aquilo que existe aqui funcione. Criei o mundo para que possa funcionar."
- "A religião é fácil. Estou falando de fé."
- "A existência dos homens e das mulheres significa o que vocês acham que significa. Nada mais, nada menos."
- "Sou Deus apenas para a realidade mais ampla. Não entro em detalhes. Eu lhes dei um mundo e tudo que existe nele. O resto é com vocês."
- "Vocês têm o livre-arbítrio. Todas as escolhas são suas. Podem amar ou matar uns aos outros."
- "Os jovens não podem perder minha Graça. Eles são as minhas melhores coisas."
- (Para os ambientalistas:) "Vocês querem um milagre? Você cria um peixe do zero. Você não pode. E quando o último vai embora, fim dos peixes, até logo céu, adeus mundo, ponto final."
- "Claro que cometo erros. Tabaco. Avestruzes, coisas com aparência ridícula. Fiz o caroço do abacate grande demais. Mas a gente tenta."

Quando ele desaparece da sala do tribunal, sua última fala é a seguinte: "Se vocês acham difícil acreditar em mim, saibam que acredito em vocês."

UM VISTO PARA O CÉU

Outro filme que seria extremamente difícil de produzir como um drama.

Albert Brooks (cujo último nome, aliás, é Einstein) interpreta Daniel Miller, executivo da área de publicidade que é atropelado por um ônibus e acorda na Cidade do Julgamento, outro posto de trânsito no além para onde todos os seres humanos vão a fim de examinar a vida que acaba de terminar. A cada pessoa é atribuído um defensor, um promotor público e dois juízes, que examinam vários dias considerados críticos em suas vidas. É tomada então a decisão que determina se a pessoa "segue adiante" (sem uma definição clara de onde é esse "adiante") ou se volta para a Terra para tentar de novo em outra encarnação. O número de dias examinados reflete, de certa maneira, a intensidade com que a pessoa talvez tenha que defender sua vida. Daniel tem nove dias que precisam ser analisados, ao passo que Julia (Meryl Streep), uma mulher que ele conhece e por quem se apaixona, tem apenas quatro.

Por trás das piadas visuais e cenas cômicas, há uma mensagem extremamente eloqüente a respeito do medo.

Há um chichê que diz que o covarde morre mil vezes e o corajoso apenas uma. Enfrentar nossos medos não apenas determina se vamos seguir em frente ou não, como também é a mensagem básica do filme. Passamos uma parte enorme da vida evitando nossos medos em vez de remover o poder que eles têm sobre nós tomando a decisão de enfrentá-los. Um Visto para o Céu *usa a comédia para "encobrir" a mensagem, que ainda assim aparece com bastante clareza: Winston Churchill estava certo quando disse que "a única coisa que temos a temer é o próprio medo".*

FEITIÇO DO TEMPO

Lançado nos Estados Unidos em 1993, *Feitiço do Tempo* é uma comédia maravilhosamente humana a respeito da rara oportunidade de viver várias vidas no mesmo dia. É claro que o filme não foi comercializado dessa maneira, mas, para nossa finalidade, acredito que esse conceito esteja na essência da história.

Bill Murray interpreta o céptico meteorologista Phil Conner que é enviado a Punxatawney, Pensilvânia, para cobrir pelo quarto ano consecutivo o especial sobre o Dia da Marmota [o título do filme em inglês], evento que abomina e odeia. Phil penaliza a igualdade de oportunidade de todos que o cercam, particularmente de Rita (Andie McDowell), produtora de segmento da filmagem. Após o evento, a equipe fica presa por conta de uma tempestade de neve e é obrigada a permanecer mais um dia no local. Ao acordar na manhã seguinte (ouvindo no rádio Sonny Cher cantando "I Got You Babe"), Phil descobre que está novamente no Dia da Marmota. Todo mundo e todas as coisas estão iguais, exceto ele. E isso continua a acontecer. Dia após dia.

No início, ele encara a situação como uma ótima oportunidade de aprimorar seu plano de sedução com relação a Rita. Cada dia ele aprende um pouco mais a respeito dela, e usa esse conhecimento para impressioná-la no dia seguinte. Para Rita, tudo é novo a cada dia. Phil, finalmente, compreende que nada vai fazê-la ir para a cama com ele em apenas um dia. Phil fica tão deprimido que tenta cometer suicídio. Várias vezes. De várias maneiras. O problema é que continua a acordar na manhã seguinte, às 6h da manhã, ao som de Sonny e Cher.

No início, ele atravessa, em uma ordem precisa, os cinco estágios de lidar com a morte: negação, raiva, negociação, depressão e aceitação. Após algum tempo, Phil decide que provavelmente deveria fazer algo melhor na vida, e começa a ajudar as pessoas. A essa altura ele já sabe absolutamente tudo que vai acontecer na cidade naquele dia, de modo que pode, por exemplo, estar sempre debaixo da árvore certa para pegar um menino que cai, aplicar a técnica Heimlich em uma pessoa que se engasga durante o jantar etc.

No final, ele realmente muda, e Rita se apaixona por Phil, pelo homem que ele efetivamente é naquele dia específico. Naquela noite, eles dormem juntos, e quando Phil acorda de manhã o Dia da Marmota finalmente acabou e ele, um homem diferente, pode seguir em frente, ao lado de Rita.

O filme é muito engraçado no início mas, à medida que avança, percebemos que mais coisas estão acontecendo nele do que apenas a maravilhosa idéia inicial. Fica óbvio que a experiência está acontecendo durante centenas de dias para Phil, talvez até milhares, e acompanhamos sua evolução. A cada dia, ele aprende algo novo a respeito de si mesmo e do mundo que o cerca, e usa o conhecimento que adquire no dia seguinte.

No início da experiência, Phil utiliza essas novas constatações por razões egocêntricas, *mas pouco a pouco passa a perceber que possui um propósito maior para estar vivo e começa a utilizar essas constatações para crescer e interagir de forma mais positiva com as pessoas ao seu redor.* Feitiço do Tempo, *portanto, oferece uma metáfora perfeita para as lições que buscamos de vida para vida. Aprendemos e crescemos em cada uma delas à medida que evoluímos.*

Se o tempo não guarda um significado (como acontece no caso de Phil), então, quem poderá saber qual o significado de um dia? Em *O Vento Será Tua Herança* [*Inherit the Wind*], Henry Drummond, personagem baseado em Clarence Darrow, pergunta a Matthew Brady, personagem baseado em William Jennings Bryan, qual a definição de "um dia" na Bíblia. Confirmando que nem mesmo a Bíblia determinava a extensão de "um dia", Drummond teoriza que, sem o sistema de medição que temos hoje para um dia (o Sol), a extensão do dia poderia ser indeterminada. "Poderia equivaler a 24 horas, uma semana, um mês, um ano, até mesmo 10 mil anos!"

Feitiço do Tempo é uma metáfora para o processo de crescimento, e Dia da Marmota tornou-se hoje um termo corrente na vida moderna americana para nomear o dia que parece prolongar-se para sempre. Quando uma frase extraída de um filme adquire vida dessa maneira ("Confie na força, Luke"), algo que está acontecendo em nosso coração e nossa mente se estende bem além dos limites de um filme.

BILL E TED – UMA AVENTURA FANTÁSTICA

Preciso fazer uma referência a esse filme no final do capítulo porque se trata de uma comédia muito engraçada com a qual estive extremamente envolvido, e os meus amigos me disseram que ela é parte intrínseca deste livro.

Embora eu não tenha certeza de que isso seja verdade com relação ao filme, a história por trás do filme realmente trata de como a percepção do que é ou não engraçado pode ser subjetiva e efêmera, e de como os relacionamentos podem ser o principal segredo que leva os filmes a serem produzidos.

Bill e Ted [*Bill and Ted's Excellent Adventure*] foi escrito por Chris, filho de Richard Matheson, e seu parceiro Ed Solomon. Richard me telefonou certo dia em 1985 para perguntar se eu poderia conversar com Chris, que estava muito deprimido porque os seus agentes haviam recusado um roteiro que ele e Ed haviam escrito. Quando conversei com Chris, ele me contou que os dois haviam escrito um roteiro que ele achava muito engraçado e original, mas que tinha sido rejeitado de imediato. Disseram a Chris e Ed que jamais deveriam mostrar o roteiro a alguém, não apenas porque ninguém se interessaria por ele como também porque era tão "idiota e inútil" que poderia arruinar a carreira deles mesmo antes de começar. Fiquei com tanta pena de Chris que me ofereci para ler o roteiro e dar outra opinião. Chris imediatamente recusou a idéia porque estava envergonhado e não queria que Ed e ele fossem mais humilhados. Depois de muita bajulação, finalmente concordou em que eu o lesse.

Aquela versão preliminar de *Bill e Ted* é até hoje o roteiro mais engraçado que já li na vida. Dei boas gargalhadas o tempo todo. Sem dúvida, era idiota, mas sua idiotice era brilhante! O que é engraçado é engraçado, independentemente da aparência, e aquele roteiro era simplesmente hilário. Chris ficou muito surpreso, porém imensamente feliz ao ouvir que eu adorara o roteiro, e eu lhe disse que tinha uma idéia sobre como poderia vendê-lo.

Eu estava prestes a deixar a Fox e assumir uma posição executiva em uma nova empresa chamada New Century Productions com o meu velho amigo e mentor Norman Levy, que também estava saindo da Fox. Resumindo, Norman tinha sido demitido do cargo de vice-presidente executivo por uma nova administração e o meu contrato de produção estava terminando. Como estava prestes a assumir uma posição executiva, eu não poderia produzir *Bill e Ted*. Por conseguinte, precisava encontrar um parceiro que efetivamente fizesse a produção.

Quando eu trabalhava com Ray Stark, fizemos um filme chamado *Unidos por um Ideal* [*Casey's Shadow*], com Walter Matthau, um verdadeiro desafio de marketing. Comparecemos a uma reunião de marketing e um jovem executivo da área chamado Robert Cort fez uma apresentação que deixou Ray tão furioso a ponto de, literalmente, jogar o pobre Robert contra uma parede! Eu não conhecia Robert, mas tentei defendê-lo e ficamos amigos.

Cinco anos depois, eu estava na Fox prestes a começar os preparativos para *A Chance* [*All the Right Moves*] e não gostava do executivo de produção designado para o filme por Sherry Lansing, primeira mulher a dirigir a produção de um estúdio de grande porte. (Ela veio a se tornar depois uma das executivas mais bem-sucedidas na indústria cinematográfica e ainda desfruta uma longa e bem-sucedida carreira na Paramount.) Conhecia Sherry dos nossos dias na Columbia e a procurei para pedir um favor. Robert Cort também tinha ido para a Fox como executivo de produção, mas ainda não tinha nenhum filme para supervisionar. Pedi a Sherry que colocasse Bob no lugar do profissional que ela havia designado para *A Chance*. Depois de me advertir que o primeiro cara certamente se tornaria meu inimigo para toda a vida, Sherry concordou, e Bob assumiu a função. (Durante a produção do filme, tive todo tipo de problema, e Bob foi meu vigoroso defensor, de modo que, decididamente, retribui-me à altura.)

Voltemos então a 1985 e a *Bill e Ted*. Robert Cort também estava deixando a Fox. (Mudanças executivas são como depurações periódicas em nossa área. Uma equipe completamente nova assume o comando e toda a equipe anterior é descartada sem nenhuma cerimônia. Muitos executivos já chegaram ao estúdio em um desses expurgos e descobriram que seu cobiçado lugar no estacionamento já tinha sido repintado com o nome de outra pessoa. Essa é uma das afrontas mais humilhantes da nossa indústria.) Bob estava indo trabalhar com Ted Field na nova empresa de Ted, a Interscope, e eu sabia que eles estavam em busca de material. Entreguei *Bill e Ted* a Bob, que adorou o roteiro tanto quanto eu, e Ted teve a mesma reação quando o leu. Assim sendo, comprometeram-se com a produção do filme, e eu fui ser um executivo, depois de concordar em ser produtor executivo de *Bill e Ted*.

Ajudei Bob, e ele me ajudou. Ajudei Bob e Ted. Mais tarde, Ted seria o principal protagonista de *Amor Além da Vida*, como produtor executivo, e assim acontecem os relacionamentos em nosso grupo.

Todo o mérito do sucesso da produção de *Bill e Ted* pertence a Bob Cort, Ted Field e Scott Kroopf, que na verdade produziram o filme. O meu único envolvimento verdadeiro foi evitar que o roteiro fosse para o lixo e colocá-lo nas mãos das pessoas certas. E essa é outra maneira de conseguir uma remuneração e um crédito de "produtor" em Hollywood.

Quanto ao filme em si, participei recentemente de uma importante reunião de negócios na qual um homem ressaltou a "importância social subjacente" de *Bill e Ted*. Eu, sinceramente, não fazia a menor idéia do que ele estava falando. A "mensagem" nesse caso é simples. Às vezes, um charuto é apenas um charuto.

"Não penetraremos a noite em silêncio."
Independence Day

Capítulo Sete

Alienígenas

Desde que o cinema começou, nosso relacionamento com os alienígenas tem sido uma importante fonte para a trama dos filmes. Centenas, e talvez milhares, de filmes foram produzidos a respeito do nosso relacionamento de amor ou de ódio com os alienígenas. Os filmes refletem o horror que sentimos de alienígenas que representam uma ameaça à nossa existência ou os mostram como amigos capazes de nos ajudar a alcançar nosso pleno potencial. Independentemente da caracterização, possuímos um profundo fascínio pelo relacionamento da humanidade com os extraterrestres.

Por quê? Que profundo significado espiritual os alienígenas representam para nós?

Parte do fascínio, certamente, pode ser explicada de forma muito simples. Sempre olhamos para as estrelas e nos perguntamos se estávamos ou não sozinhos no Universo. Embora no nosso passado primitivo não soubéssemos exatamente quantos mundos existem no espaço, hoje, na era moderna, sabemos que existem milhões de outros mundos no Universo. Como poderia alguém racionalmente acreditar que somos a única consciência em todo esse espaço? Pense nisso apenas por um segundo. Não é ó cúmulo da arrogância humana terrestre? Este pequeno planeta, cuja importância na escala do Universo equivale à de um grão de areia em uma praia, ser o único depósito da consciência humana no Universo? Esqueça a certeza matemática e científica de que existem outros seres conscientes no Universo. Examine a questão a partir de uma perspectiva de puro bom senso. Ela sempre me impressionou. A mim parece uma conclusão tão inevitável que os únicos argumentos contra ela podem ser os quase-científicos ("Prove para mim em um laboratório e eu acreditarei ou mostre-me o corpo de um alienígena!") ou os religiosos ("Não está escrito na Bíblia!" – embora até mesmo essa afirmação possa ser discutida). Sinto grande respeito tanto pela ciência quanto pela religião, mas não acredito que nenhuma das duas filosofias (creio que ambas as posições se encaixam nessa categoria) sejam capazes de justificar uma conclusão satisfatória de que estamos sozinhos no Universo.

No entanto, aceito e respeito o fato de que outras pessoas não compartilham esse ponto de vista e que, efetivamente, acreditam que estamos na verdade sozinhos. Também reconheço que essa esfera contém uma questão religiosa extremamente sensível e delicada. Em *2001: Uma Odisséia no Espaço,* a descoberta do monólito na Lua fora classificada como altamente confidencial devido à ameaça de desestabilizar a população, particularmente quando convicções religiosas estão envolvidas. Esse tema não é apenas comum a dezenas de filmes como também permeia o constante fascínio do público pela "Área 51" em Nevada (que é mostrada em *Independence Day* [*Independence Day*], por exemplo, e que discutiremos em breve) e por todas as visões de OVNIs através da história. A rede de televisão Fox baseou seu próprio sucesso no sucesso de *Arquivo X* [*The X Files*]*,* que também se fundamenta na premissa que nosso governo conhece os alienígenas e interage regularmente com eles, mas acha que essa informação abalaria o público em geral.

Além desse fascínio pelo "contato", existe também a questão, em um grande número de aspectos das culturas mundiais, de se os alienígenas "semearam" originalmente a Terra com seres humanos ou se desempenharam um importante papel em nossa evolução introduzindo-se em algum período do nosso passado distante para realizar uma "engenharia genética". Uma vez mais, centenas de livros (como *Eram os deuses astronautas?*) foram escritos sobre essas diversas teorias. Simplificando, as teorias sustentam que a Terra foi visitada no passado distante e, literalmente, semeada como uma experiência. Outras teorias afirmam que a razão pela qual os cientistas nunca encontraram o elo "humano" perdido, que vincula com precisão o homem primitivo ao homem moderno, é o fato de que essa criatura nunca existiu porque os alienígenas "bioprojetaram" esse salto quântico genético.

É claro que a adesão a qualquer uma dessas teorias é abominada pelas convicções religiosas tradicionais, de modo que a convenção do filme de que essas informações desestruturariam as pessoas está parcialmente baseada nos fatos. Sem querer tomar partido, quero dizer que a natureza acalorada do debate sempre me pareceu, de certa forma, desnecessária. Se encontrássemos provas irrefutáveis de que os alienígenas estão aqui, ou estiveram aqui, por que a religião organizada não poderia simplesmente reconhecer o fato e, com um raciocínio justo, concluir que Deus também criou os alienígenas e adotar o ponto de vista de... "afinal, não há nenhuma novidade, não é mesmo?". Ou, então, nas palavras de Billy Joel: "Ela nunca cede, apenas muda de idéia." Na verdade, parece-me que a possível existência dos alienígenas não nega de modo algum a existência de Deus, mas admito que esse conflito cria uma grande comoção.

Acreditemos ou não em alienígenas, o cinema tem um extenso e intenso caso amoroso com o assunto. Parece que sabemos que eles existem, questionemos ou não os motivos deles. Eles nos fascinam e nos levam a lembrar regularmente a nós mesmos, por meio dos filmes, que não estamos sozinhos. Acredito que esse sentimento de conexão seja um dos elementos fundamentais do nosso fascínio espiritual pelos alienígenas. Em um mundo que apresenta um número cada vez maior de desafios, a desafeição e o medo são, lamentavelmente, companheiros constantes de milhões de pessoas.

As mensagens dos filmes sobre alienígenas guardam um duplo propósito, e ambas as mensagens são, em última análise, positivas.

Uma das mensagens é claramente confortante e tranqüilizadora. Se encararmos os alienígenas como amigos benévolos, podemos vivenciá-los como companheiros de viagem de quem nada temos a temer e com quem temos muito a aprender.

A outra mensagem é que, mesmo encarando os alienígenas como ameaças à nossa sobrevivência, esse ponto de vista pode ser o catalisador da solução dos nossos confrontos culturais diante de um inimigo externo.

De qualquer modo, trata-se de uma situação do tipo "Cara, nós ganhamos — coroa, somos bem-sucedidos!".

Então, se este capítulo fosse um teste de múltipla escolha, seria mais ou menos assim:
A. Alienígenas com intenções hostis.
B. Alienígenas com intenções amistosas.
C. As duas opções anteriores.
Não existe a opção "Nenhuma das respostas anteriores". Essa omissão é totalmente intencional.
Vamos começar então com:

A. Intenção hostil

INDEPENDENCE DAY

Embora pudéssemos examinar uma série de filmes clássicos sobre alienígenas hostis, *Independence Day*, lançado nos Estados Unidos em 1995, personifica essa energia tão bem ou melhor do que qualquer outro devido à maneira direta pela qual aborda a intenção dos alienígenas.

Os alienígenas de *Independence Day* não estão nem um pouco interessados em negociações ou advertências. Enviam naves gigantescas para locais estratégicos nos principais países do mundo e depois, com um sinal coordenado, começam a destruir todas as cidades e os seres humanos do planeta. Quando o presidente dos Estados Unidos (interpretado por Bill Pullman) efetivamente faz a um dos alienígenas a pergunta "O que vocês esperam que façamos?", a resposta é simples e aterrorizante: "Que morram."

Esse diálogo representa nosso medo fundamental com relação a alienígenas hostis. Eles desejam simplesmente nos aniquilar. Ponto final.

Por que tal mensagem existiria?

Esse tipo de filme apresenta um inimigo comum contra quem o mundo se une, e acredito que o desejo seja o principal componente de atração desses filmes. As pessoas olham para o mundo que as cerca e freqüentemente o encaram como assustador e à beira da extinção. A guerra nuclear, o terrorismo, a poluição, a superpopulação, o crime etc. servem, com freqüência, para apresentar uma visão realmente ameaçadora das nossas esperanças de sobrevivência; no entanto, se o mundo pudesse se unir contra uma invasão hostil de alienígenas, talvez pudéssemos nos unir. Pelo menos é assim que essa teoria específica se manifesta nos filmes.

Acredito que parte da atração inerente a esse tipo de filme que lida com o "alienígena mau" é que ele transmite a mensagem de que precisamos descobrir uma maneira de nos unir enquanto espécie, e se essa maneira for uma invasão alienígena, que assim seja.

Em *Independence Day*, por exemplo, vemos pilotos árabes e judeus reunidos no deserto para empreender um ataque conjunto às naves alienígenas. É uma imagem subliminar perfeita e poderosa: se árabes e judeus podem se unir, qualquer pessoa pode. Sem dúvida, a ação e os efeitos especiais de *Independence Day* são fantásticos e divertidos se considerarmos apenas esse nível, mas nos filmes que se tornam extremamente populares como ele também existem coisas acontecendo abaixo da superfície, que não são detectadas pelo radar. Sem querer entrar em detalhes excessivos (ou estender a questão além da credulidade), é preciso mesmo assim observar que as duas pessoas escolhidas para se infiltrar na nave-mãe alienígena e destruí-la são um afro-americano (Will Smith) e um judeu (Jeff Goldblum). Obra do acaso? Pode ser, mas é igualmente possível que as platéias tenham respondido, ainda que de forma inconsciente, ao que poderiam perceber como a improvável harmonia entre os dois.

A representação de *Independence Day* da célebre Área 51 no deserto de Nevada também é notável. Sempre houve rumores de que o local não abriga apenas os restos mortais de alienígenas mortos no incidente Roswell como também é tão sigiloso que nem mesmo os presidentes dos Estados Unidos são informados da sua existência (e estávamos falando de esticar a credulidade: realmente acreditamos que exista *algum* segredo tão rigidamente guardado nesses dias de reportagens investigativas instantâneas e constantes? Geraldo Rivera* já não teria se infiltrado no local?). *Independence Day* utiliza a Área 51 como área de preparação para o contra-ataque aos alienígenas, o presidente fica chocado com sua existência e o local não apenas abriga três cadáveres alienígenas como também uma nave.

---

*Famoso jornalista da televisão americana. (*N. da T.*)

Independence Day toca todas as notas da ópera do "alienígena hostil" em grande estilo, com uma enorme sagacidade e espírito de aventura. No entanto, ele também contém um perfeito momento de iluminação que explica por que esse tipo de filme freqüentemente "mexe" com nosso coração.

Quando a batalha final com os alienígenas está prestes a começar, o presidente discursa aos pilotos que irão travar combate com os alienígenas.

"Não podemos mais nos deixar dominar pelas nossas insignificantes diferenças. Vamos nos unir em função do nosso interesse comum. Não penetraremos a noite em silêncio. Vamos viver. Vamos sobreviver."

É uma mensagem simples. Reconhecemos nosso anseio profundo de nos reunirmos como uma só humanidade, mas alguns de nós ainda não sabemos como fazê-lo sem uma ameaça externa à nossa sobrevivência. A esperança contida nesses filmes é que a existência de uma ameaça externa à nossa existência nos obrigaria a pensar em nossas semelhanças e faria com que nos concentrássemos nelas, em vez de focalizar nossas diferenças.

B. Alienígenas amistosos

Na minha opinião, esses alienígenas são mais interessantes.

Veja bem, se os alienígenas são realmente assassinos sanguinários com intenção de nos destruir, o que os está impedindo? Quero dizer, se eles têm a tecnologia necessária para distorcer o tempo e empreender viagens interestelares, não é praticamente certo que devam ser capazes de nos destruir facilmente se assim o desejarem? Por que, então, ainda não acabaram conosco?

E se estiverem apenas nos observando? Não é muito mais interessante para nós e para eles?

Se estão aqui apenas para nos observar, o que exatamente nos torna tão fascinantes para eles? Fascinantes a ponto de estarem por aqui há milhares de anos e darem a impressão de se preocuparem particularmente em não atrapalhar nosso progresso (a não ser que nosso flerte com a autodestruição os ameace, o que é a premissa do clássico de 1952 *O Dia em que a Terra Parou* [*The Day the Earth Stood Still*]).

Civilizações se destruíram tantas vezes que esse tipo de ocorrência já deve ser notícia de última página no Universo. Considero muito difícil acreditar que qualquer alienígena com auto-respeito pudesse atravessar as galáxias apenas para observar a extinção de outra espécie. Poderiam, simplesmente, ficar em casa e assistir às suas versões de antigas reprises de *Jornada nas Estrelas*. No entanto, um número cada vez maior deles parece nos cercar, de modo que o interesse deles por nós deve ter origem em um tipo de curiosidade muito diferente.

Creio que a resposta esteja na evolução extraordinária e talvez até inigualável da consciência que nosso planeta está tendo neste momento. Se estamos mesmo conscientemente empenhados em evidenciar um novo paradigma de realização humana, isso, certamente, nos tornaria o destino mais incrível do Universo, não é mesmo?

E.T. – O EXTRATERRESTRE *E* CONTATOS IMEDIATOS DO TERCEIRO GRAU

Em conjunto, esses dois filmes são, na minha opinião, o melhor reflexo das nossas mais adoráveis esperanças com relação às verdadeiras intenções positivas dos alienígenas. Não é de causar surpresa que ambos tenham sido dirigidos por Steven Spielberg, que merece ser reconhecido como o cineasta mais comercial da história do cinema. Eu sei que essa é uma importante declaração, mas é algo evidente. Spielberg dirigiu não apenas esses dois filmes como também a série *Indiana Jones* e *Jurassic Park* [*Jurassic Park*]. Spielberg realmente compreende o assombro e a inocência das esperanças e dos sonhos, e esses dois filmes memoráveis exibem sua extraordinária habilidade de colocar na tela esse otimismo.

A primeira investida de Spielberg nesse ramo foi com o lançamento de *Contatos Imediatos do Terceiro Grau*, em 1976, no qual os alienígenas começam a plantar visões na mente das pessoas comuns, personificadas por Richard Dreyfuss, recém-saído do seu sucesso como o alter ego de todo homem em *Tubarão* [*Jaws*], também de Spielberg. No papel de técnico da companhia telefônica, Dreyfuss tem um contato imediato do segundo grau quando conhece uma nave alienígena. A partir desse ponto, fica obcecado pela imagem de uma montanha que sabe ser importante mas que não consegue identificar. Ao mesmo tempo que o seu casamento começa a desmoronar, sente-se obrigado a sair de casa e viajar para a Devil's Mountain (Montanha do Diabo), em Utah, que ele reconhece na televisão como sendo a montanha da sua obsessão. Ao chegar, reúne-se a outras pessoas que também foram atraídas para lá, e é entrevistado pelo principal cientista do governo, magnificamente interpretado pelo lendário diretor francês François Truffaut. Truffaut percebe que Dreyfuss e os outros intrusos foram consciente e deliberadamente atraídos para o local pelos próprios alienígenas; e essa é a deixa para a sua fala inesquecível dirigida aos militares que querem impedir Dreyfuss de subir a montanha: "Essas pessoas são hóspedes. Foram *convidadas!*"

Um dos momentos mais engenhosos do filme é totalmente filmado diante de uma criança adorável que entra em um cômodo da sua casa que está sendo visitado pelos alienígenas. Na verdade, não vemos nada, a não ser a expressão no rosto da criança, que passa da surpresa à curiosidade, ao divertimento e, finalmente, para o mais puro prazer. Em nenhum momento o medo está presente.

Não consigo pensar em maneira melhor de transmitir uma mensagem a respeito de alienígenas "amistosos" do que mostrar que eles provocam um absoluto prazer em uma criança. Se for o caso, o que poderia nos causar medo?

O clímax do filme mostra a aterrissagem da colossal nave-mãe e a idéia de que foi feito um acordo com os alienígenas de que vários americanos irão embarcar na nave e ir para "casa" com os alienígenas, e Dreyfuss se une a eles. Como parte do acordo, os alienígenas libertam várias pessoas que parecem ter estado desaparecidas ao longo dos anos (eu, pessoalmente, estava procurando pessoas parecidas com Amelia Earhart, o juiz Crater e Jimmy Hoffa), inclusive a criança que vimos mais cedo no filme, que na verdade parece triste por deixar seus companheiros de divertimento.

Talvez o momento mais memorável do filme ocorra quando o personagem de Truffaut envolve-se em uma conversa de sinais com o líder dos alienígenas claramente benévolos. Truffaut sorri e percebemos que o alienígena tenta se adaptar sorrindo também, embora fique bastante óbvio que essa expressão não é socialmente esperada no caso dessa estirpe particular de alienígenas. O ridículo sorriso resultante é uma das imagens mais cativantes já colocadas na tela.

A mensagem, nesse caso, é de que esses alienígenas já estão na Terra há muito tempo, estudando-nos de um modo benévolo, e que agora chegaram ao ponto de se sentir seguros para interagir conscientemente conosco. A atmosfera dessa mensagem é, ao mesmo tempo, confortante e estimulante.

Lançado nos Estados Unidos em 1982, *E.T.* tornou-se o filme de maior bilheteria na história do cinema (até ser suplantado por *Titanic*). Desenvolvendo os temas de *Contatos Imediatos*, Spielberg pegou todas as assustadoras histórias de alienígenas e virou-as de cabeça para baixo.

O filme questiona o que aconteceria se um menino inocente encontrasse um jovem e também inocente alienígena que se perde e é capturado na Terra enquanto sua família alienígena encontra-se em uma nave de observação? (De certa maneira, *E.T.* é uma versão alienígena anterior de *Esqueceram de Mim* [*Home Alone*], exceto que aqui é mais como *Away Alone*.)* Todo o filme é visto através dos olhos de um menino chamado Elliot e o seu amigo alienígena E.T. tem tanto medo de Elliot quanto Elliot dele. E.T. só quer ir para casa, e Elliot deve ajudá-lo.

Trata-se de uma simples e bela mensagem a respeito da enganosa suposição de que todos os alienígenas têm que ser maus. Para mim, é tão absurdo dizer que todos os seres humanos são unidimensionais quanto pressupor que todos os alienígenas são categorizados de uma forma igualmente simples. Por que não imaginarmos que existe tanta diversidade nas culturas alienígenas quanto nas sociedades humanas? Veja da seguinte maneira: se uma nave alienígena aterrissasse no meio de uma tribo canibal primitiva (ou em um lugar ainda mais horrível, como Hollywood), não poderiam os seus tripulantes, com razão, encarar todos os seres humanos como criaturas odiosas, se essa fosse a única experiência que tivessem de nós? Certamente não seria

---

*A tradução literal de *Home Alone* é "Sozinho em casa", e o autor diz que no caso seria mais como *Away Alone*, ou seja, "Sozinho longe de casa". (*N. da T.*)

apropriado que fosse feita tal generalização de todos os seres humanos, e estou seguro de que o mesmo se aplica às culturas alienígenas. (Mais ou menos como as diferenças entre os vulcanos e os klingons em *Jornada nas Estrelas*, certo?)

O final de *E.T.* pega a emoção do *finale* de *Contatos Imediatos* e o personaliza. (Se os seus olhos não se encheram de lágrimas, você é ainda mais duro que eu. Embora as minhas filhas contem uma piada na família de que sou tão emotivo a ponto de chorar com truques de cartas.)

De qualquer modo, Elliot e E.T. precisam se despedir, o que os deixa muito tristes. Tornaram-se amigos, compartilharam juntos uma grande aventura e agora precisam se separar. *A mensagem é clara e confortante: os alienígenas existem e, pelo menos alguns deles, diferem de nós na forma, mas não na substância. Como tal, não devem ser temidos. Na verdade, podem se tornar amigos confiáveis.*

STARMAN, O HOMEM DAS ESTRELAS

O tema dos alienígenas benévolos perdidos recebeu um tratamento adulto em *Starman, o Homem das Estrelas* [*Starman*], lançado nos Estados Unidos em 1984 (novamente *naquele* ano).

Em *Starman*, Jeff Bridges interpreta um alienígena abandonado na Terra que, através da clonagem de DNA de um fio de cabelo, assume a imagem do falecido marido de uma solitária jovem viúva interpretada por Karen Allen (três anos depois do seu papel em *Indiana Jones e os Caçadores da Arca Perdida*). Inicialmente aterrorizada, ela começa a perceber que o alienígena deseja apenas voltar para casa, e como ele é, literalmente, uma réplica do seu falecido marido, ela não tem dificuldade em apaixonar-se.

Na aventura que vivem juntos, percebemos a ternura do alienígena, tanto para com ela quanto para com um veado, que ele ressuscita após ser abatido por um caçador. O tiro de misericórdia é que, ao partir, o alienígena delicadamente informa à mulher que, ao fazer amor com ela, colocara o DNA do marido dentro dela e que ela está grávida da criança que não tivera antes.

Uma vez mais, *a mensagem é que podemos, de fato, acreditar que pelo menos alguns alienígenas possuem uma estrutura moral idêntica à nossa. Se os ajudarmos, poderão nos ajudar.*

CONTATO

Lançado nos Estados Unidos em 1997, *Contato* [*Contact*] também reserva uma atitude muito otimista com relação aos alienígenas.

Esses alienígenas não apenas estabelecem contato, como também enviam o projeto de um dispositivo de viagem no espaço e no tempo que depois construímos de acordo com as especificações. Ellie Arroway (Jodie Foster) é louca pelo espaço porque seu pai também era. Ela também se culpa pela morte do pai porque acredita que poderia ter-lhe dado o remédio se tivesse agido com mais rapidez quando o pai passou mal. Embora fosse apenas uma criança na época, ela carrega essa culpa junto com sua dúvida a respeito da existência de Deus. Tem certeza de que os alienígenas são reais e que estão "lá fora em algum lugar"... mas Deus, não.

Embora Ellie não seja a pessoa originalmente escolhida para experimentar a máquina quando esta fica pronta, acaba tendo a oportunidade de fazê-lo quando o seu mentor/atormentador original (Tom Skerrit) é morto e o dispositivo originalmente projetado é destruído por um terrorista. Um ricaço excêntrico (John Hurt) construiu no Japão uma duplicata da máquina com a condição de que irá pessoalmente ao espaço para impedir o crescimento do seu câncer (Dennis Tito deve ter assistido a esse filme). Dessa vez, Ellie consegue participar da viagem.

Quando efetivamente "chega" ao seu destino (depois de passar por uma seqüência que lembra bastante o espetáculo de luzes em *2001: Uma Odisséia no Espaço*), Ellie se vê conversando com alguém que parece ser o seu falecido pai em uma "praia" muito estranha, numa estrela distante chamada Vega. Por ser uma eterna cientista, Ellie sabe que não se trata realmente do seu pai, fato que o alienígena admite, declarando suavemente: "Achamos que seria mais fácil desta maneira."

O encontro é, na verdade, muito breve, porque os alienígenas sabem que o contato precisa acontecer "em pequenas etapas". Seu único desejo, de fato, era estabelecer o contato porque *"descobrimos que a única coisa que torna o vazio suportável é o contato entre os seres".*

O filme é importante apenas por essa mensagem. Em determinado nível, ele, certamente, mostra o poder da convicção e do comprometimento de Ellie, mas a primeira mensagem importante de Contato *parece ser a palavra em si, não apenas enquanto pertence a alienígenas que estabelecem o contato, como nas comunicações, como também no nosso empenho de manter contato uns com os outros.*

Outra poderosa mensagem emerge de *Contato*. Ellie começa o filme acreditando em alienígenas, embora não possa provar a existência deles e, paradoxalmente, não acredita em Deus, por não poder provar que Ele existe. Depois do seu encontro em Vega, Ellie é colocada na posição de ter que provar sua própria experiência e, cientificamente, não possui a "prova" necessária para convencer um mundo cético.

A lição que Ellie aprende engloba a outra mensagem poderosa do filme: se você só acredita naquilo que pode provar "cientificamente", jamais acreditará em Deus.

COCOON

Lançado nos Estados Unidos em 1985, *Cocoon* gira em torno da descoberta de um "ninho" em uma piscina da Flórida por um grupo de cidadãos da terceira idade. Quando entram em contato com a água onde os casulos estão sendo incubados, o efeito equivale a um mergulho na fonte da juventude.

(Quero dizer, não faz sentido que essa antiga "fonte" seja descoberta no mesmo estado em que Ponce de Leon supostamente a procurou originalmente? Falando de um visionário... Se alguém tivesse prestado bastante atenção ao verdadeiro significado do fato de o Señor de Leon ter escolhido a Flórida, essa pessoa poderia ter se tornado o Donald Trump dos asilos e comunidades de idosos. A Flórida. Não é perfeito?)

Esse filme merece uma menção particular devido ao objetivo mais do que benévolo dos alienígenas. Na verdade, provavelmente merece um lugar especial no folclore alienígena. Em uma das cenas mais memoráveis do filme, um alienígena assume a forma de uma bela jovem

148   A FORÇA ESTÁ COM VOCÊ

humana (Tawnee Welch, filha de Raquel). Ao nadar na piscina com Steve Guttenberg, ela é suficientemente gentil para fazer com que ele experimente um orgasmo alienígena. *Essa* é uma intenção amistosa.

Ver grandes atores idosos como Wilford Brimley, Hume Cronyn e Don Ameche caminhando cheios de si para casa a fim de compartilhar sua recém-descoberta "masculinidade" com suas chocadas e encantadas esposas é razão suficiente não apenas para assistir ao filme mas para que o filme tenha sido criado.

Toda a mensagem do filme poderia facilmente ter sido projetada a partir da realização de um desejo dos cidadãos da terceira idade na Flórida. Simplificando, a mensagem parece ser: *nunca somos velhos demais para sermos, ao mesmo tempo, jovens no coração e no espírito.*

C. As duas opções anteriores

O PLANETA PROIBIDO

Esse é um dos meus cinco filmes prediletos. Aborda tantos temas diferentes que o incluí no final deste capítulo sobre alienígenas porque parece refletir não apenas todo o espectro da nossa ligação com outros mundos, como também idéias fascinantes sobre nossas atitudes a respeito da violência, tanto no mundo quanto dentro de nós mesmos. Na minha opinião, *O Planeta Proibido* estava extremamente além do seu tempo (1955) quanto à complexidade dos temas que explorou.

A trama básica do filme é uma história convencional de ficção científica. Certa missão de resgate aterriza no planeta Altair 4, onde uma equipe científica desaparecera anos antes, e encontra apenas dois sobreviventes: um homem, chamado Morbius (Walter Pidgeon), e sua filha, Altaire (Anne Francis).

É a outra coisa que eles descobrem que torna *O Planeta Proibido* um filme tão importante.

O professor Morbius construiu um robô chamado Robby para executar as tarefas braçais necessárias no planeta. Robby o Robô era um milagre físico. Era capaz de fazer qualquer coisa, como levantar um peso inacreditável, manufaturar bebidas alcoólicas (para alegria da equipe de resgate) e, efetivamente, sentir o perigo quando este se aproximava. No entanto, Robby não era capaz de combater o perigo, porque Morbius o programara para provocar em si mesmo um curto-circuito em vez de participar de qualquer ato violento. Em essência, Robby tinha sido programado com uma consciência humana hipersensível incapaz de praticar atos de violência.

Uma transparência completa exige que eu reconheça a conexão muito pessoal que tenho com o filme e que se estende além do meu fascínio adulto por ele. Um dos meus melhores amigos aos oito anos de idade era filho do homem (Nicholas Nayfack) que produziu *O Planeta Proibido*, de modo que Nicky Jr. e eu efetivamente visitamos o cenário do filme em 1954 (quando foi filmado) e interagimos com Robby o Robô. O filme fez com que Robby se tornasse um grande brinquedo de ação, e eu estava deslumbrado por poder estar perto dele. (Na minha opinião, a melhor analogia nos anos mais recentes para um menino de 8 anos seria poder visitar uma fábrica de Pokemon ou uma gravação dos Power Rangers.) Robby era a própria definição de "legal" na década de 1950 e jamais esqueci a experiência. Obviamente, só muitos anos depois comecei a estabelecer uma conexão bastante diferente com o filme.

A razão fundamental para a aversão de Morbius pela violência está no tema mais fascinante do filme: os Krell, uma civilização alienígena adiantada que viveu no planeta e desapareceu bastante tempo antes de os seres humanos terem colocado os pés lá. Morbius descobrira o laboratório e muitos dos instrumentos avançados por eles usados sem conseguir entender a finalidade de muitos dos aparelhos; no entanto, Morbius descobrira que eles conseguiam aproveitar o verdadeiro poder da mente. Lamentavelmente, essa conquista causara sua ruína, pois desatrelaram forças em si mesmos e no planeta que acabaram por destruí-los, e "essa raça quase divina desapareceu em uma única noite". (Ecos da Atlântida?)

Alguns membros da tripulação são atacados e mortos por um assassino invisível e odioso. No final, descobrimos que o assassino é, na verdade, "um monstro do id", ou seja, uma criação do subconsciente do professor que sublimou tão completamente suas tendências violentas que agora conseguem se expressar por meios das ações desse assassino invisível que ele cria.

O clímax do filme gira em torno da criatura do subconsciente de Morbius, que vem atacar sua filha e ele próprio. Morbius negou sua raiva a ponto de esta assumir uma forma independente que persegue sua filha e ele próprio. Desesperado, ainda negando o que está acontecendo, Morbius vira-se para Robby e ordena que ele mate a criatura, mas Robby está programado para não cometer qualquer tipo de violência, de modo que pára de funcionar. Morbius tinha tanto medo do seu lado negro a ponto de criar um monstro físico a partir do seu subconsciente que praticaria no mundo a violência que ele não conseguiria praticar no estado consciente. Esse, certamente, é um conteúdo espiritual bem avançado para um filme de ficção científica de 1955. O professor acaba entendendo o que está acontecendo, e somente sua morte consegue fazer com que a criatura pare de agir.

Robby é uma metáfora para a crescente aversão que sentimos por resolver os conflitos por meio da violência. O filme permanece como um lembrete de que estamos empenhados em reconhecer e, em seguida, transcender essa tendência.

FINAL FANTASY

Lançado no verão de 2001 nos Estados Unidos, esse foi o primeiro filme no qual todos os personagens humanos foram criados digitalmente. As espantosas conseqüências desse avanço revolucionário são tão extraordinárias que o filme acabará exercendo um impacto tão profundo quanto to *O Cantor de Jazz* [*The Jazz Singer*], o primeiro a empregar o som; além disso, a história em si é uma odisséia profundamente espiritual.

A criação digital de seres humanos no filme oferece um poderoso estímulo à nossa apreensão com relação à tecnologia e, na verdade, reflete o atual debate sociológico a respeito da clonagem humana, ou seja, *deveríamos* estar fazendo algo simplesmente porque somos CAPAZES de fazê-lo? No que tange ao mundo cinematográfico, a resposta é um retumbante sim! Os seres humanos digitais não vão substituir os atores, assim como a animação jamais poderia substituir a *live action*. Certos mundos podem ser mais bem representados na animação, e existem certos públicos (famílias, por exemplo) para os quais a animação funciona extremamente bem. Os filmes que exibem atores digitais oferecem oportunidades aos contadores de histórias para que criem certas películas impossíveis de serem criadas de outra maneira, tanto financeira quanto visualmente. Por exemplo, retratar a civilização perdida da Atlântida de forma realista envolveria a criação de um mundo no filme que poderia não possuir um relacionamento significativo com qualquer local que pudesse, efetivamente, ser filmado em *live action*. A tecnologia digital pôde tornar esse filme viável e sensacional.

Os filmes que se concentram em personagens que atuam em um ambiente familiar com o qual temos mais facilidade em nos relacionar não precisam utilizar atores digitais e não seriam aceitos pelo público se o fizessem. Ainda queremos, e sempre desejaremos, filmes nos quais possamos nos relacionar com os seres humanos que observamos na tela. Uma vez mais, não há razão para temermos essas invenções. Não precisamos fazer uma escolha entre atores humanos e digitais. Podemos ter ambos.

Os atores digitais em *Final Fantasy* ainda não são suficientemente realistas para perdermos de vista sua natureza digital; no entanto, a originalidade da tecnologia é espetacular e devemos nos lembrar de que essa foi a primeira tentativa. Dê uma olhada na evolução dos efeitos visuais convencionais ao longo dos últimos 30 anos e você poderá ter uma noção da direção que a tecnologia está seguindo. No futuro, ela levantará alguns questionamentos interessantes, como a capacidade de criar digitalmente uma versão mais jovem de certos atores. Na verdade, um projeto que está atualmente sendo desenvolvido em Hollywood considera exatamente essa possibilidade. A idéia é usar clipes de filmes mais antigos de Mel Gibson e utilizar a tecnologia para criar uma versão mais jovem de Mel perseguindo sua versão atual.

Quanto à história de *Final Fantasy*, quero falar sobre a estonteante mensagem espiritual no final do filme. Superficialmente, o filme é adaptação fiel de um videogame extremamente popular; no entanto, como indica o subtítulo americano, *The Spirits Within* (Os espíritos interiores), a história em si é uma fascinante busca espiritual.

152 A FORÇA ESTÁ COM VOCÊ

O filme se passa na Terra, no ano 2065, depois que um enorme meteoro atinge o planeta e deixa à solta milhões de criaturas alienígenas que acabam por dominar o planeta. O filme dá a impressão de pertencer à seção os "Alienígenas Hostis" deste capítulo, não é mesmo? Certamente poderia ter sido incluído ali, mas ele é muito mais amplo.

A heroína é a dra. Aki Ross, que foi infectada pelos alienígenas. No entanto, um escudo protetor é implantado no seu peito para que ela possa sobreviver enquanto busca a solução para o enigma dos poderes dos alienígenas. Estes últimos, na verdade, parecem absorver o corpo etéreo dos seus alvos humanos. Aki está convencida de que a resposta para o desafio de vida ou morte que a humanidade enfrenta é *canalizar e recolher as oito ondas espirituais da Terra (que são os "espíritos interiores" do título do filme em inglês), para salvar Gaia, a alma do planeta!*

Graças a seus sonhos, Aki percebe que as criaturas alienígenas vêm de um planeta tão violento que literalmente explodiu, enviando o meteoro para a Terra. Os alienígenas propriamente ditos foram aniquilados na destruição do planeta, e as criaturas que estão na Terra são na verdade os fantasmas dos que foram mortos quando a civilização alienígena foi extinta. Não são invasores que vieram nos saquear e sim almas perdidas em busca de alívio para seus tormentos. Aki compreende que trouxeram a Gaia do planeta delas para a Terra e que a comunhão com a Gaia da Terra oferecerá uma solução pacífica tanto para a humanidade quanto para os alienígenas. No clímax do filme, as almas das duas culturas de fato se unem e a paz chega para todos.

O reconhecimento de que a Terra tem um espírito próprio já é um salto quântico para os filmes. Acrescente a essa idéia o conceito de que as culturas e planetas alienígenas também têm um espírito próprio e temos uma conexão entre as almas das suas espécies. A resolução de combinar a Gaia das raças humana e alienígena para criar a paz e a segurança no Universo é uma mensagem simples e unificante de esperança, independentemente do que pensamos a respeito dos alienígenas.

"Se você sabe que o meu QI é tão elevado, por que se daria ao trabalho de perguntar se entendo como isso é espantoso?"
Energia Pura

Capítulo Oito

Poderes e percepções desenvolvidos

OUVIMOS DIZER, COM FREQÜÊNCIA, QUE A MAIORIA DOS SERES HUMA-nos só utiliza cerca de 5% de sua capacidade cerebral. Supostamente, Einstein teria usado de 6 a 8%, embora a maneira como essa percentagem foi calculada seja um pouco obscura para mim. De qualquer maneira, sempre ficamos fascinados com as pessoas que parecem donas de sentidos mais desenvolvidos do que a maioria de nós, seja na área da percepção extra-sensorial (PES), das habilidades psíquicas etc. (Os poderes sobre-humanos sempre exerceram enorme fascínio sobre nós, como em *Superman – O Filme* [*Superman – The Movie*] e outros títulos de ficção científica, que estão fora da abrangência deste livro.)

Como mencionei anteriormente na discussão sobre o lado negro da nossa natureza, a sombra também possui um lado claro.

Esse lado claro da sombra guarda tanto os nossos sonhos mais preciosos quanto os aspectos mais belos do nosso verdadeiro eu. Nossos talentos, nosso amor, nossa capacidade de inspirar, encorajar e curar a nós mesmos e os outros estão contidos na parte clara da sombra do nosso ser. O que torna o lado claro da sombra ainda mais interessante é que ele parece nos assustar mais do que o lado negro. Quase todos nos mostramos suficientemente dispostos (às vezes, dispostos demais) a olhar para dentro de nós e observar os aspectos negativos, mesmo quando não os admitimos para os outros; no entanto, somos extremamente reticentes quando se trata de contemplar nossa beleza e nossa força. Digo realmente contemplar. Não através dos olhos do ego, e sim dos olhos da alma. Toda nossa experiência como seres humanos parece nos ter feito pender para o negativo. Os impulsos de caçar, colher e sobreviver, que nos impeliram ao longo de nossos estágios primitivos, ainda hoje sobrevivem. São hábitos bastante aprimorados que sobreviveram em muito à sua utilidade, mas persistem entre nós e expressam-se no mundo por meio da nossa obsessão pela luta e por superar obstáculos.

Podemos encontrar uma boa analogia para esse processo na natureza persistente das defesas que criamos na infância para lidar com o trauma. Na verdade, construímos essas defesas quando crianças para podermos sobreviver. Quando nos tornamos adultos, não temos mais necessidade dessas defesas, mas isso não significa que elas desaparecem automaticamente. Ao contrário, elas, com freqüência, persistem obstinadamente, causando-nos sérios problemas na idade adulta.

Até mesmo a linguagem parece pender para o negativo. Pense na última vez em que você teve um dia realmente péssimo onde tudo deu errado. Você conversa com sua mulher/marido/amigo sobre o assunto, e podem conversar durante horas, analisando sua infância, seus relacionamentos, seu carma ou qualquer outra coisa. Milhões de palavras. Ótimo. Agora pense em um dia em que tudo tenha sido perfeito e você decide compartilhar esse dia com uma pessoa. Assim que você diz algumas palavras, cuja maioria é sinônimo de "maravilhoso", o assunto esfria. Seu amigo diz: "Que ótimo. Maravilhoso. Estou feliz por você." Em seguida, vocês ficam olhando um para o outro, certo? Não parecemos ter vontade de analisar nossos grandes momentos com o mesmo entusiasmo que dedicamos às experiências tristes ou irritantes.

Quantas vezes glorificamos o esforço e a luta na sociedade ocidental? Apenas para dar outro exemplo simples: quantas vezes dissemos e ouvimos "Estou dando um duro danado"? Esse refrão parece ter se tornado um sinal de honra na vida, não é mesmo? Como encaramos alguém que diz: "Ah, não. Não me esforço mais. Tudo o que eu quero, crio usando minha determinação, e as coisas acontecem." O quê? O que ele disse? A transcendência realmente "vale a pena" se acontecer com facilidade e graça em vez de com tumulto e esforço?

O lado claro da sombra nos orienta para essa graça interior. Como é estranho que essa facilidade seja tão ameaçadora.

Parte da promessa dessa "nova era" é que estamos começando a abraçar o componente do lado claro da sombra de nossa psique e assim ousamos nos tornar os seres extraordinários que sabemos ter nascido para ser.

Este capítulo vai examinar a maneira como os seres humanos reagem quando os seus sentidos comuns são desenvolvidos a ponto de se tornarem extraordinários.

FENÔMENO

Para mim, *Fenômeno* [*Phenomenon*] é, ao mesmo tempo, um reflexo fascinante do nosso medo de entrar em contato com nossos poderes inatos bem como uma narrativa de advertência sobre como Hollywood, com excessiva freqüência, tolera esse tipo de filmes sem realmente acreditar neles.

A premissa do filme é que George Malley (John Travolta) encontra uma luz misteriosa que faz com que, imediatamente, torne-se paranormal e ganhe habilidades telecinéticas (sendo capaz de mover objetos com o poder da mente). Antes de sofrer a mudança, George é um mecânico afável e popular de uma pequena cidade. Quando muda, a cidade passa a ficar muito desconfiada e cada vez mais hostil com relação a ele.

Até aqui, nenhum problema. O medo de que as pessoas sejam diferentes está profundamente entranhando em grande parte da sociedade. O conformismo é esperado e recompensado. Quando uma pessoa ousa se destacar, é freqüentemente ridicularizada e marginalizada. Creio que se trata de um medo que reside no âmago de vários corações. Conheço muitas pessoas que têm profundos sentimentos de espiritualidade e que viveram uma grande quantidade de experiências extraordinárias com profundos poderes dentro de si mesmas que se materializaram de maneiras incríveis. No entanto, uma proporção enorme dessas pessoas tem medo de se expor, por temerem ser ridicularizadas e rotuladas de malucas ou fantasiosas. Conheço muito bem esse processo, pois perdi vários amigos e conhecidos quando me tornei membro declarado da comunidades espiritual.

Um dos grandes serviços que têm sido prestados pelos corajosos autores da área dos livros e romances visionários é que eles ajudaram a popularizar esses tipos de experiência. Quando Larry King começa a dedicar ao assunto várias horas do seu programa, sabemos que uma mudança aconteceu.

Nós que nos encontramos conscientemente nesse caminho temos grande dívida de gratidão com os que indicaram o percurso, e na indústria cinematográfica, a pessoa que mais merece um lugar especial no nosso coração é Shirley MacLaine. Quando escreveu *Minhas vidas* [*Out on a Limb*], em 1983, e compareceu a programas de entrevistas para corajosamente declarar quem ela era e no que acreditava, foi completamente crucificada na mídia convencional. Sem se deixar intimidar, ela manteve o rumo e abriu caminho para todos os que seguimos seu exemplo, e, por esse motivo, merece um status heróico muito especial. Obrigado, sra. MacLaine, pela sua coragem e dignidade.

Freqüentemente, nossa opinião é que nos colocarmos debaixo da luz dos refletores e expor nossas verdades pode ser muito perigoso, de modo que precisamos estar empenhados em manter o rumo se fizermos isso. Essa é uma das mensagens de *Fenômeno* extremamente oportuna e poderosa.

É com a outra mensagem que tenho realmente um problema.

George contrai um tumor no cérebro e acaba morrendo. Para mim, é aí que desistimos.

Vamos lá! Grande mensagem aqui, certo? Claro, dizemos uns aos outros, podemos nos tornar iluminados e fazer uso dos nossos poderes. Devemos apenas estar preparados para ser marginalizados e, em seguida, apenas como acréscimo, devemos estar preparados para ficarmos doentes e morrer!

É uma mensagem muito animadora. Não. Essa realmente me incomodou. Como os cineastas podem fazer isso conosco se realmente acreditam no que estão fazendo? Poderia alguém que realmente acreditasse nos verdadeiros poderes da mente, do coração e da alma de fato desejar transmitir conscientemente essa terrível mensagem, ou tudo isso não passou de outro navio de Magellan para os envolvidos? Não sei. No entanto, sei que fomos fortemente criticados pelos finais idealistas de *Amor Além da Vida* e *Em Algum Lugar do Passado*, e eu não dei a mínima. Quando fazemos um filme que mostra às pessoas o enorme potencial de sermos belos, acho que temos a responsabilidade de abraçar esse potencial. Freqüentemente me dizem que sou muito antiquado e sentimental nesse aspecto. Minha reação habitual é agradecer o elogio.

O roteirista de *Fenômeno*, Gerald diPego, é um profissional maravilhoso, e faço questão de dizer isso a ele; no entanto, sei que havia um final muito melhor e apropriado para o filme. Na verdade, um talentoso roteirista amigo meu chamado Nick Thiel o criou dez minutos depois de sair do cinema. (Também sei que Nick e Gerald jogam pôquer juntos – não briguem, caras!) De qualquer modo, a idéia é a seguinte: fazer com que George se restabeleça. Ele volta para a cidade, tendo perdido os seus poderes, de modo que as pessoas lhe dão as boas-vindas. Volta a ser o mesmo George afável de antes. Vemos, na última cena, que ele se casou com Lace (Kyra Sedwick) e está sentado à mesa do café-da-manhã com ela e seus dois filhos. Os três estão discutindo a respeito de alguma coisa e não dão atenção quando George pede que lhe passem o mel. Vemos que o recipiente é um daqueles antigos, com uma tampa de metal que puxamos com o polegar. (Alguns de vocês que, como eu, nasceram logo após a Segunda Guerra, certamente saberão do que estou falando.) De qualquer modo, ele apenas sorri, faz um gesto e o recipiente desliza pela mesa e vai parar em sua mão. Fim do filme. Dessa forma, vemos que George não perdeu os poderes. Ele apenas compreendeu que as pessoas ainda não estão prontas para lidar com eles, de modo que vai "ficar na dele" até que surja um momento mais apropriado.

Você não teria se sentido muito melhor com esse final ao sair do cinema? Trata-se de uma abordagem espiritual bem mais otimista. Acredito que nós, produtores de filmes como esse, precisamos estar conscientes dos efeitos que eles exercem sobre os buscadores deste mundo.

(Outro bom exemplo recente: *A Corrente do Bem*. Esse também me incomodou. Colocam nele Haley Joel Osment, na época um verdadeiro herói para as crianças de todo o mundo após *O Sexto Sentido*. Em *A Corrente do Bem*, ele interpreta um menino que se envolve com um plano que rapidamente se alastra pelo mundo e tem como base fazer coisas boas para outras pessoas, se alguém fizer algo bom para nós.

Grande idéia, certo? Que mensagem incrível... exceto que ele morre no fim do filme por ter tentando ser bom. Que mensagem maravilhosa para as crianças: seja bom para todo mundo, mas esteja preparado para morrer!)

O problema aqui não é a morte. Obviamente, abraço um ponto de vista (Capítulo 5) que não teme a morte. O meu problema, nesse caso, é que a morte é usada como punição para quem evolui demais.

Como isso foi acontecer?

O roteirista pode ter sido pressionado pelo diretor ou pelo estúdio, que era, nesse caso, a Disney. Também é fascinantemente possível que os cineastas tenham decidido fazer isso por estarem refletindo o medo do martírio, ainda tão profundamente arraigado em nossa consciência coletiva a ponto de ter sido necessário personificá-lo aqui.

Na condição de seres humanos, temos uma longa história de martírio. Sofrer e morrer pela causa, certo? Exaltamos esse ato de sacrifício no decorrer de toda a história humana. Trata-se de um terreno muito perigoso para abordar, porque também temos uma longa lista de verdadeiros heróis dispostos a dar a vida por uma causa justa, e não tenho a menor vontade ou intenção de macular a memória deles. Acredito, no entanto, que sofremos o suficiente pelas nossas causas. Morremos o bastante devido a elas. Durante um longo tempo, esse tipo de comprometimento talvez tenha sido não apenas honroso como também necessário, entretanto, os tempos mudam e as pessoas evoluem. Estamos agora vivendo uma nova realidade onde prosperamos e realizamos sonhos em vez de morrer por eles. Como mencionamos, somos donos de milhares de anos de memórias sensoriais de épocas em que efetivamente morríamos pelas nossas convicções e, às vezes, por causa delas.

Parece-me que essa nova Era de Aquário, na qual acabamos de ingressar, consiste em novos costumes. É a época da energia feminina criativa que brota na ressonância do fortalecimento. A antiga Era de Peixes consistia na energia masculina, movida pelo impacto. Travamos guerras. Morremos. Agora alcançamos um novo patamar.

Estamos relembrando poderes que havíamos esquecido:

Em *O Sexto Sentido* Cole fica apavorado com suas habilidades de ver os mortos, e acaba ficando isolado e sozinho até que finalmente é encorajado a aceitar o seu dom e a usá-lo para o bem das pessoas. A cena em que ele está no carro com a mãe e a ajuda a superar a dor que sente devido à morte da própria mãe é um belo e poderoso reflexo do que podemos realizar quando estamos à vontade com esses sentidos.

Em *Ecos do Além* [*Stir of Echoes*], Kevin Bacon é arrastado contra a sua vontade a essa nova percepção, e assim acaba solucionando o assassinato de uma criança.

Em *Ressurreição*, Ellen Burstyn se conscientiza do fato de que é uma agente de cura, mas as pessoas desconfiam dela e a caluniam tanto que ela decide se esconder em um pequeno posto de gasolina no meio do nada, onde continua a praticar a cura de maneira muito tranqüila e privada.

Ainda temos medo de nos envolver com esse novo poder? Se for o caso, essa pode ser, de fato, a mensagem que enviamos a nós mesmos em *Fenômeno*. À medida que um número cada vez maior de pessoas como nós expõe suas convicções, ainda temos medo de que iremos nos martirizar por ser essa a única energia de que nos lembramos?

Aqui é um bom lugar para mencionarmos atores e atrizes, além de Shirley MacLaine, que enfrentaram o medo e o possível julgamento que acompanham o reconhecimento público de seu interesse pela espiritualidade.

Os astros e os seus diretores exercem grande poder em Hollywood e podem ser o principal, talvez o único, fator que determina se um filme será ou não produzido. Quando os astros ou os diretores acreditam em certos assuntos, sua participação em um filme pode definir se ele será ou não produzido.

A história de Hollywood é rica nessa tradição com astros e diretores. Tudo que precisamos fazer é examinar a obra completa de gigantes como Frank Capra e Stanley Kramer, por exemplo, diretores que corajosamente perseguiram seu interesse em temas socialmente significativos.

Na década de 1970, a participação de Jane Fonda levou para diante das câmeras *O Amargo Regresso* [*Coming Home*] e *Síndrome da China*. Podem pensar o que quiserem da postura política de Jane Fonda, mas ninguém pode contestar sua coragem ao alinhar os seus filmes com seu coração.

160 A FORÇA ESTÁ COM VOCÊ

Recentemente, alguns astros empenharam seu considerável poder em filmes que tratam do tema deste livro e os fizeram ser produzidos. John Travolta encabeça indiscutivelmente essa classe. *Fenômeno, Michael – Anjo e Sedutor* [*Michael*] e *A Reconquista* [*Battlefield Earth*] não teriam sido feitos sem Travolta. Independentemente da nossa opinião sobre esses filmes, Travolta mostrou a coragem de suas convicções ao fazer com que fossem produzidos.

Meg Ryan estava por trás de *Cidade dos Anjos* [*City of Angels*] e (com Tom Hanks) *Sintonia de Amor* [*Sleepless in Seattle*].

À medida que astros e diretores forem fortalecidos com a aceitação dessas idéias pelo público, um número cada vez maior de filmes desse gênero verá a luz do dia.

ENERGIA PURA

Energia Pura [*Powder*] é outro filme do gênero lançado pela Disney em 1995 que efetivamente possuía a coragem de suas convicções.

O filme apresenta um enorme conteúdo a respeito de ser diferente e sofrer a marginalização que acompanha essa condição. Exatamente como em *Fenômeno,* o principal personagem do filme é rejeitado e excluído da sociedade por sua capacidade de usar certos poderes que assustam as pessoas.

O filme tem como ator principal Sean Patrick Flannery, que interpreta um rapaz albino abandonado pelo pai depois que a mãe morre no parto (atingida por um raio). O menino é levado para o porão da casa dos avós e nunca vê o sol; sua brancura o leva a ser chamado de Powder (pó-de-arroz).

Quando os avós morrem, ele é descoberto e levado a um abrigo de meninos onde se torna alvo de grande zombaria e intimidação por ser tão diferente.

Quando assistimos ao filme hoje, a sensação que temos nessas cenas é muito mais lúgubre do que quando o filme foi lançado. Depois de 1995, muitos jovens e adultos inocentes morreram nas mãos de jovens que sentiram que sua única escolha era revidar a intimidação recebida. (Minha intenção não é desculpar o ato, apenas explicá-lo. Ao assistir a

Energia Pura, podemos, efetivamente, experimentar a vergonha sentida por vítimas da intimidação e da zombaria. O filme é perturbador e intenso. É uma poderosa mensagem que chega muito tarde para alguns e na hora certa para vários outros. Seria ótimo que esse filme fosse exibido em aulas de Preparação para a Vida nas escolas de nível médio. Creio que ele poderia, de fato, salvar vidas.)

Powder é ajudado por dois adultos solidários (Mary Steenburgen e Jeff Goldblum), que fazem uma tentativa de aproximação. Goldblum interpreta um professor que finalmente compreende que Powder é quase uma energia pura. Os resultados dos seus testes de QI ultrapassam todos os limites e ele exibe poderes e habilidades bem além do que consideramos normais. (Em uma das cenas mais poderosas do filme, Powder fica furioso ao ver um xerife substituto atirar num veado. Ele toca o veado, agarra o pulso do homem e, literalmente, transfere para ele a dor e o pavor do animal.)

Goldblum explica para Powder (e para nós) a teoria de Einstein de que, se usássemos a plena capacidade do nosso cérebro, nos tornaríamos energia pura e deixaríamos de precisar do corpo físico. É óbvio que Powder é um precursor do que podemos nos tornar e, desse modo, assusta as pessoas ao seu redor.

Mais tarde, Powder ajuda efetivamente o xerife a se comunicar com a esposa em coma. Quando ela morre, Powder diz ao xerife que sua pessoa "não foi embora, apenas saiu"; ou seja, tornou-se uma forma de energia. Esse comentário anuncia o destino de Powder. Não conseguindo encontrar a paz em nenhum lugar e encarado pela maioria das pessoas como uma criatura esquisita, ele acaba, literalmente, correndo para dentro de uma tempestade de raios e se transforma em energia pura.

Quando assisti ao filme pela primeira vez, achei o final um tanto covarde. Não sabiam o que fazer com Powder, de modo que se livraram dele, como em *Fenômeno.* Quando o assisti novamente, a partir da perspectiva deste livro, mudei de idéia. Em *Fenômeno,* George não queria morrer. Aqui, Powder toma a decisão sozinho e, na verdade, não morre. Voluntariamente, muda de forma. Apenas chega à conclusão de que não tem escolha. As pessoas ao seu redor não eram capazes de lidar com quem ele era. Isso me faz lembrar de "Vincent (Starry, Starry

Night)", música de Don McLean de muitos anos atrás cujo refrão era "The world was never made for one as beautiful as you" (O mundo não foi feito para alguém tão bela como você). (Fala que Goldblum efetivamente usa para conversar com Powder no filme.)

Eu faria uma pequena alteração e diria que, em minha opinião, a mensagem do filme é que não estamos totalmente prontos para essa beleza, mas que estamos chegando muito perto.

Quando abraçarmos nossas diferenças, em vez de matar ou ir à guerra por causa delas, daremos esse próximo passo.

Energia Pura também foi cercado de uma embaraçosa controvérsia. Quando estava prestes a ser lançado, descobriu-se que o roteirista/diretor Victor Salva fora um molestador de crianças condenado. E era um filme da Disney. Você pode imaginar como essa notícia repercutiu no Reino Mágico. O marketing do filme sofreu e toda a sua evolução teve uma qualidade estranha. É um exemplo de expectativas que determinam um resultado. O filme contém algumas cenas, tratadas com muito bom gosto, de uma possível atração homossexual. Na ausência da controvérsia, ninguém teria notado nada, e mesmo que isso acontecesse, grande parte do público diria que as cenas foram muito bem construídas. No entanto, devido às informações divulgadas, muita gente inseriu essas cenas em outro contexto.

Desse modo, tanto Powder quanto o sr. Salva foram, em grande parte, banidos de suas respectivas sociedades. Sem entrar no mérito da questão, é preciso dizer que o sr. Salva fez um belo trabalho no filme, que deve ser apreciado pelos que buscam beleza e mensagens espirituais no cinema.

A mensagem duradoura, tanto em *Fenômeno* quanto em *Energia Pura*, é que todos podemos entrar em contato com a origem dos nossos extraordinários poderes humanos.

O SOMBRA

O conceito desse livro surgiu pela primeira vez no dia 1º de julho de 1994, quando esse filme foi lançado nos Estados Unidos, menos de três semanas depois de O. J. Simpson supostamente ter matado sua mulher Nicole e um jovem garçom chamado Ron Goldman.

Eu conhecia O. J. Não muito bem, mas conhecia. Eu era aluno da Universidade da Califórnia, em Los Angeles, nos anos 60, quando O. J. estava se tornando uma lenda na Universidade do Sul da Califórnia. Tanto O. J. quanto meu amigo Michael Dellar se especializavam em marketing, e eu costumava passear pelo campus com Michael, e assim conheci O. J. Era fascinante ficar perto dele: um rapaz extremamente carismático, atraente, engraçado e incrivelmente talentoso. Mesmo sendo um rival odiado, era preciso amá-lo e admirá-lo.

O. J. tornou-se um dos maiores *running backs* da história do futebol americano profissional e praticamente inventou o conceito moderno do carisma atlético. Era uma das pessoas mais amadas na cultura americana.

Chegou então a noite em que supostamente matou a mulher e o jovem sr. Goldman. Sim, eu acredito que O. J. tenha assassinado essas pessoas. Na condição de metafísico, sei que todos criamos nossa própria realidade, e por isso reconheço que existem realidades nas quais O. J. não cometeu esses crimes. Sei que se trata de um incômodo paradoxo para muitas pessoas, mas acredito e respeito todos os pontos de vista.

Quando veio a noite dos assassinatos, eu já passara por uma completa transformação e despertar espiritual, e olhava para a vida através de lentes muito diferentes. Quando O. J. foi preso, senti de imediato que se tratava de um marco decisivo em nossa sociedade, mas não soube imediatamente por quê. Lá estava aquela figura carismática e amada que, obviamente, possuía um lado negro tão cheio de raiva capaz de irromper em um duplo assassinato. Que contradição desconcertante para uma realidade consensual que tem muita dificuldade em conciliar o paradoxo. As pessoas são heróis *ou* vilões, certo? Certamente não podem ser as duas coisas. Chapéu preto/chapéu branco. Simples. O que acontece quando a imagem é soprada para longe num espetáculo tão público? Um homem tão talentoso e agradável poder ser, ao mesmo tempo, um assassino frio e calculista e, caso isso seja possível, o que significa para todos nós?

Enquanto eu refletia sobre a pergunta, *O Sombra* [*The Shadow*] foi lançado.

Alec Baldwin estrela no papel de Lamont Cranston, o famoso "Sombra" dos dias do seriado no rádio. Lembro-me de ter ficado assustado, quando criança, pelo lema sombrio do personagem: "Quem conhece o mal que se esconde no coração dos homens? O Sombra conhece!" E aí ouvia-se aquele riso maligno, louco e assustador. O personagem que Baldwin interpreta no filme é uma dupla personalidade. Uma das personas é totalmente dedicada à verdade, à integridade e à justiça, ao passo que a outra é violenta, cruel e capaz de qualquer coisa. A formação do personagem é a causa dessa dualidade. Originalmente, era um tirano sanguinário e assassino que se volta para a luz devido à influência de uma figura religiosa conhecedora do fato de que as trevas podem ser transformadas no poder da justiça.

Fiquei boquiaberto com a "coincidência" e depois emocionado ao perceber que o lançamento de *O Sombra* foi marcado para apenas 19 dias depois dos assassinatos do caso Simpson, e isso não foi obra do acaso.

O prazo para o desenvolvimento, financiamento, produção, marketing e distribuição de um filme é de, no mínimo, 18 meses e, com freqüência, muito mais longo. *O Sombra* estava "em andamento" durante uns dois anos, e o seu lançamento tinha sido programado para 1º de julho, muito antes dos assassinatos do caso Simpson. Ele não foi empurrado às pressas para ser distribuído a fim de aproveitar as semelhanças com a "vida real". Se alguém tivesse sugerido algo assim às pessoas de marketing envolvidas no filme, elas, provavelmente, teriam chamado essa pessoa de louca ao perceber qualquer conexão.

Quanto ao filme propriamente dito, parece óbvio que algum aspecto do *eu* que negamos estava sendo poderosamente personificado por O. J., a ponto de criarmos uma mensagem poderosa e inconfundível para nós mesmos.

Para mim, a mensagem é tão simples quanto a mensagem poderosa e horrível que recebemos menos de um ano depois na tragédia de Oklahoma City: o inimigo está dentro de nós.

O choque no caso de O. J. foi o fato de ele parecer tão contraditório. Como também é refletido no caráter do alter ego do Sombra, Lamont Cranston, ele podia ser charmoso, caloroso e carismático, e a seguir tornar-se cruel e violento. Essa mensagem diz respeito a nós mesmos, e por esse motivo a relaciono com Oklahoma City, porque se trata de uma perfeita metáfora. O terrorismo sempre nos pareceu uma ameaça externa. Lamentavelmente, descobrimos que o verdadeiro perigo residia no terrorista da área central, ou seja, o terrorista interior.

Colocando de outra maneira: nosso maior desafio é procurar dentro de nós mesmos os conflitos e a violência que vemos no mundo, porque esses perigos nada mais são do que reflexos do *eu* que negamos. Quando aceitamos nosso ser por inteiro, esses perigos desaparecem, porque não temos mais que projetá-los no mundo para percebê-los. Tudo o que eu disse é um resumo simplificado da teoria da sombra. Quando aceitamos que personificamos todos esses aspectos do *eu*, podemos, então, examinar os elementos "realmente assustadores": nossa beleza e nosso poder. Como mencionado, parece que o *eu* integrado representa um desafio muito maior para nossa consciência do que o eu desintegrado. Parecemos mais à vontade observando nossas falhas do que nossas qualidades; acredito, no entanto, que estamos avançando rapidamente em direção à resolução de nossos medos. Estamos buscando soluções, esperanças e fortalecimento, e por isso existe um interesse tão grande no crescimento espiritual e em produtos que refletem a ânsia dessas informações transformadoras.

Expressa de maneira mais simples, a mensagem é que precisamos olhar para dentro de nós mesmos e aceitar a totalidade de quem somos. Quando fazemos isso, eliminamos a necessidade de proteger no mundo nosso eu desintegrado e podemos começar a nos concentrar na beleza e no poder da nossa condição humana exclusiva, ainda mais profundamente negados. Quando conseguimos utilizar e dirigir esse poder, nada pode nos derrotar ou mesmo nos prejudicar.

VIAGENS ALUCINANTES

Lançado nos Estados Unidos em 1980, *Viagens Alucinantes* [*Altered States*] me parece um dos filmes mais subestimados do gênero, e tem me servido de constante inspiração nos anos que se seguiram ao seu lançamento.

Dr. Edward Jessup (William Hurt, no papel que fez deslanchar sua carreira) não tem nenhuma dificuldade em se manter fiel às suas convicções. Na verdade, ele se considera um "maníaco inveterado". Ao

166 A FORÇA ESTÁ COM VOCÊ

fazer pesquisas em um tanque de isolamento, começa a ter visões da morte do seu pai e a experimentar outros fenômenos inexplicáveis. Também conhece uma colega pesquisadora, Emily (Blair Brown, no papel que também fez deslanchar sua carreira), que se apaixona perdidamente por ele e o convence de que devem se casar. Nessa cena memorável, ela diz a ele:

"Você é um faustomaníaco, Eddie. Você, literalmente, venderia a alma para descobrir uma grande verdade, mas não existem grandes verdades, Eddie. Nascemos na dúvida e vivemos a vida na dúvida. Uma das maneiras de superar isso é amando uns aos outros. Como eu amo você."

A força irresistível do buscador encontra o objeto estático do amante. A história mais arquetípica que podemos criar.

Infelizmente, Eddie não consegue lidar com o casamento. Concordam em se separar, e ele decide ir para o México procurar uma tribo indígena que usa um cogumelo sagrado capaz de despertar nas pessoas uma experiência com sua alma imortal. Eddie está determinado a realizar a experiência.

"Existe um caminho que conduz ao nosso eu real, ao nosso eu verdadeiro, ao nosso eu original. É uma coisa real, proporcional, quantificável, e vou encontrar essa droga!"

A qualquer custo, certo? Certamente faustiano, mas também o reflexo de um homem empenhado em encontrar o verdadeiro significado da vida e seu lugar nela que fará qualquer coisa para descobrir a resposta. Conhece os perigos e, apesar deles, segue em frente. Dizem que ter coragem não é entrar correndo em uma batalha sem pensar em nossa segurança quando vemos um amigo ferido. A verdadeira coragem está em, mesmo morrendo de medo de sermos feridos ou até mortos, nos apressarmos para socorrer nosso amigo. Mais uma vez o velho ditado: enfrente seus temores, não fuja, avance na direção deles, para que você possa abraçar o medo e, desta forma, acabar com o poder que ele tem sobre você.

Eddie vai para o México, experimenta o cogumelo e despenca em uma jornada aterrorizante na experiência da sua alma original.

Eddie leva a mistura para Boston, e depois de ingeri-la entra em um tanque de isolamento onde efetivamente mata e come um bode nos tempos primitivos (sem ter à vista nenhum monólito kubrickiano). Quando é retirado do tanque, não consegue falar e tem o rosto ensangüentado. O raio X revela que Eddie possui um saco laríngeo na garganta, que é "estritamente simiesco", como ele relata para o amigo, um médico tradicional extremamente assustado e desconfiado, que descarta a experiência como tendo sido um ataque convulsivo. Quando Eddie persiste depois de "reconstituir" seu corpo humano, o médico se recusa a acreditar que Eddie pudesse "desdiferenciar toda a sua estrutura genética". Diálogo poderoso para um filme convencional.

Infelizmente, o filme se desvia bastante e segue uma longa seção na qual Eddie volta a sua existência primata e a traz ao presente, correndo um pouco como macaco pelas ruas de Boston (Bem, como Joe E. Brown disse a Jack Lemmon no final de *Quanto Mais Quente Melhor* [*Some Like It Hot*]: "Ninguém é perfeito.")

No final do filme, Eddie se aprofunda de tal maneira na experiência que fica realmente condenado, até ser salvo pelo amor da esposa. Por esse motivo, tive um longo e árduo debate comigo mesmo a respeito do capítulo em que deveria discutir o filme. O lugar dele é aqui por conta de sua mensagem essencial sobre os poderes ocultos a que podemos recorrer, mas o seu desenlace exige que também prestemos uma particular atenção à sua poderosíssima mensagem a respeito da supremacia do amor.

Eddie se envolve tanto com sua busca das respostas às questões supremas que perde totalmente de vista tudo mais, inclusive o enorme amor que a esposa sente por ele. Como diz para Eddie seu amigo Arthur (Bob Balaban): "Você é casado com uma das grandes mulheres do mundo, que o adora." Eddie não dá a menor atenção a esse fato, por considerá-lo, de certo modo, supérfluo para sua vida, procurando de verdade separar-se da mulher, para poder empreender sua busca.

No final do filme, ele está prestes a desaparecer no que poderia ser mais bem descrito como o equivalente molecular de um buraco negro no espaço. Arriscando a própria vida, Emily, literalmente, mergulha no abismo para salvá-lo. Mais tarde naquela noite, ele finalmente reconhece que a mulher o salvou de si mesmo, e declara que a ama, embora sinta que está novamente desaparecendo no abismo... e está certo.

Eddie começa a se desintegrar e Emily estende a mão para ele, ficando também eletrizada na experiência. Ver a mulher nesse terror é o que finalmente confere a Eddie a força para escapar do abismo e colocar os braços ao redor de Emily para trazê-la de volta. É assim que o filme termina.

Tudo bem, sou um romântico incurável... talvez intratável. Admito. Mas mesmo assim... que final romântico e que bela mensagem.

Lembre-se de que o filme foi produzido nos anos 1970. O despertar dos anos do "eu".

O filme é um lembrete maravilhoso da supremacia do amor e também de sermos amados. Muitos de nós sabemos dar melhor do que receber. Quando amamos, sentimo-nos no controle, mas quando nos permitimos ser amados, também expomos nossa vulnerabilidade e, para muitos de nós, isso é muito mais assustador do que desaparecer no abismo.

BRAINSTORM

Vamos da expansão da mente de uma pessoa à capacidade de habitar os sentidos de qualquer um.

Brainstorm [*Brainstorm*] foi lançado nos Estados Unidos em 1983 exatamente com essa premissa. Famoso de uma forma triste, sob um outro aspecto, por ter exibido a última apresentação de Natalie Wood (que morreu durante a produção), o filme gira em torno do desenvolvimento de uma tecnologia que possibilita, a quem a utiliza, habitar os sentidos de outra pessoa. Claro que nosso monstro favorito, "o governo" (Cliff Robertson), deseja roubá-la de seus criadores (Louise Fletcher e Christopher Walken), para que possam usá-la para fins militares.

Só menciono o filme aqui brevemente, de passagem, porque ele foi o precursor da realidade virtual, antes que qualquer pessoa soubesse o que era a realidade virtual. O usuário da nova tecnologia poderia experimentar uma realidade completamente separada. Você se lembra da cena que discutimos em *Cocoon* a respeito do orgasmo alienígena? Bem, em uma cena de *Brainstorm* um dos assistentes do projeto capta uma cena de sexo em um *loop* virtual interminável... e quase morre.

Talvez a verdadeira ameaça à nossa evolução não seja realmente o governo, e sim a indústria pornográfica.

Espero que não.

Digo isso meio brincando porque o assunto levanta outra questão que vale a pena ser comentada: parte das regras da espiritualidade determina que as pessoas que trilham um caminho espiritual consciente devem se privar do prazer do sexo e, por falar nisso, da riqueza? Caso tenha havido uma grande assembléia no além para tratar dessas questões, garanto que a maioria de nós não votou.

No decorrer da história, sempre existiu a idéia de que as pessoas realmente espiritualizadas tinham que ser abstinentes e pobres, e estou certo de que essa é a razão pela qual tal concepção está tão profundamente entranhada em nossa sociedade. Respeito plenamente o fato de que algumas religiões formais sigam essa crença; no entanto, muitos de nós confundimos esse princípio religioso com uma exigência espiritual. Há uma diferença.

Além do conceito básico de que todo mundo cria a própria realidade, a metafísica diz respeito, na verdade, à ausência de convicções regulares. Uma pessoa pode ser profundamente espiritualizada e não ser religiosa; no entanto, no jornalismo tradicional, as palavras são freqüentemente consideradas sinônimas. Não são palavras diferentes que automaticamente inferem as mesmas convicções, mas foram definidas dessa maneira durante tanto tempo que com freqüência são confundidas uma com a outra.

Uma das mudanças de paradigma que estamos experimentando agora é o fato de estarmos abandonando nossa existência martirizada. A idéia de não ganhar dinheiro como conseqüência da escolha de um estilo de vida mais espiritual está mudando, o que eu considero um progresso. Não estou falando de pessoas que manipulam inescrupulosamente os outros em nome da espiritualidade e ficam ricas em decorrência disso. Essa é, sem dúvida, uma prática hipócrita como qualquer outra. Estou me referindo a pessoas que não apenas "dizem o que pensam", *mas também* "fazem o que dizem".

Apreciar as boas coisas da vida é, na verdade, uma prática mais espiritual do que negá-las. Afinal de contas, quem diz que o Universo não quer que a gente se divirta? Se não quisesse, por que existem montanhas-russas, pôr-do-sol e chocolate?

E por que nos dar o corpo que temos e depois considerar que o fato de o desfrutarmos de forma saudável, inclusive uns com os outros, é apenas para os "pecadores"? Se fosse o caso, não estaríamos condenados a ter o destino dos anjos em *Dogma*, a quem é negada a sexualidade porque Deus a julga aceitável para os seres humanos, mas não para os anjos? Ótimo. Tudo bem para mim. Quando me tornar um anjo, reconsiderarei meu ponto de vista, mas, por ora, creio que deveríamos enviar uns aos outros a mensagem de que podemos nos divertir nessas duas esferas enquanto estivermos aqui.

Procurei filmes que transmitam exatamente essa mensagem, mas não consegui encontrar exatamente o que eu queria.

Espero que ele surja em breve.

"Estou furioso e não vou mais suportar isso."
Rede de Intrigas

Capítulo Nove
O tubo do medo

A INVENÇÃO E O IMPACTO EXPLOSIVO DA TELEVISÃO TALVEZ SEJAM considerados pelos historiadores como as ocorrências sociais mais importantes do século XX. Algumas pessoas podem ficar espantadas, mas pensem por um instante. A televisão mudou a maneira como olhamos para nós mesmos, para o mundo e uns para os outros de uma forma tão radical que tudo mais parece um incidente isolado.

A televisão ligou de forma instantânea todas as pessoas no mundo. Antes da televisão, dependíamos das notícias dos jornais e dos ocasionais cinejornais para ficarmos informados dos acontecimentos mundiais. Hoje, temos imagens eletrônicas instantâneas de qualquer evento que aconteça praticamente em qualquer lugar. E uma imagem vale milhões, e não milhares, de palavras.

Como já comentamos, o observador afeta o resultado da experiência através da expectativa. A divulgação instantânea das informações está mudando a maneira como as notícias são veiculadas e até mesmo produzidas. A Guerra do Vietnã foi a primeira a ser televisionada, e muito do que aconteceu e afetou a guerra ganhou repercussão em decorrência do que assistíamos na televisão. Ver rapazes sendo mortos deixou de ser uma experiência distante, relatada apenas pelos veteranos e depois da ocorrência do fato. A experiência entrava todas as noites em nossa sala de estar. Na verdade, havia até uma piada de humor negro que circulou durante os anos 60. A rede de televisão ABC era, de longe, a menos prestigiada na época, e a piada que corria era que "a Guerra do Vietnã deveria passar como um seriado na ABC para que pudesse ser rapidamente cancelada".

A Guerra do Golfo transformou em figuras internacionais Peter Arnett, Bernard Shaw e toda a equipe da CNN que a transmitia *ao vivo*. Ouvíamos e víamos as bombas no momento em que explodiam em Bagdá.

Os líderes mundiais já não têm a proteção do anonimato, e, por outro lado, terroristas como Osama Bin Laden encontraram um canal de comunicação assustador para suas imagens de horror. Timothy McVeigh expressou abertamente sua idéia de que o resultado mais importante do seu covarde massacre foi fazer com que os americanos assistissem pela televisão as horríveis imagens do bombardeio de Oklahoma City.

O Universo nem sempre precisa que filmes transmitam uma mensagem poderosa.

Assistimos à explosão do ônibus espacial Challenger, o triunfo dos times de futebol americano feminino e de hóquei masculino, que venceram contra todas as chances; a morte de Robert Kennedy, Lee Oswald e Jack Ruby; Neal Armstrong pisar na Lua; os manifestantes chineses assassinados; os tumultos de 1968 em Chicago; o debate entre Kennedy e Nixon e, é claro, a tragédia do 11 de Setembro. Tudo *ao vivo*.

Vilões e heróis são instantaneamente criados diante de nossos olhos. Joe McCarthy, Tiger Woods, Sirhan Sirhan, Oprah, os terroristas palestinos em Munique, O. J., Michael Jordan, Brandi Chastain, Gary Condit e um número infinito de outras pessoas.

A política tornou-se um assunto completamente diferente debaixo do olhar abrasador do tubo. Poderia Ronald Reagan ter sido eleito presidente *sem* a televisão? Poderia Franklin Roosevelt ter sido eleito *com* a televisão?

Talvez o mais crucial seja que toda a estrutura familiar da nossa vida foi modificada pela televisão. O adolescente americano típico assiste a pelo menos quatro horas de televisão por dia, o que representa muito mais tempo do que qualquer outra atividade na vida dele, exceto a escola.

Simplificando, praticamente *todas as coisas* na vida moderna foram modificadas ou, pelo menos, seriamente afetadas pela televisão, algumas para melhor, outras, para pior. Mas mesmo assim mudaram.

Algo tão predominante sempre guarda a ameaça de controlar nossa vida, e essa observação tem sido freqüentemente feita a respeito da televisão, ou seja, que ela na verdade nos domina, em vez do contrário. Nessa condição, é compreensível que os filmes tenham enxergado o fenômeno da televisão com um olhar desconfiado e, às vezes, até assustado.

Todo este livro poderia ser dedicado ao exame do fenômeno da televisão e das personalidades que ela cria (*Um Rosto na Multidão* [*A Face in the Crowd*], *Quiz Show – A Verdade dos Bastidores* [*Quiz Show*] etc.); no entanto, escolhi três filmes que julgo exemplificar melhor nosso relacionamento de amor/ódio com a televisão e com as mensagens que recebemos através ou a respeito dela.

Como Marshall McLuhan tão profeticamente observou: "O meio é a mensagem."

REDE DE INTRIGAS

Brilhante, engraçado e profético, *Rede de Intrigas* [*Network*] tem algo extremamente arrepiante em comum com *1984,* no sentido de que a realidade logo em seguida tornou a mensagem de ambos os filmes comparativamente pálida.

O anúncio do filme era: "A televisão nunca mais será a mesma."

A fala mais famosa é: "Estou furioso e não vou suportar mais isso!"

A história básica de *Rede de Intrigas* (que foi lançado nos Estados Unidos em 1976) envolve um âncora de televisão que está envelhecendo, Howard Beale (Peter Finch), tão desgostoso com o mundo que o cerca por estar sendo demitido devido à sua queda de audiência, que chega ao ponto de anunciar que irá cometer suicídio no ar daí a uma semana.

A seguir, ele implora para voltar ao ar e pedir desculpas, e a rede de televisão lhe dá permissão para fazê-lo. No entanto, ele diz aos telespetadores que "o seu estoque de piadas tinha acabado". Beale leva a si mesmo à histeria, e depois desmaia. O público do seu noticiário sobe vertiginosamente. Sabendo que não poderão livrar-se de um campeão de audiência, Beale é estimulado a cuspir bílis toda noite, o que ele faz, e depois, no momento correto, desmaia.

174   A FORÇA ESTÁ COM VOCÊ

Beale adota o lema: "Estou furioso e não vou suportar mais isso!", e esse sentimento varre o país. Ele encoraja as pessoas a anunciar em alto e bom som esse sentimento, o que um enorme número delas decide fazer.

O programa transforma-se em um enorme sucesso de audiência e Beale torna-se uma estrela da mídia, apesar de ter ficado tão zangado quanto a lebre maluca de *Alice no País das Maravilhas*. A situação fica fora de controle quando o antigo programa de "notícias" é embelezado, para desespero do departamento responsável por produzi-lo, agora suplantado pelo departamento de entretenimento. O programa começa a introduzir atrações como "Sybil the Soothsayer" (Sibila, a adivinha). Beale ataca a "idéia chocante" de que as pessoas estão considerando as notícias da televisão como sendo mais reais do que o mundo exterior (imagine só!), e também como entretenimento em vez de simples notícias.

Para colocar essa última observação profética em um contexto histórico, é importante ressaltar que *Rede de Intrigas* foi lançado quatro anos antes da *estréia* da CNN. Nos anos 70, as notícias de televisão a nível local ainda se pareciam com notícias a maior parte do tempo. A CNN mudou tudo isso. Um ex-locutor me disse que a CNN captou todos os telespectadores que realmente se interessavam por notícias legítimas, fazendo com que as emissoras locais tivessem que criar histórias sensacionalistas para atrair maior audiência.

Em última análise, as coisas se descontrolam de tal maneira, e os papos de Beale sobre o estado da humanidade tornam-se tão depressivos, que sua audiência começa a perder o interesse por ele; além disso, ele estraga um grande negócio que a rede de televisão planejava fechar com recursos árabes. A rede de televisão descobre que a única maneira de recuperar o controle é assassinando Beale *ao vivo*, o que de fato fazem, contratando assassinos em um novo programa que estão desenvolvendo chamado *Mao Tse Tung Hour*.

No final do filme, o narrador simplesmente informa que a história de Howard Beale foi "o primeiro caso conhecido de um homem morto por ter um péssimo índice de audiência".

Você está se perguntando: "E daí? O que é tão chocante?" E esse é precisamente o ponto. Isso não é mais chocante. Howard Beale, certamente, não chegava nem aos pés de Jerry Springer.*

Você se lembra do programa *Who Wants to Marry a Millionaire* (Quem quer se casar com um milionário), da Fox, com os hoje malfalados Darva Conger e Rick Rockwell? Eles teriam sido perfeitos para Howard Beale, e muitos dos elementos absurdos de *Rede de Intrigas* ficam pálidos em comparação com programas como *Temptation Island* (A ilha da tentação) e *Millionaire*, da Fox. Se você tivesse dito a Howard que uma enfermeira diplomada iria à televisão tentar seduzir um milionário para que se casasse com ela, sair vencedora e depois anular o casamento e aparecer nua na *Playboy*, talvez até o velho Howard tivesse hesitado em acreditar no que ouvia.

Uma das mensagens em *Rede de Intrigas* era: "Cuidado, porque este é o caminho que você está seguindo." Já ultrapassamos esse aviso há algum tempo.

A outra mensagem de Rede de Intrigas *que se revelou extremamente profética foi a invocação de Howard Beale: "Estou furioso e não mais vou suportar isso." Quase todos os filmes possuem um momento fundamental que consolida sua mensagem, como a seqüência do incêndio do celeiro em* A Testemunha [Witness]. *Em* Rede de Intrigas, *esse momento é a invocação de Beale. O que fez as pessoas se relacionarem tanto com o brado de convocação de Beale foi o fato de ele estar realmente reclamando de coisas que faziam total sentido para todo o seu público. Havíamos começado a chegar ao ponto em que simplesmente não conseguíamos mais "suportar a piada", como declara Beale, e o filme consolidou esse sentimento de um momento crítico para muitos de nós.*

MUITO ALÉM DO JARDIM

Muito Além do Jardim [*Being There*] é outro filme profético e muito engraçado que não apenas refletiu com precisão nossa crescente obsessão pela televisão, como também anteviu a atual era política em que a imagem domina a substância. Foi lançado três anos depois de *Rede de Intrigas*.

---

* Apresentador de um programa polêmico da tevê americana chamado *The Jerry Springer Show*. (N. da T.)

176 A FORÇA ESTÁ COM VOCÊ

Muito Além do Jardim baseia-se em um romance de Jersy Kosinski e é uma visão bem-humorada, porém sarcástica, da obsessão americana pela imagem. Mais importante ainda – sua mensagem espiritual é sucintamente transmitida tanto no texto publicitário quanto na última fala do filme:

"A vida é um estado de espírito."

Tudo que Chance (Peter Sellers) faz nasce de pura ingenuidade de espírito e, sem nenhuma intenção consciente, exceto seu amor pela jardinagem e pela televisão, ele se torna um homem famoso e importante.

Peter Sellers nos oferece uma de suas melhores, e certamente mais calmas, apresentações. Interpreta um afável jardineiro que passou a vida cuidando do jardim de um homem muito rico, que permitiu que ele se afastasse de toda e qualquer sensação de contato com o mundo exterior, com exceção da televisão. Chance cuida do jardins ou assiste à televisão. Isso é tudo.

Quando seu patrão morre, Chance se vê obrigado a viver em um mundo para o qual está completamente despreparado (ao som de uma divertida versão de jazz de "Assim Falou Zaratrusta", o tema musical de *2001*, homenagem do diretor Hal Ashby a Kubrick).

Chance está tão distanciado de qualquer sentimento com relação ao mundo "real" que, em uma cena clássica, tenta evitar ser assaltado apontando o controle remoto da televisão para os seus possíveis atacantes, acreditando que possa simplesmente mudar de canal. Essa foi uma cena marcante sobre o poder que tem a televisão de alterar nossa percepção da realidade.

Um mero acaso faz com que ele seja levemente ferido pelo carro de uma mulher rica chamada Eve (Shirley MacLaine), que o leva à sua suntuosa propriedade para que o médico que cuida da grave doença do seu marido, Ben (Melvyn Douglas), possa examinar a perna machucada de Chance. No caminho, Eve oferece um drinque a Chance e, ao mesmo tempo, pergunta seu nome. Atrapalhado com sua primeira bebida alcoólica (na primeira vez que anda de carro), ele engasga enquanto responde que seu nome é Chance, o jardineiro, e Eve entende Chauncey Gardner, nome que pega.

Ao chegar à nova casa, Chance só deseja um lugar para ficar e trabalhar no jardim, mas todos à sua volta interpretam seus comentários sobre a jardinagem como metáforas. Ben é um homem poderoso, próximo ao presidente dos Estados Unidos (Jack Warden). Os comentários que Chance faz para o presidente sobre as estações do plantio ("desde que as raízes não sejam cortadas, tudo fica bem no jardim") são também interpretadas como metáforas sobre a economia, e Chance se vê no centro das atenções, aparecendo finalmente na sua amada televisão.

Sempre que dá um jeito, Chance passa cada momento em que está acordado assistindo à televisão. Mesmo quando Eve tenta seduzi-lo, ele só consegue se relacionar repetindo sua frase favorita: "Gosto de observar." Ela confunde o que ele diz com o desejo de Chance de observá-la e ela tenta agradá-lo dando "prazer" a si mesma enquanto Chance assiste serenamente a um programa de exercícios na televisão.

Ben, agonizante, escolhe Chance para cuidar dos seus negócios e de Eve. O presidente faz as homenagens no enterro de Ben, enquanto os membros do partido que carregam o caixão falam sobre a possibilidade de Chance candidatar-se à presidência.

Durante o discurso do presidente, Chance começa a vagar pelo local e acontece uma das mais memoráveis cenas finais do cinema. Ele está andando em direção à propriedade e encontra um pequeno lago à sua frente. Como não sabe que pode dar a volta no lago, caminha diretamente para ele. Em vez de afundar, dá a impressão de estar andando *sobre* a água. Até mesmo mergulha o guarda-chuva na água para testar a profundidade. O lago é bem fundo, mas Chance continua a andar pela parte rasa enquanto ouvimos a última frase da homenagem pós-morte do presidente: "A vida é um estado de espírito."

Essa seqüência final gerou muita controvérsia porque, acredito eu, o andar sobre a água foi mal-interpretado e considerado uma referência a Jesus. Nunca encarei a cena dessa maneira. "A vida é um estado de espírito" reflete a maneira como Chance vive. Ele vive em uma realidade separada, sempre desprovida de estresse. Alguém ou algo coisa sempre o protegeu da adversidade, a ponto de ele ser dono de uma *expectativa* pura e total de que será protegido não importa o que aconteça. Nada em sua experiência o levaria a pensar de outra maneira. Chance não é afetado por nada que o cerca e que poderia significar perigo para qualquer outra pessoa. Apenas espera que as coisas "corram bem".

Quando Chance entra na água, quer apenas chegar ao outro lado, e os seus instintos lhe dizem que ele pode atravessar a água. É óbvio que ele está caminhando em uma parte rasa do lago, não sobre a água. Sua intuição lhe diz que há uma maneira segura de atravessar o lago, e ele a descobre. Ponto. Se o lago fosse totalmente profundo, Chance teria dado a volta. A expectativa cria a realidade. Afinal, "a vida é um estado de espírito".

Trata-se, sem dúvida, de uma mensagem incrível e arrebatadora para um filme produzido em 1979.

Richard Matheson presenteou-me com uma bela frase emoldurada, gravada em uma bela caligrafia, do romance de *Amor Além da Vida* (que ele escreveu no mesmo ano em que *Muito Além do Jardim* foi lançado), que diz: *Os seus pensamentos moldam o seu mundo.*

Se há muito tempo você não assiste a *Muito Além do Jardim* (ou se nunca assistiu), encare o filme nesse contexto, e acredito que você talvez enxergue a estonteante beleza da mensagem sob uma nova perspectiva.

O SHOW DE TRUMAN – O SHOW DA VIDA

Lançado nos Estados Unidos em 1998, *O Show de Truman* [*The Truman Show*] é um filme impossível de ser descrito facilmente e que demorou um longo tempo até ser produzido. Só recebeu o sinal verde quando Jim Carrey concordou em estrelá-lo por uma fração dos seus "honorários de comédia" e o inovador diretor Peter Weir aceitou dirigi-lo.

Peter Weir é um dos poucos diretores que realmente sabem criar e sustentar um mundo ou uma atmosfera em um filme. Tanto *A Última Onda* [*Last Wave*] quanto *Picnic na Montanha Misteriosa* [*Picnic at Hanging Rock*] são filmes místicos extraordinários, e Weir foi a escolha perfeita para *O Show de Truman*.

O vendedor de seguros Truman Burbank (Jim Carrey) mora na idílica Seahaven Island, é casado com uma encantadora enfermeira (Laura Linney) e aparentemente vive em um mundo onde é rei. E ele é. Na verdade, é o astro de um reality show 24 horas, ininterrupto, que utilizando 5 mil câmeras e um elenco monstruoso registrou cada momento da sua vida, desde que nasceu, 30 anos antes. A única pessoa que não sabe que está em um programa de televisão é o próprio Truman.

Todas as coisas e pessoas em sua vida são manipuladas pelas necessidades da televisão. Quando o obsessivo e maquiavélico criador/diretor do programa, Christof (Ed Harris), fica preocupado com a possibilidade de Truman querer sair da ilha, é encenado um afogamento que "mata" o "pai" de Truman e o deixa com um medo terrível de barcos e da água. Curiosamente, quando criança, Truman queria ser aventureiro como o personagem George Bailey em *A Felicidade não se Compra* (Capítulo 11). Ambos desistem do sonho, mas Truman é manipulado para fazer isso. Um dos problemas relacionados com parte da credibilidade no filme é o fato de o menino ter sido pública e dramaticamente traumatizado. Os elevados índices de audiência aparentemente permitiam a prática do abuso infantil em grande escala.

De tempos em tempos, algumas pessoas infiltram-se no programa para tentar aproximar-se de Truman, mas sempre fracassam. Truman só começa a ficar muito desconfiado quando ocorrem pequenos acidentes (uma lâmpada de refletor que cai aos seus pés, uma "tempestade acompanhada de chuva" que o encharca apenas temporariamente, um fundo falso na porta de um elevador etc.).

Finalmente, percebe o que está acontecendo e zarpa em um barco para enfrentar seu medo. Furioso com a perspectiva de que Truman possa descobrir toda a verdade, Christof tenta afundar o barco com ondas e vento, até que finalmente cede. O barco de Truman atinge um "muro" no cenário que parece o horizonte e ele começa uma confrontação com Christof, cuja voz retumba das nuvens acima (não há simbolismo aqui). Ele se identifica para Truman como "o criador... de um programa de televisão". Tenta fazer com que Truman desista de deixar "o cenário" e ir para a "vida real", mas Truman finalmente atravessa a porta nos bastidores e o programa termina, ao mesmo tempo que o filme.

Antes, perguntam a Christof por que Truman nunca entende o que está acontecendo, e a resposta que ele dá resume o enorme poder da mensagem do filme: "Aceitamos a realidade do mundo que nos é apresentado. É simples assim."

Simples assim, de fato. Até que surgem filmes como *Matrix,* que desafiam a estrutura da crença.

Truman aceita o mundo em que vive porque nunca teve motivos para renegá-lo. Quando começa um exame mais profundo, tudo desmorona com muita rapidez. Christof também diz que "não poderia evitar que Truman enxergasse a verdade se realmente desejasse conhecê-la" (Neo em *Matrix*). Truman quer saber a verdade, e a descobre rapidamente.

Considero essa uma mensagem bela e encantadora a respeito do nosso próprio crescimento. Podemos viver na suposta realidade do mundo que nos é apresentado, e freqüentemente o fazemos. Para Chance, em *Muito Além do Jardim,* o mundo da televisão não difere em absolutamente nada do mundo que o cerca. Ele simplesmente o aceita, sem fazer uma análise mais profunda. Esse também é um dos aspectos mais controvertidos dos efeitos a longo prazo da televisão. Onde começa a vida e termina a "vida na televisão" e vice-versa? Quantas pessoas hoje em dia confundem as duas?

Quão profundamente a versão da "realidade" da televisão se infiltra em nossa consciência? Eis um exemplo simples e forte: os distúrbios alimentares nas mulheres jovens não existiam nas ilhas Filipinas até o advento da televisão americana. Hoje, os habitantes da ilha sofrem tais problemas, com jovens morrendo de inanição e subnutrição, tentando imitar as imagens criadas pela televisão e para ela.

Truman aceita o mundo à sua volta até perceber que há algo errado, quando, então, olha através da fachada e descobre uma versão inteiramente nova da "realidade". A meditação e o auto-exame consistem exatamente nisso quando trilhamos na vida um caminho espiritual. Olhamos mais fundo. Questionamos a realidade.

Quando o véu é levantado, nunca mais conseguimos fingir que ainda está no lugar. Sempre achei divertido os juízes dizerem ao jurados que "desconsiderem uma declaração". Como um ser humano pode simplesmente apagar da mente esse tipo de informação? *Quando ouvimos, nunca esquecemos. Quando fazemos perguntas, nunca paramos de fazê-las. E é o que acontece com Truman. Ele representa o buscador inocente que existe em todos nós e que um dia acorda e descobre que a realidade que ele conhecia mudou, e começa desesperadamente a querer saber o que existe além do horizonte.*

A outra mensagem importante do filme gira em torno dos problemas obsessivos de identificação que temos com as personalidades da televisão.

Truman é um fenômeno mundial. As pessoas o observam dormir à noite quando têm insônia. Cada movimento de Truman é examinado minuciosamente. Em resumo, é muito fácil perder-se no *Show de Truman*, e essa é, certamente, uma das maiores críticas à televisão, ou seja, o fato de as pessoas perderem a própria identidade nela e através dela.

Truman transcende tudo isso e no final vai embora, para alegria de alguns e tristeza de outros.

O último significado do que ele fez? A última cena do filme exibe dois guardas de segurança, telespectadores aficionados do reality show, observando Truman encerrar o programa e que a seguir perguntam imediatamente um ao outro: "O que podemos assitir agora?"

"Este é um caso difícil: devolver o coração a um homem."
Michael – Anjo e Sedutor

Capítulo Dez

Anjos

A EXPRESSÃO "NÃO ESTAMOS SOZINHOS" NÃO SE APLICA EXCLUSIVAmente à nossa atitude com relação aos alienígenas.

Os anjos e os espíritos têm invadido nossa consciência desde que iniciamos nossa jornada evolucionária como seres humanos. Desde os nossos mais primitivos ancestrais, quando as pinturas de anjos nas paredes das cavernas nos confortavam e fascinavam.

Sem dúvida, os espíritos malignos como aquele que tomou conta de Regan em *O Exorcista* ou invadiram a casa em *Poltergeist – O Fenômeno* [*Poltergeist*] também são fonte de fascinação em centenas de filmes e formam o núcleo de um gênero bem-sucedido – o do filme de terror. No entanto, este capítulo concentra-se em outros espíritos, ou seja, naqueles que parecem estar por perto quando mais precisamos, nas noites escuras de nossas almas, para confortar-nos e encorajar-nos. (Por esse motivo *Dogma* está no Capítulo 6, não aqui.)

No decorrer da história humana, sempre existiram histórias a respeito de seres que parecem surgir nos momentos mais críticos da nossa vida. Às vezes, são seres físicos, com aspecto humano, com quem interagimos durante um curto período e depois nunca mais vemos. Outras vezes, manifesta-se como um sentimento, a sensação de uma presença à nossa volta. Mais uma dessas experiências que não podemos "provar", apenas sabemos que aconteceu.

Descobri algo muito estranho e, ao mesmo tempo, muito belo ao reexaminar os filmes sobre anjos que sempre me afetaram – percebi que todos têm em comum algo extremamente interessante. Os filmes sobre anjos que talvez nos venham à cabeça nunca tratam, na verdade, de anjos. Esses filmes sempre giram em torno do assunto para o qual o anjo está voltado, em vez de focalizar o anjo propriamente dito. É uma espécie de versão celeste da antiga lenda do vampiro cujo reflexo não aparece no espelho. Os anjos se parecem com uma tinta invisível sobre celulóide. Ora os vemos, ora não os vemos.

Até mesmo o seriado da televisão *O Toque de um Anjo* [*Touched by an Angel*] se concentra nos desafios humanos da semana e não em Roma Downey ou Della Reese, o que não é fácil, já que elas são os únicos personagens constantes todas as semanas.

Realmente parece que temos um acordo não-explícito uns com os outros a respeito desse assunto. Os anjos estão à nossa volta. Estão aqui para nos confortar e guiar, preferindo permanecer anônimos. Por isso, quase tomei a decisão de não incluir este capítulo no livro, mas acabei chegando à conclusão de que estaria cometendo uma falta. Assim sendo, este é um momento de tranqüilidade, diferente dos capítulos anteriores e dos que virão, tanto na forma quanto na extensão.

Os filmes sempre aceitaram a idéia dos anjos.

Clarence (Henry Travers), em *A Felicidade não se Compra* (Capítulo 11), talvez seja o anjo mais conhecido e amado na história do cinema. Durante os 56 anos que se seguiram ao lançamento do filme, em 1946, as pessoas vêm assistindo Clarence receber as asas e mostrar a George Bailey que a vida humana é realmente uma dádiva impressionante.

No filme de 1947 *O Fantasma Apaixonado* (mais tarde transformado em um seriado da televisão), uma viúva enlutada reaprende a beleza do amor por um espírito que aparece para ela com a forma de um capitão de navio.

Em 1948 foi lançado o clássico *O Retrato de Jeannie* [*Portrait of Jeannie*], no qual um pintor é inspirado pelo espírito de uma bela jovem.

Foram três filmes produzidos nos três anos que se seguiram ao final da Segunda Guerra Mundial, em 1945, e que lidam com o conceito de seres que confortam e inspiram.

184 A FORÇA ESTÁ COM VOCÊ

O filme que consegui descobrir que chega mais próximo de efetiva-mente focalizar um anjo é *Cidade dos Anjos,* versão americanizada do filme de Wim Wenders *Asas do Desejo [Wings of Desire]. Cidade dos Anjos* protagoniza Nicolas Cage como um anjo (Seth) que se apaixona por uma médica chamada Maggie (Meg Ryan). No entanto, o aspecto interessante com relação a Seth é que ele decide "cair na Terra" para poder tornar-se humano e sentir o toque de Maggie como ser huma-no. Outro anjo caído, apropriadamente chamado de Nathan Messen-ger (Dennis Franz), ensina a Seth que os anjos podem de fato se tornar humanos. Nathan também se apaixonou – pela esposa e pela comida! Mesmo com a decisão de Seth, o foco do filme é em Maggie e sua vida, não em Seth. Sabemos tudo a respeito da vida profissional de Maggie, dos seus relacionamentos, da sua infância etc., mas tudo que sabemos sobre Seth é que ele é um anjo. À semelhança do que acon-tece em muitos filmes sobre anjos, Maggie não acredita em nada que seja espiritual até conhecer Seth.

Até mesmo em *Michael – Anjo e Sedutor*, que apresenta um gran-de astro (John Travolta) no papel principal, a ênfase do filme é nos esforços de Michael para reunir Frank (Bill Hurt) e Dorothy (An-die McDowell). É a vigésima sexta viagem de Michael à Terra e supostamente a última, e embora ele seja singular (é louco por açú-car e não pode ver um rabo-de-saia), mesmo assim a ênfase ainda recai nos seus amigos humanos.

Na brilhante produção autobiográfica de Bob Fosse *O Show Deve Continuar [All That Jazz]*, Jessica Lange é o anjo que aparece para Joe Gideon (Roy Scheider), paquerador inveterado, autodestrutivo e al-coólatra, que também é um brilhante coreógrafo e diretor de cinema. Joe sabe que está avançando a toda velocidade em direção à morte e o anjo sem nome de Lange faz o que pode para prepará-lo para esse evento, sabendo muito bem que ele escolheu o próprio destino e que tudo que pode fazer é confortá-lo.

A mensagem de todos os filmes que exibem anjos parece ser que temos "amigos invisíveis" à nossa volta quando mais precisamos deles – não necessariamente quando desejamos sua presença, mas quando temos ne-cessidade deles. Essa mensagem se manifesta em todos os filmes que tratam de anjos; além do mais, parece que nunca passamos muito tempo sem que um filme de "anjo" surja nos cinemas. Percebo esse fato como um lembrete suave e sutil de que nunca ficamos realmente sozinhos.

Parece, de fato, que nossas experiências cinematográficas com os anjos têm a intenção de ser suaves e estar quase além do véu da nossa percepção. Assim sendo, como a "bruma" no famoso poema de Carl Sandburg, tanto os anjos quanto os nossos breves momentos com eles... "chegam em um pisar manso e silenciosamente desaparecem".

"Não sou um homem inteligente, mas sei o que é o amor."
Forrest Gump – O Contador de Histórias

Capítulo Onze

O poder do amor

Em *Moulin Rouge – Amor em Vermelho* [*Moulin Rouge*], brilhante produção estonteatemente romântica do diretor Baz Luhrman, a lição do personagem principal é que "a coisa mais importante que jamais aprenderemos é amar e ser amado". O filme inteiro é uma viagem incrivelmente visual e musical, e um tributo ao amor. No entanto, tendo em vista nosso objetivo neste livro, é essa bela mensagem sobre a supremacia do amor que inicia este capítulo que contém a última categoria de filmes.

Até mesmo a imortalidade pode ser uma maldição na ausência do amor. Em *Highlander – O Guerreiro Imortal* [*Highlander*], o personagem principal se torna imortal apenas para ter que observar a morte das mulheres que ama (ao som da música de um grande Freddie Mercury/Queen chamada "Who Wants to Live Forever if Love Must Die" [Quem quer viver para sempre se o amor tem que morrer]). Em *Os Amores de Pandora* [*Pandora and the Flying Dutchman*], um holandês precisa navegar os mares do mundo para sempre até encontrar uma mulher que o ame tanto a ponto de estar disposta a morrer por ele.

O poder do amor transcende tudo. Durante algum tempo, achei que este seria o primeiro capítulo, até me dar conta de que assim o livro teria um primeiro capítulo muito extenso e quase nenhum outro. Pelo menos a metade dos filmes dos capítulos anteriores também poderia ter sido incluída sob o título "O poder do amor".

Resta-nos, então, um punhado de filmes que guardei para o fim por conta de suas mensagens de amor particularmente poderosas.

O amor é tudo que existe, e o amor não é suficiente.

É o meu paradoxo predileto.

Os seres humanos são a única espécie no planeta com a capacidade de *amar conscientemente*. Por quê? Qual o relacionamento especial que temos com o conceito do amor consciente? Os animais amam instintivamente. Nós também. Amar os filhos é uma reação instintiva. Nós, no entanto, também podemos escolher amar ou rejeitar a idéia e ficar ao menos potencialmente conscientes de todas as conseqüências dessas escolhas. Por quê?

Quando abordamos essa questão, nos esforçamos para entrar em contato com nosso Deus interior.

O sucesso material e a fama têm seu lugar cativo em nossa vida. São valiosos e desejáveis. Quando empregamos essas energias como desejos separados, não como substitutos para o amor, podemos nos aproximar delas pelo seu valor intrínseco. No entanto, muitas vezes usamos essas energias para substituir o amor. Freqüentemente, até as confundimos com o ato de amar. Nós nos desobrigamos de amar e ser amados porque sentimos que precisamos perseguir outras coisas a fim de conquistar o amor, merecê-lo ou até mesmo justificá-lo. Os viciados em trabalho, por exemplo, podem usar os mais diversos tipos de argumento para se enterrarem dessa maneira mas, com enorme freqüência, surge uma crise que modifica completamente essa atitude, levanta o véu do rosto delas, possibilita e até mesmo as obriga a olhar para a vida de uma nova maneira. Quantas vezes não ouvimos pessoas que sofreram ataques do coração e outros males falar a respeito de "despertar" para "as coisas importantes" da vida?

O amor está presente para todos nós, quer o abracemos ou não. O amor é a energia aglutinante e abrangente na vida humana, quer a reconheçamos ou não como tal.

Por esse motivo temos um "romance" com o próprio amor nos filmes. As histórias de amor são a espinha dorsal dos filmes. Elas existem desde a época dos fonógrafos automáticos, e estarão por aqui até "o dia de são nunca". Outros gêneros têm altos e baixos. As comédias de adolescentes ficam na moda e depois saem de moda. Os filmes de faroeste, os musicais, os de ficção científica e até as comédias possuem ciclos como atrativos para os freqüentadores de cinema. Já uma grande história de amor está *sempre* na moda. Isso não quer dizer, é claro, que toda história de amor é sucesso de bilheteria; no entanto, como posso confirmar, ela acaba encontrando seu público.

Você logo notará que Tom Hanks é o ator principal de três dos cinco filmes que descrevemos neste capítulo, e que Jimmy Stewart é o astro de outro. Em *Náufrago [Cast Away]*, Tom Hanks interpreta um homem que tem a vida decifrada, e certamente parece que a arte está imitando a vida nesse aspecto. Tom Hanks está entre os poucos artistas que parecem ter um instinto infalível para o assunto certo. Há quanto tempo ele estrelou um filme que foi um fracasso? Provavelmente, desde a *A Fogueira das Vaidades [Bonfire of the Vanities]*, de 1990, e a principal razão pela qual o filme não deu certo foi o fato de o público na época não conseguir aceitar Hanks como um cara mau.

Dê uma olhada nos filmes que ele fez: *Splash – Uma Sereia em Minha Vida, Quero Ser Grande [Big], Filadélfia [Philadelphia], Sintonia de Amor, Forrest Gump – O Contador de Histórias [Forrest Gump], O Resgate do Soldado Ryan [Saving Private Ryan]* etc. Ele realmente merece ser o sucessor de Jimmy Stewart como o protótipo do herói americano. Se Tom Hanks já estivesse conosco há algumas décadas, você provavelmente o teria em *A Felicidade não se Compra* ou *A Mulher Faz o Homem [Mr. Smith Goes to Washington]*. E não conseguiria imaginar Jimmy Stewart em *Forrest Gump*, em *Náufrago* ou, na verdade, em qualquer um dos filmes de Hanks?

Esses dois atores personificam o protótipo do herói americano. São fortes, idealistas, afáveis e sensíveis. O supra-sumo do "macho alfa" na tela. Como tal, personificam o que podemos ser quando recorremos à bondade e à força inata em todos nós. É compreensível, portanto, que estrelem nos filmes que melhor representam, para mim, a energia do poder do amor.

NÁUFRAGO

Para muitas pessoas que conheço, talvez para a maioria, os últimos anos foram um período muito confuso. Certezas foram questionadas. Parece que passamos cada vez mais tempo "desaprendendo" coisas que acreditávamos ser realidades inabaláveis. Recebi recentemente um e-mail intitulado "Message from the Hopi Elders" (Mensagem dos anciãos hopi), que considero um ótimo relato dessa confusão:

> *Aos meus companheiros nadadores:*
> *Um rio corre agora muito rápido*
> *Ele é tão grande e veloz, que alguns ficarão temerosos.*
> *Tentarão agarrar-se à margem.*
> *Estão sendo destroçados e sofrerão enormemente.*
> *Saibam que o rio tem seu destino.*
> *Precisamos deixar a margem, entrar no rio, manter a cabeça acima da água.*
> *Neste momento da nossa história, não devemos considerar nada pessoalmente, muito menos nós mesmos.*
> *Porque, no momento que o fizermos, nosso crescimento e nossa jornada espiritual serão interrompidos.*
> *A era do lobo solitário terminou.*
> *Concentrem suas energias. Eliminem a palavra esforço de sua atitude e do seu vocabulário.*
> *Tudo que fizermos agora precisa ser feito de maneira sagrada e com espírito de celebração.*
> *Somos aqueles por quem temos esperado.*

Essa filosofia não poderia ser mais bem representada do que em *Náufrago*, que se coloca como a mensagem mais eloqüente possível, para nós mesmos, de que é chegada a hora de dar um salto no desconhecido e confiar que tanto o poder do nosso amor quanto o poder no Universo nos orientará.

Em *Náufrago*, Hanks é Chuck Noland, funcionário da FedEx, cuja função exige viagens pelo mundo. Ele está apaixonado por Kelly Frears (Helen Hunt) e sabe que vai se casar com ela – até que o avião em que está voando cai e Chuck vai parar em uma ilha tropical, onde fica sozinho durante quatro anos.

Chuck está tão solitário e deprimido que pensa em cometer suicídio, mas de algum modo aceita o fato de que precisa continuar.

190 A FORÇA ESTÁ COM VOCÊ

Finalmente, o mar joga na praia o revestimento plástico de um tipo de recipiente. Chuck percebe que pode usá-lo como vela para passar pelas enormes ondas que o mantiveram na ilha por tanto tempo, e desse modo consegue escapar. Chuck é resgatado quase morto, volta para os Estados Unidos e procura sua ex-noiva, que na verdade está casada com outro homem (Chris Noth, que finalmente parece ter deixado seu relacionamento com "Carrie" no seriado *Sex and the City*). A cena do reencontro de Kelly e Chuck é maravilhosamente conduzida. Embora Kelly admita que Chuck é realmente o grande amor da sua vida, ela assumiu um novo compromisso e tem um filho. Como poderia simplesmente romper o compromisso? Ambos sabem que Kelly não pode largar tudo e ficar com o ex-noivo. O que Chuck vai fazer?

É aí que entram a verdadeira mensagem espiritual do filme e o poder do amor. Para explicar, temos que voltar ao início.

Na cena de abertura, vemos um caminhão da FedEx fazendo uma coleta em uma casa isolada, de estilo rural, no Kansas. A escultora Bettina (Lari White, interessante nome masculino para uma mulher tão bonita), cuja voz ouvimos mas que só vemos no final do filme, informa que haverá outra coleta daí a alguns dias. Seguimos a encomenda original até Moscou, onde é entregue ao marido da escultora que está obviamente vivendo com outra mulher. Chuck também está em Moscou na ocasião, treinando uma nova equipe da FedEx. Nem Chuck nem Bettina poderiam ter qualquer idéia do rumo que suas vidas iriam tomar.

Quando o avião de Hanks cai, ele é jogado na ilha junto com muitos pacotes da FedEx. Depois de algum tempo, abre todos, exceto um, para ver se encontra algo útil, mas que se enquadraria mais nessa categoria é na verdade uma bola de vôlei Wilson, que se torna sua única companheira. No único pacote que Chuck não abre vê-se nitidamente o logotipo em forma de asa da escultora da primeira cena. Chuck guarda o pacote, para que possa entregá-lo quando sair da ilha e, quando isso acontece, não apenas o leva consigo como pinta o logotipo na vela.

Quando percebe que seu relacionamento com Kelly terminou, Chuck vai para o Kansas com a intenção de entregar o pacote. Ao chegar ao endereço, descobre que não há ninguém em casa, de modo que deixa a encomenda na porta com um bilhete que diz apenas: "Este pacote salvou minha vida."

De volta à estrada principal, Chuck faz uma pausa para decidir que rumo tomar, e a bela motorista de uma pick-up estaciona para ajudá-lo. Um "clima" surge entre eles e, quando a moça vai embora, vemos o logotipo em forma de asa na traseira da pick-up. Trata-se de Bettina, a escultora. Os olhos de Hanks demonstram que pretende segui-la até sua casa.

Chuck passou quatro anos naquela ilha, e o poder do amor o manteve vivo. *Achava* que compartilharia o amor com Kelly, mas acabou em um lugar inteiramente diferente. No entanto, foi o poder do seu amor que o ajudou a passar pela provação. Na ilha, percebeu que deveria levantar todas as manhãs "porque nunca se sabe o que a maré vai trazer". Foi exatamente essa aceitação e entendimento que criou a oportunidade para que o mar jogasse na praia o recipiente plástico. Chuck pode ter usado a vela física para atravessar a barreira de ondas ao redor da ilha, mas foi a aceitação emocional de acreditar que precisava continuar que levou a vela até ele.

Desse modo, o Universo tinha o tempo todo um plano, embora Chuck só conseguisse percebê-lo no final do filme. O poder do amor está, às vezes, disfarçado em experiências que não sabemos interpretar enquanto não as vivemos. Entregar-nos à nossa fé de que o Universo realmente nos abraçará, se confiarmos nesse poder, é uma mensagem bela e inesquecível.

SINTONIA DE AMOR

Sempre achei essa uma das mais belas e edificantes histórias de amor que já vi. A poderosa mensagem desse filme é extremamente confortante e inspiradora para qualquer pessoa que tenha amado e perdido seu amor.

Sem expô-la especificamente, o filme levanta uma fascinante questão a respeito das almas gêmeas. E se não tivermos apenas uma?

Sei que vou deixar irritados outros românticos incuráveis como eu, mas trata-se de uma pergunta que vale a pena ser feita, particularmente à luz da enorme popularidade tanto de *Náufrago* quanto deste filme.

Sam Baldwin (o sr. Hanks, é claro) e o filho Jonah, de 8 anos, aparecem na primeira cena do filme no enterro de Maggie (Carey Lowell), esposa e mãe deles, respectivamente. Desolado, Sam se muda para Seattle para recomeçar a vida, e fica bem claro desde o início que ele tem certeza absoluta de que o tipo de amor que compartilhava com a mulher "não acontece duas vezes". (É interessante que Tom Hanks interprete tanto esse personagem quanto o de *Náufrago*, nos quais uma segunda alma gêmea é o tema central das histórias de amor. O casamento de Hanks com Rita Wilson, seu segundo na vida real, é reconhecido como um dos mais sólidos de Hollywood.)

Dezoito meses depois, Jonah induz Sam a ligar para o apresentador de um talk show tarde da noite para falar sobre o seu sentimento de pesar pela morte da esposa. Enquanto Sam fala sobre como soube, desde a primeira vez que tocara sua mulher, que "era pura mágica" e que "as coisas tinham sido perfeitas para ele uma vez", Annie (Meg Ryan) escuta "por acaso" o programa no rádio do carro. Ela está noiva de Walter (Bill Pullman), um homem muito agradável porém cauteloso. Apesar do seu compromisso, Annie fica obcecada por Sam; no entanto, milhares de outras mulheres sentem a mesma coisa e enviam cartas pedindo-o em casamento. Jonah lê as cartas e rejeita todas. Ele sabe que o pai "precisa de uma nova esposa" e, quando lê a carta de Annie (enviada, sem que ela saiba, pela sua chefe e amiga Becky, interpretada por Rosie O'Donnell), Jonah sabe que encontrou sua nova mãe. O menino chega a dizer ao pai que está certo de que ele e Annie estiveram juntos em outra vida! Sam não presta a menor atenção ao filho e continua a sair com uma mulher que Jonah detesta.

Vale a pena mencionar aqui a atitude de Jonah. O pai ou a mãe que cria sozinho os filhos percebe desde cedo que eles o conhecem melhor do que ninguém. Crianças que vivem em lares com apenas um dos pais exercem enorme influência nas chances de sucesso dos relacionamentos subseqüentes. Quem já seguiu esse caminho sabe como os filhos podem ser realmente sábios nessa situação, e uma outra excelente mensagem em *Sintonia de Amor* é: confie em seus filhos.

Annie, efetivamente, vai a Seattle atrás de Sam, que a vê sem que ela o saiba quando desce do avião. Sam sente-se extremamente atraído por ela, mas a perde de vista no meio da multidão. Mais tarde, Annie o vê com a irmã (Rita Wilson, mulher de Tom na vida real) e a confunde com uma namorada; no entanto, antes que ela vá embora, o olhar dos dois se cruza.

A carta de Annie sugeria que eles se encontrassem no Dia dos Namorados no topo do Empire State (como no filme água-com-açúcar favorito de Annie: *Tarde Demais para Esquecer* [*An Affair to Remember*]). Quando o pai recusa-se a ir ao encontro, Jonah parte sozinho para Nova York, obrigando o pai a segui-lo. Ao mesmo tempo, Annie está em Nova York com Walter, anunciando que não pode continuar noiva dele. Quando vê um enorme coração iluminado no Empire State, ela parte às pressas para lá.

Os três acabam se encontrando no alto do prédio, e Sam percebe que já a viu antes. Quando o pai pega a mão de Annie, Jonah sente-se finalmente em paz, e sabemos que ficarão juntos.

Sam amava a esposa, tudo era perfeito, e ela morreu. Estava certo de que jamais poderia "formar um novo coração". Sam estava errado. Como assim? Não estamos dizendo para nós mesmos aqui que o conceito de ter uma única alma gêmea pode ser, de fato, verdadeiro para algumas pessoas e não para outras? Parece que a única maneira pela qual Sam poderia se ligar a Annie seria Jonah convencendo o pai a telefonar para a rádio. Sam não queria se envolver com outra mulher e Annie estava noiva de outro homem. No final, tudo o que importou foi o fato de descobrirem uma maneira de ficar juntos.

Sam referiu-se ao seu primeiro momento com Maggie como "sendo mágico", e a mesma magia tem lugar quando ele finalmente encontra Annie no topo do Empire State. O verdadeiro amor, como o raio, pode aparecer mais de uma vez. Essa é uma mensagem bela e estimulante para qualquer pessoa que tenha amado e perdido seu amor.

FORREST GUMP – O CONTADOR DE HISTÓRIAS

Acho que nunca saí do cinema me sentindo melhor sobre ser humano do que no dia em que assisti a *Forrest Gump* pela primeira vez, em 1994.

Quando um filme deixa na memória do público pelo menos uma das suas falas, estamos diante de uma grande façanha. A maior parte dos fil-

194 A FORÇA ESTÁ COM VOCÊ

mes nunca chega perto disso, e aqueles que o fazem, em geral, contêm uma fala famosa pela qual nos lembramos deles ("Francamente, meu bem, não dou a mínima"; "Este é o começo de uma bela amizade"; "Os invernos precisam ser frios para os que não têm memórias calorosas" etc.).

Forrest Gump tem *cinco* dessas falas:

- ☐ "A vida é como uma caixa de chocolates. Nunca sabemos o que vamos encontrar."
- ☐ "Isso é tudo que tenho a dizer a respeito disso."
- ☐ "A pessoa é tão burra quanto as burrices que faz."
- ☐ "Não sou um homem inteligente mas sei o que é o amor."
- ☐ E, é claro: "Corra, Forrest, CORRA!"

Quando um filme penetra em nossa consciência, torna-se um campeão de bilheteria e recebe uma enorme quantidade de Oscars como *Forrest Gump,* algo muito poderoso está em ação.

De certa maneira, *Forrest Gump* também se baseia no mesmo tema de *Muito Além do Jardim*: a vida é um estado de espírito. Forrest tem experiências incríveis e passa por elas como o mesmo homem simples, porém extraordinário. Conhece três presidentes (Kennedy, Johnson e Nixon); serve de inspiração para o estilo de Elvis Presley e para a música "Imagine" de John Lennon; e "por acaso" desempenha um importante papel no Vietnã, na Marcha pela Paz em Washington, nas lutas raciais dos Estados Unidos e na crise de Watergate! Também começa um negócio de pesca de camarão por lealdade a um companheiro morto, e é o único barco a sobreviver a um furacão, de modo que fica rico e depois investe todo o seu dinheiro no desenvolvimento dos computadores Apple!

Chauncey Gardner não chegava nem aos pés de Forrest.

O segredo de Forrest é seu amor incondicional. Ele o recebeu da mãe (Sally Field) e o compartilha com todos com quem tem um contato mais estreito, especialmente com Jenny (Robin Wright), o amor de sua vida. Forrest conhece Jenny no ônibus no primeiro dia de aula na escola, e passa a amá-la pelo resto da vida. Não importa o que Jenny faça, Forrest nunca vacila. Mesmo sendo um amante da paz e uma pessoa extremamente afável, ataca três diferentes homens que vê agredindo Jenny (por duas vezes ele está certo, mas na outra era apenas um "agarramento" pesado) e continua a amá-la incondicionalmente.

O principal momento do filme acontece depois que Forrest vê Jenny na Marcha pela Paz em Washington. Ela já o abandonou em várias ocasiões – algumas vezes, por outros homens – e está prestes a partir de novo com alguém que Forrest agrediu para defendê-la. Quando está para deixá-lo, Jenny pergunta a Forrest por que é tão bom para ela, e ele responde: "Porque você é a minha garota".

Jenny não dá a Forrest nenhum indício de corresponder ao seu amor; na verdade, está sempre o abandonando por outra pessoa ou coisa. Isso não tem importância para Forrest. Para ele, Jenny é a sua garota, e nada, jamais, poderá mudar esse fato. Esse é o poder de um sistema de crença. Forrest sabe que Jenny é a sua garota e que ficarão juntos. Ela acaba se unindo a Forrest, fica grávida, dá à luz o filho dele (um extremamente jovem Haley Joel Osment) e parte novamente, voltando mais tarde, após ser uma das primeiras mulheres a contrair Aids (o que em nenhum momento é especificado, mas é fortemente sugerido). Jenny morre, e Forrest fica com um filho "inteligente" para criar.

A clara mensagem de Forrest Gump *é o poder do amor e a crença inabalável e inquestionável de Forrest nele. Independentemente do que aconteça, Forrest ama de forma pura e incondicional. O amor o motiva, e tudo ao seu redor acaba obedecendo ao poder do seu amor.*

UM HOMEM DE FAMÍLIA

As mensagens dos três primeiros filmes deste capítulo falam sobre continuarmos a acreditar no amor independentemente dos obstáculos que possamos encontrar no caminho.

E se perdermos totalmente de vista o amor?

O mundo de hoje é ágil e exige muito de quase todos nós. Em nossa constante busca de fama, dinheiro ou ambos, é difícil permanecer em nossos objetivos. Com freqüência, temos a impressão de que precisamos escolher entre a carreira e a família. Tendo criado sozinho quatro filhas, muitas vezes me vi diante dessas difíceis escolhas. Qual a importância de uma reunião de negócios, se para participar dela você tem que faltar à festa da escola? É possível equilibrar o amor, a família e a carreira para que ninguém, inclusive você, se sinta traído?

Muitas pessoas nos últimos dez ou 20 anos fizeram a opção de não ter uma família para se concentrar na carreira. Trata-se de um fenômeno muito recente. Até a revolução sexual dos anos 60 e 70, os homens não tinham que abrir mão de nada. Simplesmente, dedicavam-se à carreira e deixavam a educação dos filhos por conta das esposas. A revolução sexual mudou tudo isso. As mulheres, muito justificadamente, disseram: "Ei, nós também merecemos e exigimos nossa identidade." Assim sendo, surgiram as famílias com a renda duplicada e sem filhos, e os casais com filhos tentam corajosamente encontrar o equilíbrio correto. Um caso ainda mais extremo é o das pessoas que se privam totalmente dos relacionamentos porque desejam se concentrar no trabalho.

As casas com apenas um chefe de família representam agora quase a metade dos lares americanos, e o pai, ou a mãe, que cria os filhos sozinho descobre que cuidar das crianças e trabalhar deixa pouco tempo, ou energia, para outros relacionamentos. Esse desafio também existe para as famílias tradicionais em que pai e mãe estão presentes, porque ambos agora trabalham e precisam descobrir uma maneira justa de dividir as responsabilidades. Como resultado, as crianças vivem em uma atmosfera muito diferente daquela da família nuclear tradicional de 30 ou 40 anos atrás, na qual o pai, geralmente, trabalhava e a mãe ficava em casa cuidando dos filhos.

Essa reviravolta social nos papéis tradicionais e o lugar do amor na sociedade moderna talvez sejam o maior desafio cultural deste momento nos acontecimentos humanos. Sabemos que as coisas não podem voltar a ser como antes (e a maioria de nós não gostaria que isso acontecesse), mas ainda não descobrimos como equilibrar todas as nossas necessidades e desejos.

Falando simplesmente, quais são as nossas prioridades?

Em *Um Homem de Família* [*Family Man*] Jack Campbell (Nicholas Cage) dá um beijo de despedida em Kate (Tea Leoni), sua namorada, depois que se formam na faculdade. Ele está de partida para Londres, onde irá trabalhar durante um ano. Kate implora que Jack fique, mas ele promete voltar. Jack nunca volta.

Doze anos depois, Jack é o rico e bem-sucedido presidente de uma firma de investimento, mora em um arranha-céu em Nova York, dorme com mulheres cujo nome esquece ou nunca pergunta e tem uma Ferrari. Pouco antes do Natal, recebe um telefonema de Kate ao qual decide não dar atenção.

Certa noite, Jack presencia o que julga ser uma tentativa de roubo e faz um trato com o ladrão, que se chama Cash (Don Cheadle), para impedir o "crime". A seguir, Jack tenta convencer o ladrão a procurar ajuda. Cash olha para Jack de um jeito esquisito, que diz que a vida de Jack talvez não seja tão perfeita quanto ele imagina e o adverte de que deve ter em mente "que você é o único responsável pelo que está acontecendo em sua vida".

Na manhã seguinte, Jack acorda na cama com Kate em New Jersey. Eles têm dois filhos e um cachorro, e Jack trabalha vendendo pneus "no varejo" para o sogro. Corre para Nova York e descobre que sua vida ali nunca aconteceu. Cash o encontra e informa que ele está "dando uma olhada" em uma vida que poderia ter tido, caso tivesse feito outras escolhas. Cash deixa então que Jack lide com a descoberta das ramificações da decisão que tomara 12 anos antes.

Jack descobre como teria sido sua vida se tivesse ficado e se casado com Kate – um emprego sem perspectiva de progresso, morar em New Jersey, falta de dinheiro (a promissora carreira de Kate se transformara em uma atividade advocatícia não-remunerada) etc. Ele também tem dois filhos com os quais não tem o menor contato. Pouco a pouco, vai aprendendo mais sobre as crianças e muda de horrorizado para encantando. No entanto, é com Kate que Jack descobre o que realmente perdeu. Conscientiza-se do quanto a amava e de que nunca deixou de fazê-lo.

Ao tentar voltar para a antiga empresa, Jack descobre que a maneira como levava a vida quando se concentrava apenas em si mesmo não poderia coexistir com a vida em família que descobrira nesse "vislumbre" mágico. Quando começa a compreender que o seu amor por Kate e pelos filhos é mais gratificante do que a antiga obsessão por outro tipo de sucesso, Jack acorda novamente na vida antiga.

Por mais que tente, ele não consegue retomar o estilo de vida anterior. Procura Kate e descobre que, além de ter se tornado uma advogada de sucesso, ela está de mudança para Paris, a fim de dirigir a sucursal de sua empresa naquela cidade. Kate havia ligado para ele para lhe entregar algumas coisas suas que encontrara quando estava fazendo as malas.

Jack segue Kate até o aeroporto e, em uma cena romântica e encantadora, descreve a ela a visão que tivera de quem e do que eles poderiam ter sido. Jack pede desculpas por ter errado tanto e implora que não parta. No final, ela acaba cedendo, e sabemos que ficarão juntos de novo.

A mensagem do poder e da superioridade do amor é óbvia, mas mesmo assim extremamente oportuna.

Hoje em dia, as pessoas estão buscando a felicidade na vida e freqüentemente descobrem que todas as coisas que julgavam desejar, e até mesmo precisar, não as deixam felizes. Estamos percebendo que a mensagem dos grandes anunciantes durante os últimos 40 anos invadiu nossa psique: você não pode ser rico demais ou magro demais, e tudo ficará bem desde que você tenha o carro certo, use as roupas certas e, pelo menos, pareça estar "in".

O problema, contudo, é que estamos descobrindo que a conquista de todos esses objetivos não traz por si só a felicidade. No norte da Califórnia, por exemplo, uma especialidade psiquiátrica evoluiu a partir de milionários da Internet que julgavam o mero advento do dinheiro a resolução de todos os seus problemas. O dinheiro ajuda, mas não cura.

E quanto a não ser possível ser "magro demais"... bem, nunca tivemos tantas mulheres jovens com distúrbios alimentares até 30 ou 40 anos atrás. Mera "coincidência", será?

Filmes como Um Homem de Família *surgem das profundezas na nossa alma e nos desafiam a contemplar com novos olhos as questões que nos apresentam. Quando um filme consegue nos distrair, mexer com nosso coração e, ao mesmo tempo, delicadamente, nos permitir reexaminar nossas prioridades, estamos diante da mais elevada utilização da forma de arte que chamamos de cinema.*

A FELICIDADE NÃO SE COMPRA

Era uma vez um diretor maravilhoso que fez um filme que considerou muito especial. Infelizmente, muitos críticos o detestaram e o arrasaram. A reação do público não foi muito melhor, e o filme desapareceu, sem deixar vestígio. Deprimido e desanimado, o diretor achou que talvez devesse procurar outro tipo de trabalho.

1946. Frank Capra. *A Felicidade não se Compra.*

Difícil de acreditar, não é mesmo?

Pode-se argumentar razoavelmente que *A Felicidade não se Compra* é o filme mais apreciado de todos os tempos. Se não for o mais apreciado, certamente está entre os três ou quatro do topo da lista. Todos os anos, famílias se reúnem perto do Natal e o assistem pela enésima vez, envolvendo-se com ele como se fosse a primeira. Já o assisti pelo menos 50 vezes, e ainda choro quando Clarence recebe as asas. No entanto, quando foi lançado, o filme teve péssima receptividade. Hoje em dia, nós o assistimos como um clássico, mas, definitivamente, não era um filme para sua época. O público precisou aceitar o filme ao longo dos anos, e sob esse aspecto, ele não está sozinho. *2001*, quando foi lançado, também não foi apreciado como o clássico que se tornou. O verdadeiro teste do poder de um filme é a maneira como é percebido pelas gerações futuras. *A Felicidade não se Compra* e *2001* passaram no teste de uma maneira que poucos outros filmes fizeram.

Nenhum filme me deixou mais noites sem dormir do que esse no que diz respeito à decisão de onde discuti-lo. Decidi incluí-lo aqui porque, em essência, é o protótipo da história de amor. Amor aos outros. Amor a si. Amor à vida.

Enquanto filmes como *Um Homem de Família* examinam como nossa vida poderia ter sido diferente se tivéssemos feito escolhas diferentes, a história de *A Felicidade não se Compra* gira em torno da fascinante pergunta de como seria o mundo se não tivéssemos nascido. Todos já nos fizemos essa pergunta nos nossos momentos mais sombrios, e esse filme a desenvolve.

A Felicidade não se Compra também examina nossas prioridades como seres humanos e transmite uma poderosa mensagem sobre a supremacia do amor.

Como sei que muitos de vocês assistiram ao filme, não vou passar um longo tempo descrevendo a trama. George Bailey (James Stewart) mora em uma pequena cidade que deseja ardentemente deixar para poder viajar pelo mundo. Também se apaixona por Mary (Donna Reed), amor que não quer admitir para si mesmo. O pai de George morre e, para impedir que o avarento solitário Potter (Lionel Barrymore) se apodere da firma de hipotecas e empréstimos do seu pai, George concorda em permanecer na cidade e administrar o negócio. Por isso, se rende ao amor que sente por Mary e se casa com ela. Quando está partindo para a lua-de-mel, há uma corrida à empresa do pai, e George distribui pelos depositantes o dinheiro que usaria na lua-de-mel, para manter a firma funcionando. No final, Potter o incrimina falsamente por fraude, e George acha que destruiu a si mesmo, sua família e todos que o cercam. Enquanto cogita se atirar de uma ponte coberta de neve, um personagem maravilhoso chamado Clarence entra em sua vida (um anjo da guarda em treinamento) e oferece a George a oportunidade de ver como seria sua cidade e sua família se ele não tivesse nascido.

George fica horrorizado com as revelações e é trazido de volta à sua existência atual.

Nesse meio tempo, sua família, amigos e pessoas da cidade que ele ajudara ao longo dos anos se reuniram e levantaram o dinheiro para que ele não tivesse problemas.

Na minha opinião, de todos os filmes já produzidos, esse é o que mais confirma a vida e enriquece a humanidade. Foi lançado em 1946, quando os Estados Unidos estavam se erguendo dos escombros da Segunda Guerra Mundial. A nação estava voltada para um recém-descoberto sentimento de auto-respeito e dignidade. Os Estados Unidos sobreviveram a um enorme desafio e o tinham vencido. *A Felicidade não se Compra* gira em torno da Grande Depressão da década de 1930, e os Estados Unidos não pareciam querer aceitar um filme sobre o último grande desafio ao seu modo de vida. Haviam vencido a guerra e estavam querendo olhar para a frente, não para trás.

O senso de oportunidade é um componente crítico no sucesso da maioria dos empreendimentos artísticos, e *A Felicidade não se Compra* não estava em sintonia com a tendência daquele ano – no entanto, o tempo efetivamente possibilitou que o entendêssemos.

George Bailey (e James Stewart, que o interpretou) é um perfeito reflexo do jovem americano idealista da época. Ele faz a coisa certa porque é a coisa certa a ser feita. Nada de perspectivas particulares e de maquinações egoístas. George se apaixona e, por mais que tente evitá-lo, sabe que seria um idiota caso se afastasse desse amor, de modo que desiste do sonho de viajar e fica em casa. O ponto crítico é que George faz isso sem nenhum sentimento de martírio; apenas percebe o que precisa ser feito, e o faz.

Quando as coisas ficam ruins para ele, George fica de tal modo envergonhado e irado que chega a pensar em suicídio. Se Tom Hanks tinha em *Náufrago*, para se livrar da idéia de acabar com a própria vida, uma bola de vôlei chamada Wilson; Jimmy Stewart tinha Clarence. Quando as coisas ficaram difíceis no mundo que o cercava, George permitiu-se esquecer o que era realmente importante em sua vida: sua mulher, sua família, seus amigos. Quando Clarence aparece e lhe mostra como seria a vida sem ele, a experiência o relembra de como sua vida é realmente importante. (O personagem de Clarence também era um lembrete dos "amigos invisíveis" que estão perto de nós durante as noites escuras da alma que todos encontramos. Dizem que nossa alma nunca nos deixa em situações com as quais não somos capazes de lidar, e Clarence é um exemplo clássico da ajuda que está à nossa disposição quando mais precisamos dela.)

A mensagem básica do filme era sobre o poder do amor. George pode ter desistido da idéia de viajar e viver grandes aventuras, mas ganhou uma esposa amorosa, filhos e amigos que se colocaram firmemente ao seu lado no momento mais sombrio de sua vida.

Na última cena, um sino toca na árvore de Natal e a filha de George lhe diz que sempre que um sino toca, um anjo recebe suas asas. A última imagem focaliza George dizendo: "Parabéns, Clarence!"

O amor que cerca George Bailey nos faz lembrar que "nenhum homem (ou mulher) é um fracasso quando tem amigos".

E uma família.

E o poder do amor.

> "A vida é um estado de espírito."
> Muito Além do Jardim

Capítulo Doze

Desta vez, venceremos

Para onde vamos agora?

Filmes

Os estúdios continuarão a produzir filmes do tipo evento, que agradam a todos os gostos porque, francamente, neste estágio, é tudo com que se importam e acham que sabem fazer. A maioria desses filmes é lançada em maio, junho, julho, novembro e dezembro, para aproveitar tanto a temporada do verão quanto a do inverno. Como público, freqüentemente recebemos o máximo pelo dinheiro que gastamos com esses filmes, pelo menos do ponto de vista do "puro espetáculo". Ao pagar a entrada da matinê ou das sessões noturnas, uma enorme quantidade de filmes está passando nas telas e, na maioria das vezes, são escapistas e divertidos. Nada suplantará a excelência dos estúdios nessa área.

No entanto, as questões criativas são profundamente problemáticas. Infelizmente, tudo que obtemos é um "mero espetáculo". A temporada do verão de 2001 é, de modo geral, reconhecida (pelos estúdios, pela crítica e pelo público) como talvez a pior que já existiu. Um filme com propaganda exagerada e subnutrido teve fins de semana de lançamento animadores, mas sua bilheteria despencou quando o público percebeu que a propaganda era muito melhor do que o filme. (O verão de 2002 foi melhor.)

Outro desafio é o fato de que as práticas de marketing dos filmes se tornaram descaradamente agressivas, freqüentemente enganosas e, no que diz respeito aos filmes não recomendados para jovens com menos de 18 anos, inadequadamente direcionadas para audiências mais jovens. Existe uma verdadeira preocupação nos corredores do poder em Hollywood com a possibilidade de que o Congresso esteja de fato pensando em aprovar uma lei restringindo a comercialização de filmes desse tipo para crianças e adolescentes. Embora seja popular em Hollywood gritar "Primeira Emenda!"* diante de qualquer tentativa de infringir a liberdade da expressão criativa, não são os filmes que estão sendo questionados. O problema é o marketing agressivo dirigido a crianças que não devem assistir a esses filmes. Crianças não lêem as críticas, então a exposição delas aos filmes acontece, sobretudo, através das campanhas de marketing.

Ao contrário dos adolescentes, que praticamente não sofrem influência das críticas, os adultos são muito mais seletivos com relação à sua escolha de filmes; por isso, os estúdios se tornaram quase que fanaticamente obcecados por obter críticas positivas que possam inserir nos seus anúncios dos jornais dirigidos aos adultos. Essa obsessão gerou algumas situações bastante embaraçosas. Os críticos, freqüentemente, descobrem que algumas palavras positivas incluídas em seu texto majoritariamente negativo acabarão sendo usadas pelo estúdio nos anúncios, o que faz com que a essência da crítica pareça muito mais favorável do que o crítico pretendia. O que é ainda pior: certos estúdios foram apanhados recentemente criando críticos fictícios e citando críticas favoráveis que essas pessoas teriam feito! Os adultos perceberam todas essas artimanhas e se tornaram, compreensivelmente, desconfiados, e até mesmo descrentes, com relação a esse tipo de propaganda exagerada.

Acrescentando lenha ao fogo das práticas suspeitas, as campanhas de marketing também têm se revelado totalmente enganosas com relação à verdadeira natureza dos filmes. *A. I. – Inteligência Artificial* [*A. I. – Artificial Intelligence*], por exemplo, foi comercializado como uma divertida aventura de Steven Spielberg, própria para crianças acima de 13 anos, estrelado por Haley Joel Osment. Acreditando nessas informações, muitas pessoas foram com os filhos ao cinema no fim de

---

*Uma emenda à Constituição dos Estados Unidos que garante o direito da livre expressão; ela inclui o direito de reunião, da imprensa, da religião e da palavra. (*N. da T.*)

semana do lançamento e ficaram chocadas com a natureza violenta e depressiva do filme.

Outro grande desafio aos estúdios é o fato de que os custos de produzir e comercializar esses enormes sucessos de bilheteria estão rapidamente atingindo um ponto crítico. Os estúdios recebem apenas cerca de metade da receita bruta dos donos de cinema. Vale lembrar que quando você lê a respeito de "receita recorde de bilheteria", os valores são incrivelmente significativos para o cálculo efetivo do lucro/prejuízo de um filme específico.

Os estúdios estão jogando um jogo terrivelmente arriscado, que chamo de "Roleta-Russa de Celulóide". A aposta é que o mercado mundial continuará a se expandir, tornando as bibliotecas de filmes ainda mais valiosas e atraindo um público cada vez maior (como a China continental) aos cinemas. No entanto, o grande perigo dessa suposição é que um único desastre de um megaorçamento pode destruir a viabilidade de todo um estúdio. Isso aconteceu à United Artists com *O Portal do Paraíso* [*Heaven's Gate*] em 1980, como acontecera anteriormente à Fox com *Tora! Tora! Tora!* [*Tora! Tora! Tora!*], e é apenas uma questão de tempo até acontecer novamente.

Os estúdios também continuarão a produzir filmes para os jovens. Os adolescentes são a audiência mais confiável que existe para os filmes. Enquanto a maioria dos adultos decide se vai ou não sair, os adolescentes se recusam a ser vistos com os pais no cinema. Chega uma hora em que temos que deixá-los no shopping, certo? E também não pode ser muito próximo da entrada, porque Deus nos livre se um "gato" ou uma "gata" os visse saltando do carro dos pais! Todos nos lembramos (quer o queiramos, quer não) de como era ser adolescente. Temos que andar em grupo, paquerar os rapazes, ou as garotas, e simplesmente "ser vistos". Os filmes ainda são uma diversão barata para os jovens e, o mais importante, eles propiciam aqueles momentos que têm lugar no "escurinho" do cinema, quando o braço que está nas costas da poltrona desce sobre o ombro dele (dela) e acontece o primeiro contato. Mesmo que apenas por esse motivo, os adolescentes permanecerão fiéis ao cinema até que uma alternativa adequada seja inventada. Tremo ao pensar em que alternativa poderá ser essa. (Alguém me disse que perdemos uma grande oportunidade de realmente mostrar como era o verdadeiro inferno em *Amor Além da Vida*. A sugestão dessa pessoa foi que tudo deveria ter sido filmado em uma escola de ensino médio.)

As famílias também não serão esquecidas, porque a experiência familiar compartilhada no cinema ainda guarda muita magia; no entanto, esse tipo de filme, certamente, mudou bastante. Agora, é preciso que haja algo neles que os adultos também apreciem, e isso revolucionou até mesmo os desenhos animados. Os adultos irão regularmente ao cinema com os filhos menores *se* o filme também for divertido para eles. Os estúdios descobriram que os pais também precisam se distrair no cinema, porque as crianças, até certa idade, não podem ser deixadas sozinhas na porta do cinema. Os pais precisam acompanhá-las. Os adolescentes, que geralmente rejeitam desenhos animados para crianças quando atingem a puberdade porque não gostam mais de ser considerados "crianças", também se sentem atraídos pelas animações de grande sucesso. Quando um desenho atrai crianças, adolescentes e pais, temos um enorme sucesso de bilheteria. Eu ri com mais intensidade e mais vezes do que minha filha Heather, de 15 anos, quando fomos assistir a *Shrek* [*Shrek*]. (Estava chegando o Dia dos Pais, de modo que ela decidiu ser boazinha com o papai e aceitou ser vista no cinema comigo. Poucas vezes me senti mais honrado – e vocês que têm filhos adolescentes sabem exatamente o que estou querendo dizer.)

As grandes produções continuarão a passar em 2 ou 3 mil cinemas ao mesmo tempo e talvez até cresçam em abrangência e ambição. Filmes com orçamento superior a 100 milhões de dólares deixaram de ser raridade. Apesar de todos os desafios já discutidos neste capítulo, certamente podemos esperar que os estúdios continuem a competir uns com os outros nesse tipo de filme.

Eles já estão se afastando do seu papel tradicional de ser simultaneamente criadores, produtores e distribuidores. Um número cada vez maior de filmes está sendo desenvolvido e produzido com financiamento independente e, a seguir, distribuído pelos estúdios com o objetivo de reduzir ao máximo a vulnerabilidade financeira. Basicamente, os estúdios estão se tornando entidades de distribuição, o que só tende a crescer.

E os outros filmes, que não são grandes produções nem filmes dirigidos à família e aos adolescentes?

Está cada vez mais difícil exibi-los nos cinemas convencionais. Os cinemas de arte continuam a sobreviver na maioria das grandes cidades, mas esse tipo de filme, em geral, não é exibido em outros cinemas do país. Os adultos estão muito sofisticados hoje em dia, e está ficando cada vez mais difícil levá-los ao cinema com regularidade. A comédia ainda é uma grande experiência nos cinemas devido à reação em grupo, mas até mesmo as comédias para adultos se tornaram uma espécie ameaçada.

Os estúdios não desistem de vez de produzir filmes destinados ao público adulto porque o Oscar ainda gera muito prestígio e dinheiro... mas o processo se tornou muito mais arriscado.

ENTRETENIMENTO ESPIRITUAL, TECNOLOGIA... E ALÉM

Embora a questão do preconceito de idade seja muito controvertida em Hollywood, a verdade nua e crua é que as pessoas mais jovens representam um público muito mais confiável do que as que têm mais de 40 anos; no entanto, um argumento válido pode ser que os adultos talvez fossem com mais freqüência ao cinema se mais filmes fossem produzidos para eles, e abraço essa idéia com entusiasmo. *Os adultos ainda adoram ir ao cinema quando se sentem atraídos pelo tema. Sempre haverá, portanto, um lugar para filmes especiais para adultos se os custos forem controlados e o tema for estreitamente concentrado para que o marketing possa ser muito específico e menos dispendioso.*

Se você está achando que isso é uma descarada propaganda de filmes espirituais para adultos, acertou em cheio. Assim como compartilhar a alegria de uma comédia e a emoção de um filme de terror são experiências em grupo maravilhosas, o mesmo se pode dizer de uma experiência em grupo de inspiração e esperança. As pessoas desejam ardentemente se conectar umas com as outras e com o seu próprio eu. Não vamos estabelecer o reconhecimento desse gênero de espiritualidade e depois, simplesmente, ir embora. Só começamos a puxar o véu. A beleza do que está embaixo apenas começa a ser revelada.

No que diz respeito ao tema de futuros filmes desse gênero, e aos métodos de distribuição utilizados, nossa grande amiga – a tecnologia – exercerá grande impacto.

Como foi assinalado a respeito de *Final Fantasy*, a produção digital dos filmes já está entre nós e rapidamente suplantará o uso da película. A versão mais recente de *Guerra nas Estrelas* foi filmada digitalmente e muitos outros filmes desse tipo continuarão a ser produzidos.

A Metafilmics concebeu e produziu o primeiro filme original de Hollywood projetado para ser exclusivamente distribuído pela Internet. Usamos uma câmera digital para filmar *Quantum Project* [*Quantum Project*] para a Sightsound.com, e posso afirmar, a partir de minha experiência pessoal, que nenhum de nós deseja trabalhar de novo com o antiquado celulóide. Filmar em formato digital é muito rápido por várias razões, e a pós-produção é tão mais fácil que chega a parecer uma brincadeira. O filme de celulóide precisa ser processado, editado etc. Na versão digital, vemos imediatamente o resultado da filmagem em um monitor. A seguir, simplesmente colocamos esse resultado em um sistema computadorizado de editoração, e pronto. Tudo está ali instantaneamente, e levamos a metade do tempo para editar. Podemos fazer múltiplas versões apenas com um toque etc. O único empecilho para que o formato digital substitua completamente o filme de celulóide são as diferentes estéticas ainda existentes. O filme tradicional transmite uma sensação mais rica, mais suave; no entanto, logo isso será corrigido, e o filme de celulóide se tornará algo do passado.

Os cinemas, futuramente, também precisarão estar equipados com sistemas de projeção digital, e esse será um bônus triplo: para os estúdios, para os proprietários de cinema e para o público.

Os estúdios poderão economizar muitos milhões de dólares em cópias de filmes que hoje custam aproximadamente 2 mil dólares cada. Quando a cópia de um filme puder ser digitalmente transmitida para milhares de cinemas, a economia será fabulosa.

O custo do manuseio do filme, dos operadores e de coisas afins será reduzido. Os proprietários de cinema reclamam das despesas que terão para converter seus cinemas à projeção digital, e os estúdios estão com medo da possibilidade de os sinais digitais serem interceptados, mas esses problemas acabarão sendo resolvidos com o tempo. Embora o orçamento atual para a conversão dos cinemas ao formato digital esteja na faixa de 100 mil dólares por tela, está sendo desenvolvida uma tecnologia que reduzirá essa estimativa à metade, e talvez a menos da metade. O raciocínio tem sido, por exemplo, que os cinemas terão que ser modificados para a transmissão via satélite etc. A Microsoft, a Panasonic e a Sightsound já testaram uma tecnologia que poderia levar a cópia à tela via Internet. Os donos de cinema também logo descobrirão que a tecnologia digital nos seus cinemas lhes possibilitará usá-los para eventos internacionais, concertos, eventos esportivos e outras diversões além dos filmes. Como muitos cinemas têm uma freqüência pequena nas matinês dos dias de semana (exceto nas grandes cidades), esses outros eventos poderiam se revelar extremamente lucrativos.

A tecnologia digital já está disponível em alguns cinemas, e os estúdios estão começando a se aventurar nessa nova forma de exibição. Para nós, espectadores, trata-se de uma grande vantagem. A qualidade da imagem na tecnologia digital é imensamente melhor, e a "cópia" parecerá tão imaculada depois de três meses quanto no primeiro dia de exibição. Não haverá mais chiados ou ruídos estranhos, como acontece hoje em dia quando as cópias já foram projetadas durante algumas semanas.

A inovação digital também conduzirá ao que acredito ser uma das novas fronteiras do entretenimento: a Internet. Mencionamos o efeito pêndulo anteriormente neste livro. A viabilidade da Internet como "máquina de fazer dinheiro" foi trágica e drasticamente exagerada em 1999 e no início de 2000. Ações de empresas da Internet totalmente desprovidas de critérios de sucesso estavam sendo vendidas a centenas de dólares cada uma. A bolha tinha que estourar, o que de fato aconteceu, fazendo com que o pêndulo oscilasse na direção oposta, e agora todo o fenômeno está sendo considerado como tendo sido uma tendência passageira. Não acredite nisso. A Internet será um mercado incrível para o entretenimento assim que a tecnologia de banda larga estiver prontamente disponível.

Basicamente, a banda larga diz respeito à velocidade. As pessoas estão acostumadas a ligar a televisão e obter uma imagem instantânea. Os modems tradicionais de 56k dos computadores são excessivamente lentos para o download de filmes. *Quantum Project* é um filme de 32 minutos, que leva quatro horas para ser baixado em um modem tradicional de 56k. Ninguém se interessaria por isso. No entanto, a banda larga pode fazer o download do filme em 15 minutos, e logo isso será feito ainda mais rápido. Quando as pessoas puderem fazer rapidamente o download de filmes na Internet e a seguir conectar o computador à televisão (o que na verdade já pode ser feito por meio de um "cabo monstro"), um mercado totalmente novo se abrirá. A Internet será para a indústria do entretenimento, nos anos pós-2005, o que o videocassete foi na década de 1980. Não é uma questão de "se", e sim de "quando".

Enquanto estamos examinando o entretenimento no lar através dos computadores, também é importante comentar a explosão na tecnologia a cabo e na diversificação. Os lares nas principais cidades americanas hoje em dia já têm capacidade de receber mais de 100, ou até centenas, de estações. O desafio, obviamente, será a programação, porque, neste momento, a tecnologia está bem à frente da criatividade. É ótimo ter todos esses canais, mas que tipo de programação oferecer? A resposta já começa a se tornar evidente. Os canais serão extremamente especializados e se concentrarão nos interesses particulares dos espectadores. Já temos vários canais de esportes, inclusive alguns exclusivamente dedicados ao golfe e à pesca. Temos canais de culinária, história, religião etc.

É apenas uma questão de tempo – e dinheiro – para que haja canais a cabo 24 horas exclusivamente dedicados ao entretenimento espiritual. Programas de entrevistas, seriados, comédias, filmes, documentários etc. Em algum lugar existe uma entidade que se tornará a HBO dessa área. Quando esses canais se tornarem grandes sucessos, as pessoas olharão para trás e se perguntarão por que isso levou tanto tempo para acontecer; além do mais, não nos lembraremos de como eram as coisas sem esses canais. Muitos adolescentes hoje em dia não se lembram do mundo da televisão sem a MTV, e o mesmo acontecerá com os canais de entretenimento espiritual.

E a experiência cênica do entretenimento espiritual?

Acredito que o próximo "grande evento" no aperfeiçoamento tecnológico da experiência cênica será o advento da experiência da realidade virtual (que provavelmente será chamada de "imersão") em cinemas especialmente equipados. Hoje, só podemos mergulhar em uma experiência de realidade virtual vestindo capacetes ligados a programas de computador. Quando vivermos esse tipo de aventura, nunca a esqueceremos. Não assistimos. *Estamos presentes.* Mergulhamos na aventura.

Essa tecnologia já existe, e agora é apenas uma questão de tempo para que os gênios que inventam e a seguir aprimoram esses saltos quânticos descubram uma maneira de modificar certos cinemas pequenos para que possam incluir o equipamento que possibilitará aos espectadores se sentirem realmente dentro da história a que estão assistindo. Não creio que a interatividade seja necessariamente uma meta apropriada, porque acredito que o público gosta de se entregar às visões que estão assistindo. No entanto, é possível que no futuro ambas as experiências possam ser vivenciadas.

Se você está achando que o que acabo de dizer é um mero vôo da minha imaginação, volte ao início da era do computador. Percebendo como a tecnologia avançou à velocidade da luz, chegamos à conclusão de que tudo o que criamos na área da invenção técnica estará à nossa disposição muito antes do que imaginamos.

Quando a "imersão" acontece, a experiência dos sonhos e das visões de nossa alma será possível de uma maneira sensacional, que hoje apenas podemos começar a imaginar.

Quanto ao conteúdo criativo, que aventuras nos esperam nesse mundo virtual?

Talvez o primeiro filme real sobre a Atlântida e a Lemúria? Qual *é*, realmente, o segredo de Oak Island? (Nunca ouviu falar nele? Você ouvirá.) Novas versões da história de Jesus parecem inevitáveis. O mundo completo dos nossos sonhos noturnos e do que eles significam estarão disponíveis. As nossas visões interiores de mundos passados e futuros ganharão forma. Em que consiste a viagem no espaço e no tempo? Como começou o Universo? Para onde ele está indo? Alienígenas em uma nova perspectiva. Meditações dirigidas no espaço virtual. A própria evolução.

Outro aspecto emocionante do futuro virá do reservatório praticamente inexplorado de livros que foram escritos sobre o tema da espiritualidade. Examine suas estantes e imagine que todos os livros do gênero que você adora estarão um dia disponíveis em filme, porque certamente estarão. No cinema, nos programas de televisão, em downloads na Internet, em produtos direto ao consumidor – todos estarão disponíveis para traduzir a riqueza da literatura já existente e a que será escrita aos milhares de pessoas à medida que o novo milênio se desdobra.

Todos esses mundos e outros ainda não imaginados nos aguardam no limite da nova era do entretenimento espiritual.

Experimentamos milhares de anos de evolução neste planeta. Vimos o nascimento e a queda de civilizações. Testemunhamos a devastação causada por todos os tipos de cataclismos, tanto pelas forças da natureza como também, tristemente, pela nossa fraqueza. Muitos de nós sabemos que já estivemos aqui antes. Sofremos as conseqüências do nosso próprio medo.

Após falar tudo isso, quero voltar à pergunta que fizemos no início desta discussão:

Por que estamos aqui?

Acredito apaixonadamente que desta vez voltamos com uma nova visão. Para nós. Para nossos filhos. E para o nosso planeta. Um compromisso muito diferente e inabalável.

Desta vez, venceremos.

"Um produtor pode ficar rico, mas ganhar a vida é realmente muito difícil."
Lawrence Turman, produtor

Capítulo Treze

Curso básico de produção

AFINAL, O QUE *É* REALMENTE UM PRODUTOR?

O que efetivamente *fazemos*?

E por que sempre parece haver pelo menos sete ou oito diferentes créditos referentes à produção ou à produção executiva em cada filme?

Conheço a imagem que vocês têm na cabeça: fumamos charuto, usamos muitas jóias de ouro, somos desonestos, fazemos maquinações, andamos atrás de meninas adolescentes, roubamos e enrolamos. E isso nos melhores dias, certo?

Na verdade, não conheço nenhum produtor que se encaixe perfeitamente nessa descrição, embora deva admitir que certos aspectos dela se ajustem a um pequeno número deles; no entanto, de um modo geral, existe um conceito totalmente equivocado de quem somos e do que fazemos.

O papel de produtor, hoje em dia, é em geral fácil de explicar, embora os detalhes mudem de filme para filme, dependendo de como ele surgiu. Normalmente, vale a pena encarar os filmes como uma pintura. O produtor fornece a tinta, o cavalete e a tela para que o diretor possa pintar o quadro.

Os produtores de filme, hoje em dia, se encaixam em três categorias gerais: financeira, criativa e operacional.

Os produtores *financeiros* (*financial producers*) são aqueles que fornecem ou conseguem o financiamento de um projeto. Podem ter ou não algo a ver com o filme além desse aspecto, mas se trata de uma contribuição indispensável, e o crédito é quase sempre concedido a qualquer um envolvido nesse processo. Em geral, as pessoas que fazem esse tipo de contribuição recebem créditos de produção executiva.

Os produtores *criativos* são aqueles que criam, desenvolvem e supervisionam a produção e a pós-produção e/ou organizam o financiamento de um filme (em vez dos produtores financeiros ou em conjunto com eles). Esses produtores criam um projeto, desenvolvem um roteiro ou reúnem roteiristas com idéias. Esses produtores são os verdadeiros protagonistas no processo de formação de um filme e são, em geral, as únicas pessoas que o acompanham do início ao fim. Eles pensam em uma idéia, conseguem um roteirista, desenvolvem o roteiro, encontram o diretor, organizam o financiamento, supervisionam o elenco (junto com o diretor), supervisionam a contratação da equipe, supervisionam o filme a partir de um ponto de vista criativo, supervisionam a edição (sendo que, nesse aspecto, o diretor é a principal autoridade) e conversam com o distribuidor sobre o marketing e o lançamento do filme.

Os produtores criativos são, em geral, a categoria mais poderosa. O famoso "produzido por" (*produced by*) é o crédito de produção mais cobiçado por muitas razões, principalmente porque somente os produtores com créditos do tipo "produzido por" têm permissão para receber o Oscar. Ser um produtor de sucesso hoje em dia na indústria cinematográfica é extremamente desafiador e muito poucos conseguem se tornar um produtor proeminente e se manter no posto. Para isso, é preciso ser extremamente esperto e dinâmico. É preciso trabalhar sete dias por semana, 24 horas por dia, dando telefonemas, comparecendo a reuniões e ficando de olhos e ouvidos bem abertos para as intrigas e fofocas dos executivos. É preciso ser também um político muito esperto e astuto, além de ter bom gosto e coragem. Os principais produtores da atualidade – Jerry Bruckheimer, Scott Rudin, Mark Gordon – são produtores criativos e merecem todos os créditos do mundo por serem capazes de fazer o que fazem. Pessoalmente, nunca soube como administrar todo o processo de forma sistemática. Eu tinha algumas dessas qualidades, mas, sem dúvida, nem todas (eu era um *péssimo* político) e provavelmente, no meu melhor dia, teria sido considerado pelo setor como um profissional médio ou médio para menos. (Hoje em dia, em decorrência do meu foco exclusivamente espiritual, sou considerado pela maior parte do setor como um pouco problemático, e algumas pessoas provavelmente omitiriam o "um pouco".)

Os lendários produtores da nossa área (David O. Selznick, ou os meus dois chefes anteriores, Ray Stark e Dino de Laurentiis) são considerados produtores criativos, embora o ramo seja tão diferente hoje do que era naqueles tempos que é extremamente difícil fazer conexões exatas.

Os produtores *operacionais* (*operational producers*) são chamados de "produtores de linha" (*line producers*) no setor, e o crédito que recebem na tela tem esse nome, "assistente de produção" (*associate producer*), "co-produtor" (*co-producer*) e, às vezes, também "produtor executivo" (*executive producer*) ou "produzido por". Esses produtores são absolutamente indispensáveis ao processo como um todo e, quando realmente competentes, são tão procurados quanto alguns diretores. Esses produtores têm a responsabilidade de elaborar o orçamento do filme e depois respeitá-lo até o fim, além de supervisionar as ações diárias da equipe e de todo o filme. Espera-se que eles saibam como e onde o dinheiro está sendo gasto, e que avisem o produtor e/ou a entidade responsável pelo financiamento sempre que algum problema surgir. (É claro que isso depende do relacionamento do produtor de linha com o produtor, que poderá ou não querer que essa informação seja passada rapidamente, mas essa é outra história.)

Hoje, o número de filmes nos quais apenas uma ou até duas pessoas executam todas essas funções é mínimo.

Todas essas categorias têm exceções e regras próprias. Os roteiristas, às vezes, têm influência suficiente para conseguir um crédito de produção, assim como alguns *personal managers* e outros também o conseguem.

(A produção na televisão é diferente. Nela, os produtores executivos detêm, em geral, a autoridade criativa e de redação por trás dos programas, e quase todo o poder reside neles. Os produtores de televisão acumulam, na maioria das vezes, a função de roteiristas e de outros membros criativos da equipe.)

A proliferação dos créditos de produção dos filmes no decorrer da última década desfez os limites do que um produtor realmente faz, o que, de modo geral, não é considerado no setor um fato positivo. Dizem hoje em Hollywood, e também fora de lá, que até mesmo "cabeleireiros" podem obter créditos. Esse comentário nasceu de uma crítica muito injusta a Jon Peters, que era cabeleireiro de Barbara Streisand quando começou a atuar na produção de filmes. Todo mundo tem que começar em algum lugar. Jon se tornou um produtor rico e muito bem-sucedido, e merecidamente riu por último.

O desafio é que tudo é diferente em cada filme que é produzido. Na maioria dos negócios, a estrutura é formada, e depois seguimos um procedimento recomendado. Uma fábrica de automóveis, por exemplo, constrói uma linha de montagem e depois apenas a readapta e moderniza, conforme a necessidade. Na indústria cinematográfica, começamos todas as vezes do zero. Não existem regras ou infra-estruturas rígidas, e é isso que torna o processo tão desafiante, frustrante, fascinante e gratificante.

É preciso realmente conhecer os detalhes do filme para saber quem recebeu qual crédito e por quê. Eis um exemplo pessoal: em *Amor Além da Vida*, Barnet e eu recebemos os créditos de "produzido por". O roteirista Ron Bass recebeu crédito de produtor executivo (bem merecido, porque fez muito mais do que escrever o roteiro). Ted Field, Scott Kroopf e Erica Huggins também receberam créditos de "produtor executivo". Ted é dono da Interscope e foi a pessoa que lutou e se empenhou em obter financiamento para o filme, além de ter administrado toda a intermediação (impedindo, na verdade, uma verdadeira interferência) da empresa responsável pelo financiamento, a Polygram. Scott e Erica são as cabeças criativas da Interscope e estiveram intimamente envolvidos com todo o processo da produção do filme. Alan Blomquist recebeu crédito de "co-produtor", como produtor de linha.

Citando uma velha canção de Harry Belafonte... "it's as clear as mud, but it covers the ground" (está tão claro quanto lama, mas cobre o chão).

Então, por que decidi ser produtor de filmes?

Adoro o cinema.

Sentado no escuro diante de uma tela gigantesca, totalmente imerso em uma realidade paralela, identificando-me com o personagem que mais admiro (ou talvez que menos admiro), comendo pipoca, tomando Coca-Cola... simplesmente fascinado.

Fui criado com o cinema. Literal e figuradamente. Vivo nos filmes e através deles. Sempre vivi. Para mim, os filmes representam, com freqüência, um reflexo melhor do "mundo real" do que essa ilusão na qual caminhamos diariamente. Assisto a pelo menos 60 ou 70 filmes novos por ano, e faço isso desde a adolescência.

Minha lembrança mais antiga é estar sentado em casa, no colo do meu pai, aos 3 anos de idade (1949), assistindo a seqüências de filmes ainda não editadas. O meu pai biológico chamava-se S. Sylvan Simon e era produtor, diretor e executivo de estúdio. Produziu filmes com Abbott e Costello, e Red Skelton, de modo que nossa casa na zona leste de Los Angeles era sempre alegre. No entanto, essa alegria terminou quando meu pai morreu repentinamente de hemorragia cerebral em 1949, aos 39 anos de idade. Isso aconteceu pouco antes de eu completar quatro anos. Susie, minha irmã, tinha 12.

Minha mãe se casou um ano depois com um homem maravilhoso chamado Armand Deutsch, que se tornou o meu pai (por esse motivo, chamei Sylvan Simon de meu pai biológico) e me criou com o mesmo amor, generosidade e dedicação com os quais me teria criado caso tivesse sido meu pai biológico. Ele também era produtor de filmes, de modo que realmente nasci e fui criado ao redor dos filmes. Independentemente de onde eu estivesse, sempre ia ao cinema pelo menos duas vezes por semana e assistia a todos os filmes que conseguia encontrar na televisão. Olhando para trás, foi como aprender tudo que pude sobre a linguagem cinematográfica porque sabia que o meu caminho na vida seria produzir filmes. Sem dúvida, passei por várias experiências diferentes – política, faculdade, e conquistei até um diploma de advogado –, mas sabia que no final eu acabaria no ramo do cinema. Era apenas uma questão de tempo. Seria impossível eu exercer a advocacia durante muito tempo. Não gostava do que fazia e sabia que nunca seria um bom profissional. (Perguntaram ao falecido George Burns, na véspera do dia em que completou 100 anos, qual o seu segredo de longevidade. Sem hesitar, respondeu: "Ame o que você faz.")

No outono de 1975, eu tinha 29 anos e estava tremendamente entediado. Não estou querendo ofender os advogados Adoro observar os grandes profissionais em ação. Eu simplesmente sabia que jamais poderia ser um deles. Eu me formei pela Loyola Law School e obtive o registro para exercer a profissão na Califórnia em 1974, mas naquela época já tinha desistido da idéia de exercer a advocacia. Estava me sentindo cada vez mais tenso. Você se lembra da música de Phil Collins que tem este refrão:

"I can feel it comin' in the night... hold on... hold on. I've been waiting for this moment for all my life."
(Posso sentir aquilo chegando na noite... persista... persista.
Tenho esperado por este momento a vida inteira.)

Não poderia haver descrição mais perfeita de mim, que sou aquele gato de cauda longa em uma sala cheia de cadeiras de balanço. Eu estava pronto. "Aquilo" estava chegando, mas eu não tinha a menor idéia do que era "aquilo", de onde estava vindo ou de como reconhecê-lo quando chegasse.

Eu lia muito naquela época. Sempre adorei ler, desde a época em que orgulhosamente devorara todos os livros de Hardy Boys e Tom Swift. Havia uma livraria em Beverly Hills chamada Martindale's (La Scala está no local agora). Eu ia lá o tempo todo e ficava folheando os livros e batendo papo com os vendedores.

Certo dia, entrei na livraria e um vendedor que me conhecia bem disse que tinham acabado de receber um livro que ele achava que eu iria adorar. O vendedor sabia que eu adorava livros de fantasia e ficção científica, de modo que um novo livro de um famoso autor nessa área me pareceu perfeito. Ele me entregou um exemplar de *Bid Time Return*, de Richard Matheson (*I Am Legend*, *The Incredible Shrinking Man* etc.), que comecei a ler.

Naquela noite, minha vida mudou para sempre.

Li o livro de uma tacada e fiquei simplesmente hipnotizado. Através da minha eterna paixão pelo cinema, tinha consciência de que a característica inconfundível de qualquer grande história de amor são os obstáculos entre os enamorados, desde a época de *Romeu e Julieta*. *Bid Time Return* tinha como obstáculo a barreira da vida, e por isso eu percebi que a essência do livro continha algo muito poderoso. Também sabia que esse era o sinal pelo qual eu esperava. Estava na hora de largar a advocacia e entrar no setor cinematográfico, para poder transformar aquele livro em filme.

Três anos depois, em 1979, Matheson me entregou a prova do seu novo romance: *What Dreams May Come*. Muitas pessoas me pediram, ao longos dos anos, que narrasse as sagas de *Somewhere in Time* (*Em Algum Lugar do Passado*) originalmente *Bid Time Return*, e de *What Dreams May Come* (*Amor Além da Vida*).

Embora essas lembranças detalhadas não façam parte da tendência básica da narrativa deste livro, estou ciente da intensidade da emoção de muitas pessoas por esses dois filmes (e da minha também!); por isso, incluí a história detalhada por trás desses filmes nos dois próximos capítulos do livro.

Como está explicado no Capítulo 14, minha primeira verdadeira oportunidade surgiu quando Ray Stark me contratou como seu assistente, em 1976, e teve início minha jornada no mundo do cinema.

Nos últimos 25 anos, estive envolvido com cerca de 25 filmes, quer como produtor, quer como presidente de empresa cinematográfica. Os filmes variaram de *Em Algum Lugar do Passado* e *Bill e Ted – Uma Aventura Fantástica*, de *Amor Além da Vida* a *A Chance*, de *Não Mexa com a Minha Filha* [*She's Out of Control*] a *Corpo em Evidência* [*Body of Evidence*]. No mínimo, uma mistura eclética.

Eu me casei em 1978 e fui pai instantaneamente, porque minha mulher trouxe com ela minha filha mais velha, Michelle, que na época tinha apenas 1 ano e meio. Nos dez anos seguintes, também tivemos Cari, em 1980, e Heather, em 1986, e a minha filha adotada Tabitha entrou em minha vida em 1989, aos 12 anos.

O casamento terminou em 1988 de forma muito traumática, cujos detalhes não vou descrever aqui por respeito às minhas filhas e à privacidade da minha ex-mulher e de sua família. A situação foi tão dolorosa que não consegui me concentrar no trabalho e, ao mesmo tempo, enfrentei a falência. Foi minha noite muito escura da alma.

Fiquei sem trabalhar durante quase dois anos, até me reerguer e me ver diante da fantástica oportunidade de trabalhar para outra lenda. O produtor Dino de Laurentiis é um homem extraordinário, uma verdadeira lenda, e tive a sorte de trabalhar para ele. Dino também abriu o caminho para a moderna prática de financiar os filmes bifurcando os direitos, ou seja, vendendo-os individualmente. Dino vendia os direitos nacionais de um filme a um estúdio, retendo todos os direitos internacionais, que depois vendia por sua própria empresa. O desafio era tentar garantir um lucro adiantado obtendo mais com os direitos das vendas do que o que o filme iria custar. Por exemplo, poderíamos vender os direitos nacionais de um determinado filme por 50% do orçamento, e depois esperar obter 60% do orçamento de fontes estrangeiras, garantindo um lucro de 10%, independentemente dos resultados comerciais (pressupondo-se que o filme fosse concluído dentro dos custos previstos). Dino era um gênio sob esse aspecto; além disso, havia produzido grandes sucessos como *Serpico, Três Dias do Condor* [*Three Days of the Condor*] etc., de modo que sua participação nos lucros também era significativa. Era como ser pago para aprender com um mestre... e Dino também era um dos mais cativantes e exaltados contadores de histórias de todos os tempos. Uma pessoa única.

No final de 1991, tínhamos distribuído o documentário *Truth or Dare* (Verdade ou desafio) fora dos Estados Unidos (onde Dino, com o seu jeito inimitável, deu-lhe o novo título de *Na Cama com Madonna*). Tínhamos tido muito sucesso com o documentário e queríamos fazer outro filme com Madonna. Ela nos disse que queria fazer um filme de suspense muito sexy, e descobri um roteiro chamado *Corpo em Evidência*, que ela aceitou fazer.

Quero tecer um comentário sobre a minha experiência de trabalhar com Madonna. Ela é fantástica sob todos os aspectos. Bem no início do trabalho, disse-me que iríamos nos dar muito bem desde que eu sempre falasse a verdade, independentemente do que estivesse acontecendo. Segui seu conselho, e Madonna foi uma profissional perfeita. Além disso, era encantador estar ao lado dela. Uma breve história: o condicionamento físico de Madonna na época estava maravilhoso. Ela se exercitava todos os dias durante horas. Filmamos em Portland, Oregon, e, é claro, precisamos contratar seguranças para acompanhá-la. Madonna era, provavelmente, a mulher mais famosa do mundo naquela época. Não estávamos dispostos a correr riscos, de modo que contratamos Pete Weireter como chefe da segurança. O outro trabalho de Pete na época era treinar o esquadrão de elite Swat do Departamento de Polícia de Los Angeles. (Também é interessante observar que, três anos depois, foi Pete que, como principal negociador da LAPD, convenceu O. J. Simpson a desistir do Bronco branco depois da famosa perseguição a baixa velocidade que terminou com O. J. voltando à sua casa em Brentwood.)* Madonna havia pedido que eu me certificasse de que a equipe de Pete estava em boa forma física para poder acompanhá-la em seus exercícios matinais nas ruas de Portland. Pete apenas sorriu quando falei com ele, e pude ler seu raciocínio: "Claro, essa baixinha (Madonna não é alta) vai ser um problema para os meus homens. Só rindo." Quando informei a Madonna que Pete não parecia ter ficado muito impressionado, ela apenas deu um sorriso de quem sabia das coisas e me pediu que lhe desse cobertura naquela primeira manhã junto com a equipe da segurança. Bem, ela correu cerca de 16 quilômetros e acabou voltando sozinha, com a equipe de segurança espalhada atrás dela, esforçando-se para conseguir voltar. Pete decidiu trazer mais homens e reservou um veículo para acompanhá-la nas suas corridas daquele dia em diante. Madonna levou todo o episódio na brincadeira, e Pete nunca o esqueceu. Quando me encontrei com ele, anos depois, suas primeiras palavras foram sobre aquele momento e sobre seu desapontamento ao ver Madonna deixar sua equipe para trás.

---

* O. J. Simpson havia prometido entregar-se à polícia às 11h da manhã do dia 17 de junho de 1994 por ser suspeito do assassinato da ex-esposa e do namorado dela, ocorrido cinco dias antes. Como não apareceu na hora combinada, começou a ser procurado pela polícia. Pouco antes das 7 da noite, um veículo da polícia avistou seu carro, um Bronco branco, e começou a persegui-lo. Quando o carro da polícia emparelhou com o de Simpson, o amigo de Simpson que dirigia o carro informou ao policial que Simpson tinha uma arma apontada para a cabeça dele. O policial então recuou, e teve início uma lenta perseguição que durou duas horas. Helicópteros das redes de televisão fizeram a cobertura da perseguição e a NBC chegou a interromper a transmissão do jogo final do campeonato da NBA de 1994. O amigo de O. J. acabou levando o carro de volta à casa de O. J. Calcula-se que 95 milhões de pessoas tenham assistido à perseguição ao vivo nos Estados Unidos. (*N. da T.*)

O lançamento de *Corpo em Evidência* estava previsto para o final de janeiro de 1993, e o levamos a Nova York para a primeira apresentação à imprensa no dia 12 de janeiro de 1993, outra data que modificaria para sempre minha vida.

Sem entrar em detalhes irrelevantes, o filme foi muito mal recebido; na verdade, houve até vaias. Foi um momento definitivamente humilhante. Eu namorava, na época, uma mulher que estava comigo em Nova York naquela noite fatídica. De madrugada, ela me disse: "Volte ao seu coração, Stephen. O cara que começou produzindo *Em Algum Lugar do Passado* não deveria estar envolvido com filmes como *Corpo em Evidência*. Não que haja algo errado com filmes desse tipo, mas eles não são sua cara. Não representam o que você veio fazer aqui e, decididamente, não são o que você é." Ela mudou o rumo da minha vida naquela noite e, embora não tenhamos ficado juntos, ainda somos amigos, e ela sabe que lhe serei eternamente grato por ter me guiado de volta ao lugar que o grupo musical Enigma chama de "the rivers of belief" (os rios da crença).

Naquele momento, eu soube que minha vida não poderia continuar daquela maneira. Infelizmente, os meses seguintes que passei trabalhando para Dino foram problemáticos. Eu mudara e queria modificar a orientação da empresa. Dino vinha fazendo as coisas do seu jeito, com muito êxito, havia 50 anos. Brigamos. Finalmente, ele se cansou do conflito e me demitiu em agosto de 1993 (mais a respeito disso no Capítulo 15). Eu já não estava fazendo o que era melhor para ele e para a empresa. Sempre lastimei o fato de as coisas terem terminado dessa maneira. Dino é um homem fantástico e fiquei muito feliz por ele quando recebeu o prêmio Thalberg na cerimônia do Oscar de 2001.

Eu me isolei durante um ano, tornando-me um verdadeiro eremita, interagindo apenas com minhas queridas filhas, que na época moravam comigo. Durante esse ano, passei semanas pesquisando assuntos metafísicos, li vorazmente sobre o assunto e comecei a meditar todos os dias. O ponto central da minha vida se deslocou de uma visão externa para interna. Encontrei um caminho espiritual que "bateu comigo" e mergulhei de cabeça. Sabia que não poderia mais fazer o que vinha fazendo a vida inteira. Embora tenha tentado encontrar trabalho, tinha consciência de que não poderia permanecer no cinema convencional, do qual há muito tempo eu me sentia distanciado. Não que haja algo errado com essa vida. Eu, simplesmente, não me identificava com ele e, olhando para trás, obviamente, nunca me identificara. Citando um antigo e maravilhoso comediante, George Gobel: "Eu me sentia como se o mundo fosse um smoking e eu um par de sapatos marrons."

A essa altura, eu só queria produzir filmes metafísicos. Eu queria produzir *Amor Além da Vida*.

No final de abril de 1994, estive presente em um seminário metafísico onde me sentei atrás de um homem muito alto, que estava com o braço ao redor do ombro de uma bela mulher. Além de a altura dele estar atrapalhando a minha visão, descobri que também estava com muita inveja do amor que obviamente havia entre eles. Decidi que, no primeiro intervalo, tentaria trocar de lugar. Chegou o intervalo e eu estava conversando com um conhecido que chamou a atenção de alguém que passava atrás de mim. Sorrindo, ele disse: "Stephen, dê meia-volta, quero que conheça um roteirista que compartilha seu interesse por filmes metafísicos." Não deu outra. Era o mesmo cara alto que estava sentando na minha frente: Barnet Bain. Apertamos as mãos e nos tornamos instantaneamente excelentes amigos e sócios. Não estou exagerando. Soubemos, naquele exato momento, que havíamos encontrado um ao outro e que poderíamos começar nosso negócio.

Barnet e a esposa, Sandy, estavam envolvidos com a metafísica havia dez anos e tinham uma empresa que cuidava dos seus assuntos pessoais. O nome era Metafilmics. Assim que o ouvi, perguntei se poderíamos usá-lo como o nome do nosso novo negócio. Eles de boa vontade concordaram, e a nova Metafilmics foi criada... mas a inspiração e a idéia original foi deles.

Havia muitos anos que Barnet escrevia. O único filme que fora produzido a partir de um dos seus roteiros era a versão Royal Shakespeare de *Jesus* [*Jesus*], lançada em 1980. Fato desconhecido de muitos, *Jesus* é um dos filmes de maior sucesso já lançados. A Warner Brothers tem uma divisão especial dedicada ao filme; além disso, o fato de que esse homem incrivelmente metafísico tenha escrito uma versão tradicional de *Jesus* também é fascinante.

Barnet também desenvolveu ao longo dos anos vários projetos para o cinema tradicional e estava muito à frente do seu tempo como roteirista. Os seus roteiros eram criativos e espirituais, e ele estava tão frustrado quanto eu com o mercado tradicional quando nos conhecemos.

Em 1996, decidi me oferecer um presente de aniversário e adotei novamente o meu sobrenome de nascença, Simon. Não se tratava de uma rejeição do meu sobrenome Deutsch, do meu padrasto ou de qualquer outra coisa. Eu estava apenas abraçando o nome que minha alma me dera nesta vida e redespertando a essência do Stephen Simon, que se isolou quando meu pai biológico morreu. Essa decisão teve para mim um profundo significado espiritual, embora tenha representado uma modificação no meu nome profissional, que fora Deutsh até 1996. Essa mudança gerou muita confusão e, por sorte, alguns lances divertidos. Quando começou a surgir a propaganda de *Amor Além da Vida*, que também informava que eu havia produzido *Em Algum Lugar do Passado*, vários fãs, preocupados, me ligaram para dizer que "um impostor" chamado Simon andava dizendo que havia produzido *Em Algum Lugar do Passado*. Isso também é útil porque agora posso culpar o idiota do Deutsch por ter cometido erros que eu não quero assumir. Uma atitude bastante espiritual, não é mesmo?

Com a energia de Barnet, finalmente descobrimos uma maneira de fazer *Amor Além da Vida* decolar. Esses são os dois filmes dos quais mais me orgulho, e aqueles que me tocaram mais fundo, bem como ao público para o qual foram produzidos. Nunca contei a história de como eu os descobri nem todas as intrigas que aconteceram nos bastidores e que marcaram cada um deles. Até agora.

Os próximos dois capítulos detalharão, a partir da minha experiência direta, como os dois filmes venceram os desafios de Hollywood e vieram ao mundo.

"É você?"
Em Algum Lugar do Passado

Capítulo Quatorze

Os bastidores de *Em Algum Lugar do Passado*

Eu sabia exatamente aonde ir para conseguir meu primeiro emprego na indústria cinematográfica.

Ray Stark já era um produtor lendário. Havia produzido *Funny Girl – A Garota Genial* [*Funny Girl*] com Barbra Streisend (baseado na vida de Fanny Brice, cuja filha Fran era mulher de Ray). Também produzira filmes como *Mundo de Suzie Wong* [*The World of Suzie Wong*], *A Noite do Iguana* [*Night of the Iguana*] e *Nosso Amor de Ontem* [*The Way We Were*], outra grande história de amor com enormes obstáculos entre os dois apaixonados. A empresa de Ray, a Rastar, era uma das maiores companhias do ramo, e Ray também era um ótimo manda-chuva político que ressuscitara praticamente sozinho a Columbia Pictures. O mais importante de tudo era que eu conhecia Ray muito bem.

Ray era um agente quando o meu pai era chefe de produção da Columbia, durante a gestão de Harry Cohn, no final da década de 1940. Ray também era uma espécie de protegido do meu pai. Minha mãe e Fran, mulher de Ray, eram excelentes amigas. (Eram, na verdade, quatro grandes amigas na ocasião: minha mãe, Fran Stark, Nancy Davis [Reagan] e Lee Annenberg, esposa do lendário editor e futuro embaixador na Inglaterra Walter Annenberg. Fran faleceu há vários anos, mas as outras três continuam excelentes amigas, como há mais de 50 anos – mas isso, como elas dizem, é outra história.) De qualquer modo, Ray costumava aparecer com freqüência depois da morte do meu pai, e também fiquei muito amigo de Peter e Wendy, os filhos de Ray. Mesmo depois que a minha mãe se casou de novo, Ray continuou de olho em mim, e eu me divertia muito com ele. Ray era, e ainda é, uma pessoa incrível. Engraçado, irreverente, inteligente, travesso, excêntrico e eternamente jovem. Permaneci em contato com ele quando cresci, tanto diretamente quanto através de seus filhos.

Tragicamente, Peter, o filho de Ray, morreu no início dos anos 70, e Ray ficou arrasado. Eu me aproximei mais dele, e uma espécie de relacionamento entre pai e filho se desenvolveu conosco. O meu padrasto (a quem também chamo de pai) era realmente maravilhoso para mim, de modo que nem Ray nem eu queríamos fazer nada que pudesse deixá-lo constrangido, mas a ligação existia de fato, particularmente depois da morte de Peter. Eu brincava muito com Ray dizendo que um dia assumiria sua empresa, mas, de certa forma, nós sabíamos que a brincadeira guardava uma grande vontade.

Assim sendo, dei um passo decisivo. Procurei Ray e disse-lhe que estava pronto para começar a trabalhar para ele. No início, ele achou que eu estava brincando, mas logo ficou claro que eu estava falando muito sério, e Ray, de certa maneira, entrou em pânico. Quero dizer, lá estava eu, o filho do seu mentor, pedindo para se tornar o protegido que ele fora do meu pai. Ray perdera o filho, não havia mais ninguém para quem ele pudesse ensinar a profissão, e sabia que eu era inteligente, ambicioso e adorava o cinema tanto quanto ele. Essa era a boa notícia. A má notícia era que ele adorava minha mãe e a considerava uma grande amiga (a amizade dura até hoje), sabia que ela era a melhor amiga de sua mulher e tinha consciência de que seria responsável pelo meu abandono da advocacia para trabalhar no setor cinematográfico – o pesadelo de uma mãe judia! Além disso, Ray também respeitava muito o meu padrasto e não queria ser visto como a pessoa que me desviara do caminho que, ele sabia, era o que o meu padrasto desejava que eu seguisse. Então, adiou. Adiou. E adiou mais ainda.

Eu o perturbei sem piedade, telefonando o tempo todo, aparecendo em seu escritório sem avisar, tornando-me um verdadeiro peste. Após mais ou menos três meses desse constante assédio, Ray finalmente se irritou e decidiu me pôr à prova. Jamais esquecerei aquele dia no início de fevereiro de 1976 em seu escritório. Eis o diálogo que se seguiu:

– Muito bem, Steve. Se é realmente o que você quer, eu topo, mas somente em condições muito específicas.

– O que quiser, Ray. O que quiser.

– Em primeiro lugar, preciso de alguém imediatamente, então você deve começar amanhã.

– Ah, e o estágio de advocacia?

– É problema seu. Além disso, você só vai ganhar 200 dólares por semana, e não tenho nenhuma sala disponível, de modo que terá que se sentar no meu sofá e prestar atenção. Se tem alguma pergunta, é porque não é rápido o suficiente para o trabalho, e sendo assim é melhor nem começar. É isso aí. É pegar ou largar.

Sei que a oferta parece realmente dura, mas não era essa a intenção de Ray. Ele mais tarde admitiu ter criado uma oferta que considerava inaceitável. Eu teria que deixar o meu estágio da noite para o dia. Teria um salário de apenas 200 dólares por semana etc. Por outro lado, se eu aceitasse a oferta, Ray saberia que eu estava realmente interessado e me daria a oportunidade.

– Tudo bem, Ray. Estarei aqui amanhã de manhã, às 8h.

E foi assim que, em fevereiro de 1976, iniciei minha carreira no setor cinematográfico como assistente de Ray Stark. Dei 30 dias de aviso prévio à empresa onde eu estava fazendo o estágio e concluí a tarefa com a qual havia me comprometido. Quase todo o meu trabalho nessa firma envolvia representar jogadores profissionais de futebol, e elaborei meu último contrato encolhido em uma pequena sala nos fundos da Rastar, para que Ray não percebesse o que eu estava fazendo. (Esse contrato envolvia afastar meu amigo Ron Jawosrski do L. A. Rams e fazê-lo ingressar no Philadelphia Eagles, para que pudesse assumir, neste último, a posição de *quarterback*. Concluí as negociações com Dick Vermeil, o principal técnico dos Eagles, e ele e Ron, juntos, chegaram ao Super Bowl alguns anos depois. Muitos anos mais tarde, Vermeil ganhou o Super Bowl com os St. Louis Rams, depois que eles se mudaram de Los Angeles.)

Não mencionei *Bid Time Return* de imediato a Ray. Ainda não me sentia confiante o suficiente para discutir o assunto, mas não queria que outra pessoa tomasse a iniciativa, e por isso precisava entrar em contato com o autor do livro, Richard Matheson. O meu primeiro telefonema, no dia em que comecei a trabalhar para Ray, foi para a associação de autores, com o objetivo de descobrir quem era o agente de Matheson, que se revelou um grande cara chamado Rick Ray, da hoje extinta agência de Adams, Ray and Rosenberg. O nome de Ray Stark fez com que eu recebesse vários telefonemas, e logo consegui falar com Rick, disse a ele que eu era o novo assistente de Ray e que queria marcar uma reunião para conversarmos a respeito do livro (que, para meu grande alívio, ainda estava disponível para ser filmado).

No dia seguinte, tive minha primeira reunião com o lendário sr. Matheson, em um restaurante chamado Sorrentino's, em Burbank. Richard Matheson é um dos mais talentosos contadores de histórias da literatura americana, e também uma das pessoas mais cativantes e encantadoras que conheço. Gostei dele logo que o vi, e de imediato compreendi que, embora Ray estivesse destinado a ser o meu mentor profissional, Richard seria o meu guia espiritual. Nós nos tornamos grandes amigos naquele almoço. Eu lhe disse o quanto havia gostado do livro, e assumi com ele o compromisso de que, embora não soubesse como, quando ou onde, eu produziria o filme. Apertamos as mãos, e foi isso. O meu primeiro acordo cinematográfico.

Foram necessários três anos.

Mergulhei no trabalho, e Ray era um professor incrível. Um produtor chamado Mort Engelberg, que trabalhava conosco, me procurou para que eu patrocinasse um projeto que ele adquirira chamado *CB to Atlanta*. Ray nunca produzira um *road movie* de ação, e o desafio era grande, mas nós o apoiamos. O nome do filme depois foi mudado para *Smokey and the Bandit* (*Agarra-me se Puderes*, no Brasil), e foi um enorme sucesso. Embora eu não tenha produzido o filme (esse crédito pertence legitimamente a Mort), Ray reconheceu meu papel no patrocínio me nomeando chefe de produção da sua empresa. Eu tinha na época 31 anos. Morava em Hollywood Hills, saía com as chamadas *fantasy women* e ia trabalhar todos os dias no meu Jaguar conversível tocando aos berros "New Kid in Town" (Nova criança na cidade), dos Eagles, convencido de que eu era o máximo. Um estereótipo de um estereótipo de um estereótipo. Eu não sabia de nada.

Isso era parte da minha vida. A emoção não durou muito. Logo me conscientizei de que minha vida havia se tornado extremamente superficial e que eu, na verdade, queria uma vida de gratificações instantâneas. Ray estava me empurrando em direção a um determinado modo de vida: de um diretor de estúdio. Estava me preparando ativamente para essa eventualidade e, sem dúvida, era a pessoa mais adequada para isso. Ray era uma incrível força da natureza no setor. Eu era o "cara dele". *Agarra-me se Puderes* era um incrível cartão de visitas, e eu podia fazer um bom discurso; no entanto, ser coerente com o discurso estava ficando cada vez mais difícil. Embora eu soubesse que Ray queria o melhor para mim, e estava fazendo o que imaginava que o meu pai teria feito se estivesse vivo, eu não poderia permanecer no caminho. Mesmo que tivesse perseguido a meta que Ray traçara para mim, no fim eu teria fracassado. Como comentei anteriormente, me faltavam as habilidades necessárias para me tornar ou me manter como um profissional de nível superior em Hollywood. Creio que instintivamente sabia disso e, além disso, algo mais estava acenando para mim, e o chamado estava ficando mais alto e mais insistente a cada dia.

O canto da sereia era meu crescente interesse na espiritualidade. O assunto me fascinava. Não conseguia tirar *Bid Time Return* da cabeça, o que deixava Ray maluco. A essa altura, eu o havia convencido a adquirir os direitos do livro, mas ele não conseguia enxergar o potencial comercial do projeto. Ray tinha uma incrível sensibilidade para perceber o que era lucrativo, e me dizia o tempo todo que "o negócio do Matheson" não era lucrativo.

Nesse meio tempo, Matheson estava sempre disponível como guia espiritual. Ele me dava listas de leitura e respondia com uma paciência interminável a todas as minhas perguntas. Nunca se mostrou impaciente nem me pressionou para fazer deslanchar seu projeto.

A Rastar continuou a ser bem-sucedida. Ganhamos uma guerra para obter os direitos de um novo roteiro chamado *O Cavaleiro Elétrico* [*The Electric Horseman*], que deixou Ray encantado. O momento era perfeito para outra "casualidade", que surgiu na figura de um fascinante diretor chamado Jeannot Szwarc.

Jeannot acabara de substituir o diretor de *Tubarão 2* [*Jaws 2*] na Universal e fizera um trabalho magnífico, colocando o filme novamente no caminho certo e pronto para ser lançado. Eu tinha um relacionamento incrível na Universal (que mais tarde salvou minha carreira) por conta de *Agarra-me se Puderes*, e assim soube como estavam felizes com Jeannot. Comentei com Ray que deveríamos ter uma reunião com Jeannot para ver o que ele queria fazer a seguir, porque a Universal desejava recompensá-lo por ter evitado um desastre em *Tubarão 2*. Esse era o tipo de estratégia que Ray adorava, então, ele concordou prontamente.

Jeannot, Ray e eu nos reunimos poucos dias depois e começamos a falar sobre os tipos de projetos que Jeannot desejava fazer. De cara, ele disse: "Na verdade, o que eu mais gostaria de fazer é uma fantasia romântica, algo como *O Retrato de Jeannie* nos anos 40."

Quase caí da cadeira! "Tenho um projeto para você!", eu disse, e mergulhei de cabeça em uma extasiada descrição de *Bid Time Return*, para desconsolo de Ray. Percebi que ele pensava que eu estava prestes a convencer Jeannot a defender um projeto que Ray considerava um risco comercial.

Entreguei o romance a Jeannot, que o leu em uma única noite, telefonando-me na manhã seguinte para dizer que era exatamente o que ele queria e que deveríamos desenvolver juntos o roteiro. Telefonei para Richard, me sentindo aliviado e animado, e teve início o processo de desenvolvimento.

Para economizar tempo e espaço, vou dar um salto de um ano.

Ray e eu nos separamos em circunstâncias muito difíceis, que não são importantes aqui, e o único projeto que consegui levar comigo foi o roteiro de *Bid Time Return*. Estávamos em dezembro de 1978. Ned Tanen era, na época, diretor de produção da Universal Studios e uma das poucas pessoas sinceras e diretas no setor; ou seja, sempre dizia a verdade, por mais dura que fosse. A verdade, no meu caso, era que ele não queria produzir *Bid Time Return* pelas mesmas razões pelas quais Ray sempre se opusera ao roteiro: Ned achava que ele não era comercial. (Não podemos nos esquecer de que estávamos no final da década de 1970 – discotecas etc. Não era errado concluir que estávamos um pouco fora de sintonia com a época.) O dilema de Ned era que ele realmente gostava de Jeannot e de mim, e ambos tínhamos feito um excelente trabalho para a Universal como *Tubarão 2* e *Agarra-me se Puderes*. Ned não queria dizer não, mas hesitava em dizer sim.

A nossa executiva de produção era uma mulher incrível chamada Verna Fields. Todos os estúdios têm executivos de produção subordinados à diretoria de produção e que são responsáveis pela supervisão diária de cada projeto, desde o desenvolvimento até o lançamento. O diretor de estúdio toma as grandes decisões sobre elenco, diretor, limites de orçamento e, o que é mais crucial, decide se determinado projeto vai receber o "sinal verde", ou seja, se vai ser aprovado para que as filmagens tenham início. Os executivos de produção podem arrasar com um projeto quando não gostam dele, e também podem ser importantes aliados quando estão dispostos a defender um projeto nas reuniões de equipe onde são tomadas todas as decisões a respeito dos filmes.

Verna era uma mulher incrível e muito respeitada no setor. Ganhadora do Oscar por editar *Tubarão*, e tendo editado durante muitos anos outros filmes famosos, Verna fazia parte da esfera executiva da Universal. Jeannot trabalhara com ela em *Tubarão 2*, de modo que estávamos emocionados por tê-la ao nosso lado. Verna era uma lenda viva extremamente respeitada em toda parte, não apenas na Universal. (Sempre correram boatos de que ela "salvara" *Tubarão*. Com o seu jeito inimitavelmente humilde e ao mesmo tempo impetuoso, sempre dizia: "Bobagem! É impossível produzir fígado de frango a partir de m... de frango!") Por sorte, ela acreditava demais em nosso filme e lutou incansavelmente para conseguir nos colocar diante das câmeras, até então, uma luta totalmente em vão.

O Natal de 1978 assistiu à estréia de *Superman – O Filme* e a explosão no cenário internacional de Christopher Reeve, que interpretou o papel principal.

Poucos dias depois de 1º de janeiro de 1979, tivemos com Verna uma reunião de elenco, e nela decidimos levar a Ned Tanen a lista dos nomes para ver se, dessa maneira, conseguiríamos fazer com que ele se interessasse em levar o filme adiante. De uma forma mais ou menos casual, e sem estar realmente falando sério, apresentei a idéia de que a melhor pessoa para o papel seria Chris Reeve, mas, como nunca poderíamos consegui-lo, era melhor nem mencionar o fato a Ned. Eu me arrependi daquelas palavras no minuto em que as pronunciei, não porque fosse má idéia, mas por achar que não tínhamos a menor chance de conseguir Chris, na época o melhor jovem ator da indústria cinematográfica, que estava recebendo ofertas para trabalhar em filmes milionários e de grande publicidade, e nós estávamos, definitivamente, fora de alcance. Também logo notei a expressão de Verna e percebi que tinha dito algo idiota e absurdo.

— Isso! – exclamou Verna. – Exatamente. Coloque-o no topo da lista!

— Por favor, Verna – eu disse. – Se o colocarmos no topo da lista, Ned recusará todos os outros e nos dirá para conseguirmos Reeve, o que não seremos capazes de fazer, e depois voltaremos à estaca zero com uma rejeição que deixará Ned ainda mais desanimado.

— Pode ser, mas essa é a nossa chance, e quero que você o coloque na lista – ordenou Verna. E foi o que aconteceu.

Tivemos uma reunião com Ned no dia seguinte, e aquela foi provavelmente a única vez em minha carreira que consegui prever com exatidão a resposta de um diretor de estúdio.

— Chris Reeve? – indagou Ned. – Perfeito. Consiga-o e faremos o filme.

— E quem mais? – perguntei.

— Ninguém. Consiga o Chris.

— E se não conseguirmos?

— Stephen, não faça perguntas para as quais não deseja ouvir a resposta. Você quer mesmo que eu responda sua pergunta?

— Ah... não, senhor! Vamos tentar conseguir Chris mas, você sabe, ele é um ator caro. Provavelmente, vai custar 2 milhões de dólares (o que na época era um enorme salário).

— Só vou lhe dar 4 milhões para produzir o filme, então é melhor que ele cobre bem menos.

— Devemos contratar o ator mais popular no momento por um salário bem inferior ao que ele costuma cobrar, para estrelar um filme que você não quer fazer e que mais ninguém entende? – perguntei.

– Isso, Stephen – retrucou Ned rindo. – Agora você está entendendo. Talvez você tenha um futuro como produtor... se conseguir Reeve.

Imaginei que Jeannot fosse me matar bem ali no corredor, do lado de fora da sala de Ned. Eu conseguira nos colocar em uma situação embaraçosa na qual produziríamos um milagre ou estaríamos sem sorte e, provavelmente, sem trabalho.

Voltamos para a sala de Verna e elaboramos um orçamento. Jeannot teve a brilhante idéia de contratarmos todos os membros da equipe pelo mínimo exigido pelo sindicato para cada departamento. Espremendo os valores e arriscando palpites extravagantes e duvidosos, chegamos à conclusão de que não poderíamos pagar a Chris mais de 500 mil dólares, o que equivalia a um quarto do que ele estava cobrando na época. E essa era a boa notícia. A má notícia era que eu teria de fazer a oferta ao agente de Reeve, sabendo que ele daria boas gargalhadas.

Essa foi também a única vez em que consegui prever a reação de um agente. Ele não apenas riu. Rolou no chão de tanto gargalhar. Eu me encolhi de medo, e ele deu mais gargalhadas. Em seguida, se recusou a considerar a proposta e passar o roteiro para Chris. O exercício da advocacia começava a me interessar novamente.

Jeannot e eu sabíamos que momentos de desespero exigiam atos desesperados da parte de pessoas desesperadas. No caso, nós. Chegamos à conclusão de que nada tínhamos a perder assumindo um grande risco: descobriríamos onde Chris morava e faríamos o roteiro chegar às mãos dele. Sabia que isso me colocaria na lista negra permanente de seu agente mas, se o plano não desse certo, eu estaria fora do mercado de qualquer maneira, portanto, que diferença fazia?

Por meio de uma série de artimanhas, descobrimos o endereço de Chris e, literalmente, colocamos o roteiro debaixo do tapete de sua porta com um bilhete que implorava que ele o lesse, mesmo que aquilo parecesse uma loucura.

Por sorte, não precisamos esperar muito. Chris logo nos ligou dizendo que gostaria de se encontrar conosco, e Jeannot e eu praticamente voamos em direção à casa que Chris alugava em Hollywood Hills (teria o nosso jogo maluco dado certo?), onde fomos recebidos de braços abertos. Chris tinha adorado o roteiro, a idéia do filme e, acima de tudo, a idéia de interpretar um pequeno drama íntimo e não os filmes de ação que lhe estavam sendo oferecidos. (Anos depois, Chris me confessou que tinham acabado de lhe oferecer o papel principal de uma grande epopéia viking, quando recebeu nosso roteiro. A idéia de correr de um lado para o outro usando um daqueles capacetes em forma de "casca de abóbora" invertida talvez o tenha lançado direto em nossos braços.) Suas únicas verdadeiras preocupações eram como iríamos lidar com a viagem no tempo e se realmente conseguiríamos convencer o público de que o ator que acabara de fazer o papel de Super-Homem seria mesmo capaz de definhar e morrer por causa de um coração partido. De algum modo, Jeannot conseguiu tranqüilizar essas preocupações e Chris aceitou o papel. Além disso, o salário não foi problema. Chris era um homem admirável e honrado. (A propósito, seu agente nunca mais falou comigo.)

No caminho de volta ao estúdio, fiquei o tempo todo repassando a frase que diz que "Mesmo um esquilo cego encontra, de vez em quando, uma avelã".

Assim sendo, os dois esquilos cegos informaram a Ned e Verna que Chris aceitara o papel. Verna ficou literalmente boquiaberta e Ned parecia o cara que acaba de perceber que o zíper da sua calça ficou aberto o dia inteiro, e precisei me conter para não dizer que ele "talvez tivesse um futuro como diretor de estúdio". E lá fomos nós então com o nosso "sinal verde" a reboque e com a poderosa visão de produzir uma clássica história de amor.

Os passos seguintes foram encontrar a atriz principal, o local da filmagem, implementar o conceito do salário mínimo fixado pelo sindicato e criar um novo título.

A busca da atriz que interpretaria Elise McKenna não demorou muito. Instalados em nosso bangalô, no estúdio dos fundos da Universal, em janeiro de 1979, sabíamos que precisávamos começar a filmar em maio, porque esse era o período que Chris tinha disponível. Não tínhamos muito tempo e, por sorte, não precisávamos dele. Começamos a entrevistar atrizes, e Chris participou bastante do processo. Ele se mostrou totalmente disposto a contracenar com qualquer pessoa que indicássemos, e foi fácil avaliar a sintonia entre ele e a atriz em teste. Bem no início do processo, entrevistamos Jane Seymor, que acabava de interpretar um papel em um filme de James Bond, mas ainda não participara de nenhum filme americano. Ela compareceu à entrevista com um belo vestido de época e foi Elise McKenna do momento que entrou até a hora que saiu. Ela era a personagem. Assistimos ao seu teste com Chris, e depois ela foi embora. Olhamos um para o outro e dissemos: "Bem, essa foi fácil. Temos a atriz principal. O que vamos fazer agora?" Jane Seymor era tão luminosamente bela e seu teste com Chris foi tão perfeito que estou convicto de que nenhuma outra atriz poderia ter interpretado o papel. Elise é Jane e Jane é Elise.

O passo seguinte era o local da filmagem. Dizem no ramo de restaurantes que os três principais componentes do sucesso de um estabelecimento são o local, o local e o local. Esse também era nosso problema. Para produzir o filme, com nosso orçamento, não podíamos nos dar ao luxo de construir muitas coisas; tínhamos que encontrar o lugar perfeito, que estivesse suficientemente intacto para nos proporcionar tudo que necessitávamos.

A primeira parada foi uma visita rápida ao majestoso Hotel del Coronado, em San Diego, que servira de cenário ao livro de Matheson. Richard tivera a inspiração de escrever o livro enquanto examinava uma exibição de fotos históricas durante uma estada no hotel. Viu uma foto de Maude Adams, grande atriz da virada do século, e se perguntou o que aconteceria se um escritor se apaixonasse pela foto e voltasse no tempo para conhecer a mulher. (Há décadas, a brilhante psicóloga e encantadora esposa de Richard, Ruth, o vem provocando por conta *daquela* fantasia.)

Sabíamos que o Coronado não serviria aos nossos propósitos por ter se modernizado demais com o passar dos anos. Sabíamos que não poderíamos filmar cenas de época ao redor dele, e San Diego estava excessivamente perto de Los Angeles. Os cineastas, normalmente, gostam de ficar o mais longe possível do estúdio que fornece o financiamento. Sem querer ofender, os executivos dos estúdios se parecem muito com os cachorros que passam por um hidrante: não conseguem deixar de levantar a perna. Já disse o bastante.

O assistente de Jeannot era um jovem brilhante chamado Steven Bickel, que se tornou assistente de produção (*associate producer*) do filme devido às suas incríveis contribuições (e, como diz a velha piada, por ter sido um dos poucos dispostos a "se associar" ao produtor). Deixamos com Bickel (ele ficou conhecido pelo sobrenome para evitar ser confundido comigo; afinal, o posto tem seus privilégios) a tarefa de pesquisar importantes hotéis antigos no país. Bickel entrou em contato com comissões cinematográficas estaduais cuja função é atrair empresas de filmagem para os estados. Uma enxurrada de fotos de hotéis e locais invadiu nosso escritório. Nada nos agradou até que vimos fotos do Grand Hotel, na ilha de Mackinac, Michigan.

O Grand Hotel foi construído em 1887 e tem a varanda mais longa do mundo. As fotos eram sensacionais, mas o aspecto que nos atraiu foi o fato de que veículos motorizados eram terminantemente proibidos em toda a ilha. Por um lado, esse fato era desencorajador, porque a equipe de filmagem tem veículos de apoio indispensáveis (câmera, energia, acessórios etc.), que precisam, necessariamente, acompanhar as filmagens ao mesmo tempo, também significava que estava tentando preservar no ambiente a sensação natural da época, o que era música para os nossos ouvidos. Esse foi, no entanto, o desafio inicial para convencê-los a permitir que filmássemos lá.

Entrei em contato por carta com o proprietário do Grand Hotel e expliquei o que estávamos fazendo. Por sorte, não se tratava de uma empresa impessoal; na verdade, eu estava lidando com um homem, Daniel Musser, cujo pai fora dono do Grand Hotel durante muitos anos e depois o passara para o filho. Recebi uma resposta muito delicada, porém superficial, dizendo que uma companhia cinematográfica não poderia atuar no estabelecimento. O Grand Hotel funciona por temporada (de maio a outubro) e não poderia nos acomodar nesse período. O local era frio demais para que as filmagens fossem feitas no inverno (e, de qualquer modo, nossa história de amor precisava de sol e beleza), e não poderíamos entrar na ilha com veículos. Assim sendo, em resumo, obrigado pelo interesse, mas até logo.

Sem me abater, decidi enviar ao sr. Musser uma cópia do roteiro e um bilhete rogando que o lesse. Afirmei que o filme imortalizaria o

236 A FORÇA ESTÁ COM VOCÊ

hotel e que este seria um dos principais aspectos da história. Deu certo. O sr. Musser entrou em contato comigo, disse ter adorado o roteiro, e que poderíamos visitá-lo se quiséssemos, embora os desafios ainda fossem enormes. Exultantes, Jeannot e eu planejamos nossa viagem de reconhecimento. Um pequeno detalhe: estávamos em fevereiro e tanto o hotel quanto a ilha estavam fechados para o inverno, e a temperatura nos Grandes Lagos girava em torno dos 23 graus negativos. No entanto, resolvemos o problema voando para Chicago, pegando um avião menor para Pellston, Michigan, e em seguida o hotel nos ofereceu um monomotor particular que nos conduziu à pista de aterrissagem na ilha.

Aterrissamos na minúscula pista de pouso e fomos recebidos por Dan Musser e Dan Dewey (que atuaria como nosso guia na ilha e se tornou mais tarde talvez o membro mais indispensável de nossa equipe). Subimos em um trenó puxado a cavalos, nos encolhemos debaixo de cobertores e começamos a jornada pela neve em direção ao hotel. Por ter nascido na Califórnia, sou acostumado ao calor, e nunca havia enfrentado um frio como aquele. Tremia de frio e estava louco para chegar ao hotel. Descemos diante do grandioso prédio, que estava praticamente às escuras. Foi quando caiu a ficha na minha consciência californiana e compreendi que é claro que eles não ligariam o aquecimento em um hotel vazio em pleno inverno. Como Jack Nicholson em *O Iluminado,* subi com dificuldade os degraus que conduziam à entrada do hotel, cujo interior estava na verdade mais frio do que o exterior. Dan Musser me observara o tempo todo e acho que, inconscientemente, o conquistei sem dizer uma única palavra. Creio que percebeu que eu queria desesperadamente que ele aceitasse nosso pedido, já que eu estava disposto a sentir tanto frio.

Fora a temperatura, Jeannot e eu estávamos absolutamente fascinados. Pude ver o brilho nos seus olhos de diretor enquanto ele analisava as possibilidades visuais do hotel; no entanto, a parte externa teria que ser examinada no verão. Naquela época, tudo estava coberto de neve. Fomos percorrer os arredores em veículos especiais para a neve. Dan Dewey estava me conduzindo e, em determinado ponto, gritei: "Onde está o lago?", e ele gritou de volta: "Você está sobre ele há dez minutos." Foi quando me dei conta de que deveria calar a boca e deixar que Jeannot cuidasse da parte visual.

Em uma das partes da visita que fizemos a pé, Jeannot e eu conversamos sobre as possibilidades e estávamos muito otimistas, exceto pelo fato de que não poderíamos filmar no hotel as cenas do quarto e outras cenas íntimas. Tampouco poderíamos nos hospedar no hotel, pelas mesmas razões: o hotel era caro demais, e, de qualquer modo, estava lotado, e os quartos não se prestavam às nossas necessidades. Na maioria dos filmes, os quartos apenas parecem de verdade. Em geral, são construídos em um cenário para que as paredes possam ser movidas a fim de acomodar os ângulos e o movimento das câmeras. Em breve descobriríamos que o Universo estava na verdade sorrindo para nós e prestes a nos receber nos seus braços.

Fomos apresentados a uma nova pousada que acabara de ser inaugurada no outro lado da ilha. Na verdade, tratava-se do dormitório de uma extinta universidade que havia sido adaptado. Era simples, porém barata, e satisfazia nossas necessidades. Em seguida, fomos conduzidos a um prédio bastante grande situado perto dos "dormitórios". Enquanto explicávamos aos nossos anfitriões o dilema de não termos um espaço para o cenário, as luzes foram acesas e nos vimos no meio de um palco com um completo equipamento de som! Em uma pequena ilha nos Grandes Lagos! Como assim? Acontece que a Moral Rearmament Crusade (Cruzada do Rearmamento Moral) construíra esse palco para usar como estúdio de televisão, mas o negócio não dera certo e deixaram o palco para trás, completamente equipado.

Isso decidiu a questão. Tínhamos tudo que precisávamos naquela ilha. Dan Musser não apenas decidira permitir que filmássemos no hotel – aliás, sem cobrar nada – como também concordara em facilitar a negociação com o governo na ilha, as empresas etc. Isso equivalia (e ainda equivale) ao Papa dizer que vai ajudá-lo a fazer uma turnê pelo Vaticano. Estava decidido.

De volta a Los Angeles, reunimos nossa equipe, organizamos o elenco para o resto do filme e nos preparamos para a viagem. Havia uma última coisa a ser feita: escolher um novo título. *Bid Time Return* não soava bem para o pessoal do marketing e, por mais difícil que seja acreditar, alguns se preocupavam que poderia soar como "Bed-time Return" (Hora de voltar para a cama) e dar a impressão de ser um filme infantil ou pornográfico. (Você pode imaginar as discussões que teríamos mais tarde sobre *What Dreams May Come*.) Seja bem-vindo ao mundo grotesco da "fala do estúdio", onde muitos produtores perderam a cabeça.

Começamos, então, a busca de um novo título. Certa noite, ouvi uma música de Barry Manilow (eu gostava de Barry Manilow... ainda gosto) chamada "Somewhere in the Night" (Em algum lugar na noite). Queríamos ter a viagem no tempo no título do filme, de modo que *Em Algum Lugar do Passado* surgiu de repente. Mais uma vez, o Universo nos ofereceu o que precisávamos, no momento em que precisávamos.

Assim sendo, no final de abril de 1979, partimos para nossa aventura na ilha de Mackinac. Chegamos à ilha, pegamos as carroças puxadas a cavalo (os táxis da ilha), fomos para nossa patética pequena "estalagem" e rapidamente nos adaptamos. O sr. Musser mexera os pauzinhos com o governo local, e assim conseguimos levar dois caminhões para a ilha. As regras sobre como e quando os veículos poderiam se locomover eram muito rígidas, mas tudo deu certo. Na verdade, foi um local de filmagem perfeito, em grande parte devido ao nosso gerente de locação Dan Dewey, nosso guia na primeira viagem. Dan vivera e trabalhara na ilha durante muitos anos, de modo que todo mundo o conhecia, amava e tinha confiança nele. Tudo que fazíamos era dizer a Dan o que precisávamos, e ele tomava as medidas necessárias, sem jamais discutir ou criar caso. A gente pedia a Dan e ele providenciava. Sem ele, talvez não tivéssemos conseguido ficar lá nem uma semana. O outro Dan, Musser, era nosso protetor gigante. Abriu o hotel e o coração para todos nós. Mesmo no auge da temporada do verão, fechou partes do hotel quando precisamos. Dan é um desses homens decididos do Meio-Oeste, com uma absoluta dignidade. Sempre impecavelmente trajado e implacável. Por dentro, é um homem caloroso e amoroso, e foi o seu coração que nos sustentou.

Precisamos ir a Chicago durante dois dias para filmar a abertura do filme. Verna Fields foi ao nosso encontro na cidade para dar início às filmagens, e fiquei emocionado ao vê-la. No primeiro dia, no café da manhã, Verna me chamou à parte e, do seu jeito simples, me informou que estava com câncer e não poderia mais estar conosco depois daquele dia. Vivi simultaneamente o céu e o inferno. O primeiro dia foi o céu. A notícia de Verna foi algo pior do que o inferno. Nós a amávamos e era graças a ela que estávamos ali. Eu me lembro de tê-la abraçado e chorado. Ela me abraçou e me confortou. Verna estava morrendo e me confortou naquele momento. Verna era assim. (Ela chegou a ver o filme concluído, supervisionou a edição e resistiu até o seu lançamento, em 1989.)

A filmagem em si transcorreu praticamente sem sobressaltos. Depois de todos aqueles encontros com o destino, elenco e equipe criaram nosso local idílico pessoal para esses dois meses mágicos. Não houve problemas de ego. Chris Reeve se revelou um astro de cinema extremamente simples. Estava sempre presente para todos. Jane foi um anjo. Tudo se encaixou perfeitamente.

Qualquer tensão que possa ter existido foi quebrada no primeiro dia de filmagem na ilha. Filmamos a seqüência de abertura na qual Susan French, que interpretou "a velha Elise", encontra o jovem Richard na apresentação de uma das suas peças e lhe entrega o relógio que ele deixara com ela no passado. (O relógio, em si, é um paradoxo. Onde ele começou? Chegou a criar camisetas para a equipe com os dizeres "Pergunte a *ele* sobre o relógio", que se referiam a Richard Matheson. A resposta de Richard à pergunta era sempre um sereno "Em algum lugar do passado!".) Estamos, então, filmando a cena na qual a velha Elise entrega o relógio a Richard e pede misteriosamente: "Volte para mim." Após algumas tomadas difíceis, Susan se encaminha significativamente para Chris na tomada seguinte, coloca o relógio na mão dele, e ronrona: "Conserte isto para mim, o.k.?" Isso quebrou a tensão, e a partir daí as semanas simplesmente voaram.

Jeannot foi um profissional completo e perfeito na maneira como dirigiu o espetáculo. Durante a produção, o diretor é o chefe absoluto de tudo que acontece. Pense em Tony Soprano no bar de striptease Bada Bing do famoso seriado de televisão *Família Soprano* [*The Sopranos*]. Esse é um diretor durante uma produção. A essa altura, temos apenas de torcer para que a escolha tenha sido sábia, porque praticamente nossa única opção é demitir o diretor. Não que tenhamos tido algum desses problemas. Jeannot sabia exatamente o que queria, e colocou-o no filme.

As coisas correram tão suavemente que pareceram quase surreais. Tudo dava certo. Todos éramos amigos. De fato, o processo era tão harmonioso que um redator do *Los Angeles Times* escreveu as seguintes palavras depois de nos visitar: "(...) embora não seja totalmente verdadeiro que elenco e equipe assistam diariamente de mãos dadas, no final do dia, as seqüências não editadas da filmagem, tampouco se trata de uma inverdade absoluta." No que diz respeito a esse assunto, nossa angelical e talentosa decoradora de *set*, Mary Ann Biddle, me disse algo, mais ou menos na metade da filmagem, que se revelou altamente profético: "Stephen, este é seu primeiro filme, de modo que você não tem referências. Só terá uma idéia de como esta experiência está sendo realmente especial depois que trabalhar em outros filmes. O que está acontecendo aqui é mágico. Estamos criando um clássico, e todos sabemos disso." Mary Ann estava totalmente certa. Estive envolvido em cerca de 25 filmes nos últimos 25 anos, tanto como produtor quanto como executivo, e nada é comparável àquele verão na ilha de Mackinac.

Um filme passa por muitas encarnações desde o dia em que nasce como uma idéia à ocasião do seu lançamento. Há o rascunho original do roteiro destinado à venda, que depois dá lugar ao roteiro de filmagem. Depois, o filme vai mudando, à medida que atores e diretor o interpretam na tela.

Posteriormente, o filme é entregue ao editor, que o monta com a supervisão do diretor, e surge uma nova visão. É impossível dizer realmente como é o filme assistindo diariamente às seqüências não editadas da filmagem. A única coisa que podemos realmente saber é se uma apresentação é realmente ruim. Isso é fácil de perceber. Seqüências diárias de má qualidade nunca dão um bom filme. No entanto, seqüências diárias de boa qualidade, até mesmo seqüências magníficas, enganaram e partiram o coração de muitos cineastas e estúdios. Podemos ser completamente iludidos por trechos de filme que parecem funcionar sozinhos até serem reunidos. É impossível ter certeza. Na verdade, quase todos os diretores afirmam que o momento que mais temem é aquele em que assistem à primeira edição do editor. Não se trata realmente de uma montagem, com a sincronização e o ritmo adequados. É apenas a reunião das cenas básicas para que o editor e o diretor possam ter um ponto de partida para a edição propriamente dita. É preciso ter estômago e constituição fortes para assistir a essa primeira edição. Muitos diretores já correram para o banheiro e perderam o almoço. Os produtores são praticamente proibidos de estar presentes, e o profissional esperto se considera feliz por ser excluído.

Assim sendo, nossa edição começou. A partir dos relatos, a montagem preliminar teve quase três horas de duração e Jeannot teria ficado pálido como um fantasma. Não fiquei nem um pouco preocupado. Confiava em Jeannot, nosso brilhante jovem editor Jeff Gourson e, naturalmente, em Verna Fields.

A edição tomou o restante de 1979. O estúdio não estava com pressa. Não sabiam mesmo como comercializar o filme, e, de certa maneira, nos esqueceram.

Finalmente, no início de 1980, ficamos prontos para mostrar o filme para o estúdio. Nesse momento, o diretor compartilha sua náusea com os executivos do estúdio. Outro momento temido. Assistir a uma montagem preliminar é semelhante a ver a produção de uma salsicha: podemos apreciar o produto final, mas os passos iniciais são difíceis de digerir. Os estúdios querem ver o filme antes que as últimas partes estejam no lugar para que possam interferir no produto final. ("Quem tem o ouro faz as regras" é uma fala comum nos estúdios de Hollywood.) No entanto, é necessário grande experiência e imaginação para assistir às montagens preliminares, porque é preciso ser capaz de visualizar o produto final a partir de seus componentes rudimentares.

As edições rudimentares também são sempre precedidas por uma longa ressalva do diretor – a edição ainda não é uma montagem final, a música é provisória, os ruídos sonoros ainda não foram eliminados, o *dubbing* com os artistas ainda não foi feito, a cor ainda não é definitiva etc. Tudo isso é de fato verdade, mas se trata, também, de uma tentativa de reduzir drasticamente as expectativas dos executivos. A última coisa que queremos nesse tipo de apresentação é que o filme comece com altas expectativas da parte dos executivos (o que não será o título da continuação deste livro). Queremos colocar o obstáculo o mais baixo possível para passar facilmente por ele.

Nosso obstáculo foi colocado bem embaixo, e mesmo assim só conseguimos passar por baixo em vez de por cima dele.

Dizer que a apresentação não correu bem é como perguntar inocentemente: "Tirando isso, sra. Lincoln, o que a senhora achou da peça?"

Todos os executivos estavam com olhar inexpressivo até que Ned Tanen finalmente disse: "Estou me sentindo como se tivesse acabado de fazer uma caminhada pelo deserto do Saara."

Não se pode dizer que tenha sido uma aclamação.

De volta à sala da edição. Cerca de 40 minutos foram eliminados, as cenas enxugadas e a extraordinária partitura de John Barry foi incluída.

Se as expectativas dos nossos executivos já eram baixas na primeira apresentação, estavam abaixo do alcance do radar na segunda. Dessa vez, isso funcionou a nosso favor. O filme estava muitíssimo melhor, e os executivos finalmente entenderam o que estivéramos buscando o tempo todo. De repente, estávamos de volta ao alcance do radar, porém, com uma ressalva: ninguém sabia realmente como o filme seria recebido pelo público. Estava na hora de descobrir.

As apresentações prévias são o passo seguinte na linha de montagem da fábrica de salsichas de experiências cinematográficas repugnantes. Nunca se sabe como o público vai reagir ao filme como um todo ou a qualquer uma das cenas. Risadas nos lugares errados, silêncio onde se imagina que as risadas deveriam estar presentes, pessoas entediadas e se retirando do recinto (e os estúdios têm pessoas do lado de fora para perguntar por que elas estão saindo), uma grande movimentação nos assentos que sempre significa tédio etc.

As apresentações prévias em Los Angeles eram e ainda são bastante falsas porque o público de filmes nessa cidade é tão sofisticado que acabamos obtendo comentários semelhantes a críticas de filmes e não reações humanas. A Universal programou nossas apresentações em Toronto e Mineápolis. Uma cidade grande e sofisticada e outra mais tradicional do Meio-Oeste. A escolha nos pareceu justa (não que o fato de discordarmos tivesse feito diferença para ninguém), e lá fomos nós.

Toronto foi a primeira. Não recordo ter me sentido tão nervoso em toda a minha vida. Jeannot estava tentando *me* acalmar, embora ele parecesse estar precisando de uma injeção de Valium. Ambos estávamos uma pilha de nervos. Até o filme começar. Foi aí que a mágica aconteceu. O público ficou totalmente cativado. Era possível sentir sua reação no cinema. Riam apenas nos lugares certos e, no final, podíamos ouvir pessoas chorando. O mais importante é que houve aplausos no final da apresentação. (Em uma nota puramente pessoal, jamais me esquecerei da emoção que senti naquela noite ao ver pela primeira vez na tela o meu crédito "produzido por". O sentimento que isso gerou foi esmagador. Tive certeza de que era para isso que eu estava aqui.)

Nas apresentações preliminares, os estúdios pedem que o público preencha questionários nos quais se pode tecer comentários sobre várias questões: se gostaram ou não do elenco, da história da música, do ritmo etc. Esse é outro momento temido por quase todos os cineastas porque, uma vez mais, nunca se sabe o que o público vai dizer e qual o peso que o estúdio atribuirá aos comentários. Naquela noite, nada tínhamos a temer. Quase ninguém saiu antes de o filme terminar, o que é sempre um bom indício de que as pessoas estavam entretidas.

Quando saímos do cinema, muitas pessoas do público haviam se reunido do lado de fora e aplaudiram novamente. Quando descobriram que Jeannot era o diretor, amontoaram-se ao seu redor, cumprimentando-o e pedindo seu autógrafo. Poderiam ter apagado as luzes da marquise e usado apenas o reflexo do rosto reluzente de Jeannot. Foi um momento maravilhoso.

Voltamos ao hotel e examinamos as respostas dos questionários, e elas foram extraordinárias. O público entendeu e adorou a apresentação. Foi simples assim. Ficamos emocionados e um pouco aturdidos.

Ninguém esperara que as coisas corressem *tão* bem. Eu me lembro de que Ned Tanen telefonou para o seu chefe, Sid Sheinberg, que dirigia, junto com Lew Wasserman, as operações comerciais da Universal. Ned disse a Sid que este último deveria pegar um avião na manhã seguinte e ir ao nosso encontro em Mineápolis porque "podemos muito bem ter nas mãos um fenômeno".

Agora, para Mineápolis.

Naquele momento estávamos realmente prendendo a respiração. Se essa apresentação corresse mal, era bastante provável que a Universal considerasse a reação de Toronto uma aberração e depois a desconsiderasse. E Sid Sheinberg apareceu.

Decidi não me sentar na platéia nessa apresentação. Fiquei em pé na lateral do cinema para poder realmente observar o rosto das pessoas, parcamente iluminados pela luz refletida da tela. Jamais me esquecerei dessa experiência. Pude observar as diferentes ondas de emoção que tremeluziram pelo rosto das pessoas enquanto assistiam ao filme. Há um ímpeto difícil de descrever, mas impossível de esquecer.

A apresentação de Mineápolis se revelou ainda melhor que a de Toronto. O público não apenas aplaudiu no final; algumas pessoas ficaram em pé e aclamaram. Uma vez mais, Jeannot foi abordado no saguão quando o público se deu conta de que ele era o diretor. Ficamos comovidos, emocionados e emudecidos.

O conceito original para o marketing do filme era lançá-lo em alguns cinemas das grandes cidades e verificar se era possível formar um público. Esse é o tipo de lançamento que os filmes obtêm em duas diferentes situações. A primeira ocorre quando o estúdio tem em mãos um filme especial, que imagina vá ser aclamado pela crítica, e constrói seu público a partir daí. Por exemplo, filmes lançados no final do ano, cogitados pelos estúdios como concorrentes ao Oscar, freqüentemente recebem esse tipo de lançamento. Isso é uma "coisa boa".

O outro tipo de lançamento limitado acontece quando o estúdio não acredita realmente no filme, não sabe como comercializá-lo e, acima de tudo, não quer gastar o dinheiro exigido por um grande lançamento nacional em vários cinemas. Isso *não* é uma "coisa tão boa" e, antes de nossas apresentações prévias em Toronto e Mineápolis, estávamos diretamente enquadrados nessa segunda categoria de lançamento limitado.

As apresentações prévias provocaram uma mudança total.

Sid Sheinberg estava simplesmente deslumbrado e me chamou à parte para me dizer que *Em Algum Lugar do Passado* era uma versão de 1980 do grande sucesso de 1970 *Love Story – Uma História de Amor* [*Love Story*]. Fiquei surpreso por não ter desmaiado ao ouvir essa comparação. Ali estava eu, um jovem produtor de 33 anos, com um filme que eu defendera e ajudara a criar. Havíamos enfrentado todos os tipos de dúvidas e críticas, e agora o diretor do estúdio estava me dizendo que tínhamos nas mãos um grande sucesso.

A "reabilitação" estava na ordem do dia, e o meu ego pegou o freio e cavalgou célere em direção ao poente. É o que se chama ser "seduzido pelo lado negro da força". Rosalyn Carter disse, certa vez, que a razão pela qual seu marido sofreu uma imensa derrota para Ronald Reagan foi o fato de que "é fácil conduzir as pessoas ao lugar para onde elas mesmas querem ir". Em um piscar de olhos, abandonei todas as minhas convicções anteriores de que o filme precisava ser criado lentamente, encontrar seu público etc. Nada disso. Os meus pensamentos, na época, eram que eu acabara de me tornar um importante produtor de Hollywood e seria capaz de ter a poderosa carreira que eu sempre achara que deveria ter.

Alto lá!

Algo engraçado aconteceu no meu caminho em direção à fama e à glória. Eu me esqueci completamente do que havia me atraído inicialmente na história. Tratava-se de um filme íntimo para enamorados e sonhadores, não uma grande produção de estúdio.

Entre os inúmeros erros de que me arrependo quando olho retrospectivamente para a minha vida, esse foi o que mais se destacou. Embora todos os envolvidos tenham me garantido que o estúdio teria me calado caso eu tivesse rejeitado nossa estratégia, gostaria de ao menos ter tentado.

Foi, então, tomada a decisão de fazer um grande lançamento em mil cinemas dos Estados Unidos em outubro.

Para incrementar a publicidade, programamos uma excursão da imprensa à ilha de Mackinac, um grande lançamento em Nova York etc. Em seguida, a associação de atores entrou em greve e ficamos sem os nossos atores, porque eles nem mesmo podiam promover o filme. Mantivemos a excursão à ilha, e a Universal nos perguntou se faríamos objeção a que usassem o evento para promover outro filme com o qual não sabiam bem como lidar. Tratava-se de *Ressurreição*, perfeito companheiro para o nosso filme e, ele próprio, uma bela e inesquecível experiência.

Chegou o outono, e com ele as críticas. Foram, de um modo geral, horríveis, o que realmente doeu. Sei que não devemos levar as coisas para o lado pessoal, mas é o que fazemos. Pelo menos a maioria de nós. Pode haver pessoas que se acostumam de tal maneira ao processo que não se deixam mais atingir, mas esse, certamente, não é o meu caso. As críticas desfavoráveis ainda doem, e doíam imensamente em 1980. Eu me senti particularmente mal por causa de Chris. Foi devido à sua coragem e dedicação que conseguimos produzir o filme, e eu achava que ele estava maravilhoso nas telas. Os críticos foram bastante cruéis com todos nós, mas pareciam dirigir diretamente sua ira para Chris, o que o magoou muito.

Sem a ajuda publicitária dos atores, o filme foi lançado no dia 3 de outubro de 1980.

Basicamente, foi um fracasso.

Permaneceu em cartaz por cerca de três semanas e depois saiu de cena, com uma renda nacional de bilheteria de apenas 10 milhões de dólares.

Ficamos chocados e arrasados. Eu me senti como se tivesse desapontado todo mundo (particularmente Richard Matheson) por não ter defendido outro padrão de distribuição. Fiquei tão deprimido que fugi de tudo e de todos durante vários meses, e deixei crescer a barba que tenho até hoje.

O filme surgira e partira praticamente despercebido.

Desapareceu.

Três anos se passaram.

Fui em frente com a minha carreira de produtor e me enterrei em outros projetos.

Foi então que algo interessante aconteceu.

Estávamos em 1983, e havia em Los Angeles um canal de tevê a cabo muito ousado conhecido como Z Channel. Era um dos primeiros canais de cinema a cabo, mas ainda muito limitado, considerando-se particularmente a maneira pela qual canais como a HBO operam hoje. Quando o Z estreou, passava apenas dois filmes por dia, em geral à noite, e ponto final. Z era programado por um amante do cinema maravilhosamente excêntrico chamado Jerry Harvey, uma das poucas pessoas que assistiram *Em Algum Lugar do Passado* quando o filme fora lançado, e simplesmente o adorara. Jerry pegou o filme com a Universal e começou a exibi-lo regularmente no Z. Pessoas que não tinham assistido ao filme ou mesmo ouvido falar nele começaram a fazê-lo. Em seguida, escreveram cartas e deram telefonemas pedindo que ele fosse reexibido. A notícia começou a se espalhar.

Com o tempo, o filme começou a passar em outro canal que estava nascendo, dessa vez a nível nacional – a HBO. Pessoas do país inteiro começaram a descobrir *Em Algum Lugar do Passado*, e também começaram a comprar vídeos do filme, fato que surpreendeu a Universal, que havia basicamente descartado o filme. De repente, distribuidores estavam comprando os vídeos, e as lojas de discos pedindo um número cada vez maior de cópias da trilha sonora. Esse foi realmente um fenômeno de base, e nós, que estávamos envolvidos com o filme, realmente não entendemos no início o que estava acontecendo.

As vendas de vídeos do filme e dos discos com a trilha sonora foram muito altas em meados da década de 1980. O filme já começara a formar um grupo de fãs, e a Universal permanecia agradavelmente surpresa. (Hoje, *SIT** é um os vídeos mais vendidos na história da Universal.)

Em 1990, Bill Shepard, que fora durante muitos anos engenheiro da Hughes Aircraft, entrou em contato conosco. Era um dos fãs dedicados do *SIT* e nos informou, para nossa surpresa, que desejava formar um fã-clube para o *SIT*. Devo admitir que Richard e eu ficamos muito confusos com a idéia, e achamos que o cara era um encanto, mas muito ingênuo por achar que poderia começar (e muito menos ali-

---

*SIT é como os fãs de *Somewhere in Time* se referem ao filme nos Estados Unidos. (*N. da T.*)

mentar) o fã-clube de um filme que tão poucas pessoas tinham assistido no cinema. Sem se deixar intimidar, Bill foi em frente e formou o clube usando o acrônimo Insite (International Network of Somewhere in Time Enthusiasts). Começou imprimindo um boletim informativo trimestral e os assinantes começaram a escrever sobre suas histórias pessoais a respeito da paixão que nutriam por *SIT*.

Em 1991, Bill convenceu o Grand Hotel a promover um Fim de Semana *SIT* para os fãs do filme. O evento foi um sucesso no primeiro ano, sucesso que continua até hoje. No Décimo Fim de Semana Anual (que ocorre todos os anos no final de outubro para coroar o encerramento da temporada do Grand Hotel), o evento já estava esgotado quase cinco meses antes. As pessoas vêm de todas as partes do mundo para passar um fim de semana totalmente dedicado ao filme. Além de apresentações do filme todas as noites, há passeios guiados pelos locais de filmagem utilizados na ilha, *workshops*, grupos de discussão e sessões de entrevistas com membros do elenco e da equipe que estejam presentes. O ponto alto do fim de semana acontece no sábado à noite, com um baile a caráter. As pessoas vestem roupas usadas em 1912, e acontece um desfile no longo hall do hotel.

Lutei muito com a idéia de voltar à ilha em um desses fins de semana. Richard e Jeannot participaram de vários. Por sorte, antes do acidente, Chris chegou a ir à ilha em uma dessas ocasiões. Parte da minha hesitação era inspirada nas idéias de Thomas Wolfe no livro *You Can't Go Home Again* (Você não pode voltar para casa). A experiência fora tão mágica que eu relutava em voltar à ilha por medo de me decepcionar. Também tinha preocupações pessoais devido à minha dolorosa separação da mulher com quem eu compartilhara a experiência original. Na verdade, minha filha Cari foi gerada durante as filmagens do filme. Resisti por muitos anos.

A década de 1990 viu a popularidade do filme crescer e se aprofundar. Quando a Insite criou seu website, milhares de fãs no mundo inteiro descobriram que não estavam sozinhos e começaram a se comunicar.

Bill se afastou da liderança ativa de Insite, e Jo Addie, uma mulher muito dinâmica, assumiu a função. Jo, na verdade, trabalhara como extra durante as filmagens e fora um dos membros fundadores da Insite. A obsessão de Jo era conseguir que *SIT* voltasse aos cinemas e tivesse o lançamento que nunca tivera. Dessa vez, nenhum de nós duvidou dessa determinação.

De fato, recebi um telefonema da Universal na primavera de 2000 dizendo que haviam decidido produzir um documentário sobre a filmagem de *SIT*, que incluiria o lançamento do filme em DVD no outono. Laurent Bouzreau, maravilhoso produtor de documentários, nos entrevistou a todos naquela primavera. O DVD do filme contém hoje esse documentário de uma hora de duração e parece ser a homenagem perfeita para o espírito do filme.

Quando o outono se aproximou, fomos informados de que a Universal iria fazer uma exibição selecionada de *Em Algum Lugar do Passado* no cinema, cidade por cidade, e que o filme seria lançado com uma noite de gala em Nova York no dia 24 de outubro. Chris e Jane puderam comparecer ao lançamento de *SIT* 20 anos depois que a participação deles no primeiro lançamento foi cancelada.

A noite foi mágica. Eu não tinha estado com Chris depois do acidente, embora tivesse me correspondido com ele. Barnet, Richard Bach e eu queríamos que Chris dirigisse a versão cinematográfica do romance clássico de Richard, *Ilusões* [*Illusions*]. Sabíamos que ele adorava o livro e se identificava particularmente com o aspecto da história relacionado com o vôo, porque Chris tinha experiência como piloto. Quando estive com Chris em Nova York, a primeira coisa que ele me disse era que queria dirigir *Ilusões*.

Um comentário sobre Chris: mesmo quando era o ator mais bem pago no mercado por conta de *Superman*, nunca levou muito a sério a fama e a si mesmo. Seu ego não inflou. Ele se via como ator, não como astro. Apenas um ator. Com um grande caráter.

O caráter de Chris como ser humano só fez florescer depois do acidente. Ele fez todo o possível para desviar a atenção de si mesmo e um enorme esforço para que todos ao seu redor estivessem à vontade. Não revelava o menor sinal de autocomiseração. Aguardava apenas o dia no futuro em que será capaz de se levantar da cadeira de rodas e andar. Tinha absoluta certeza de que veríamos esse dia acontecer.

Finalmente, participei de um Fim de Semana *SIT* no Grand Hotel logo depois do lançamento em Nova York, acompanhado pelas minhas filhas Cari e Heather. Foi uma extraordinária oportunidade ver pessoalmente o local onde o filme conquistou tantos corações. Ver 600 pessoas passar um fim de semana inteiro assistindo ao filme e falando sobre ele foi uma experiência especial que jamais esquecerei.

Em 1993, Insite colocou uma placa permanente sobre uma pedra no lugar em que filmamos a hoje famosa cena "É você?". Nunca tinha visto a placa, de modo que fui sozinho até o local logo ao amanhecer do primeiro dia do meu regresso à ilha após 20 anos.

A placa contém os dizeres:

"É Você?"

Neste local, no dia 27 de junho de 1912,

Richard Collier conheceu Elise McKenna.

Ver esse lembrete permanente do momento no qual Richard Collier e Elise McKenna se conheceram foi, para mim, a confirmação final de que, graças a seus fãs fiéis, todas as minhas esperanças e sonhos com relação a essa bela história de amor foram completamente realizados.

"Alguém já lhe disse que o excesso de persistência pode ser burrice?"
"Nunca desista."
Amor Além da Vida

Capítulo Quinze

Além da câmera:
Amor Além da Vida

AMÉM PARA ESSAS DUAS DECLARAÇÕES APARENTEMENTE CONTRADITÓrias. Eu nem imaginava o que estava reservado para mim quando, em 1979, Richard Matheson me perguntou se eu gostaria de ler a prova de imprensa do seu novo romance. Tínhamos acabado a produção de *Em Algum Lugar do Passado* e Richard havia se tornado meu mestre espiritual. Fiquei tão animado que fui correndo à casa dele pegar as provas.

Li o livro inteiro naquela noite. Duas vezes. Chorei em ambas. A primeira leitura de *Bid Time Return* deu início à minha carreira no cinema. A leitura de *WDMC** me lançou em minha jornada espiritual nesta vida.

Eu estava simplesmente fascinado. Como mencionei, a característica inconfundível de todas as grandes histórias de amor é o obstáculo entre as pessoas que se amam. O conceito de um homem disposto a correr o risco de perder a alma se aventurando no buraco do inferno para salvar a mulher é dos mais românticos. Eu sabia, no fundo do coração, que *WDMC* continha dentro de si o poder de se tornar um marco cultural nos filmes espirituais e também sabia que uma das principais finalidades da minha carreira no cinema era produzir o filme e lançá-lo no mundo.

---

*Sigla de *What Dreams May Come*, título em inglês de *Amor Além da Vida*, o mesmo título do livro de Richard Matheson e do filme nele baseado. (*N. da T.*)

No dia seguinte, fui à casa de Richard e lhe implorei que me deixasse tentar conseguir que o filme fosse produzido. Richard estava muito satisfeito com todo o processo de *SIT*. Passou muito tempo conosco na ilha de Mackinac e Jeannot respeitou muito o roteiro de Richard. Este também sabia o quanto eu acreditava no tema, e foi a pessoa maravilhosa de sempre quando pedi que me deixasse tentar fazer o mesmo com *WDMC*. Richard sorriu e disse: "Claro, Steve, ele é seu." Simples assim. Apertamos as mãos e esse foi o único acordo que fizemos com relação aos direitos.

Quando nos despedimos, prometi a Richard que, dessa vez, o processo não levaria três anos como acontecera com *SIT*.

Bem, eu não menti. De fato, não levou três anos. Levou 19!

Achei que seria sopa.

Disse a Richard que deveríamos ter paciência até o lançamento de *SIT*. Eu tinha certeza de que *SIT* seria um enorme sucesso comercial que lançaria minha carreira como produtor independente. O filme também tornaria Richard Matheson um artigo de primeira necessidade e, por conseguinte, poderíamos fazer o que quiséssemos juntos. A indústria cinematográfica e o mundo na verdade exigiriam que produzíssemos *WDMC* imediatamente, devido ao entusiasmo mundial por *SIT*.

É isso aí.

Eu tinha apenas 33 anos. É a melhor desculpa que posso arranjar para minha frenética insanidade. Acho que as coisas não foram tão más assim. Eu só estava errado em todas as suposições que fizera.

Mesmo que estivesse certo, eu teria estado errado. Vou explicar.

Os meus amigos eram amigos próximos dos pais de Michael Douglas, de modo que estive com ele algumas vezes na infância e na adolescência. E isso foi tudo. Quando estávamos preparando *SIT*, vi Michael certo dia na Universal e batemos um papo rápido. Quando soube que era meu primeiro filme como produtor, ele me contou a melhor história admonitória que um produtor poderia ouvir.

Como vocês sabem, Michael produziu *Um Estranho no Ninho* [*One Flew Over the Cuckoo's Nest*]. O filme foi indicado para várias categorias do Oscar e Michael me contou que concebera um plano que lhe parecia absolutamente engenhoso e infalível. Michael estava convencido de que iriam ganhar pelo menos um prêmio importante e tinha pronto o roteiro para o próximo filme que pensava produzir (que veio a ser *Síndrome da China*). Convencido de que o tema talvez fosse um pouco difícil de vender, Michael marcou reuniões em todos os estúdios para o dia seguinte ao Oscar. O raciocínio de Michael era que certamente conseguiriam ganhar pelo menos um prêmio com *Um Estranho no Ninho*, e que todos os estúdios estariam interessados no próximo filme que queria produzir. Michael atacaria enquanto o Oscar estivesse quente, por assim dizer.

De fato, chega a noite do Oscar e *Um Estranho no Ninho* ganhou *todos* os prêmios principais, inclusive o de Melhor Filme, que é recebido pelo próprio Michael.

No dia seguinte, com o Oscar assegurado, Michael comparece às reuniões que marcara nos estúdios convencido de que iria desencadear uma disputa na qual seriam feitos vários lances para ver quem ficaria com *Síndrome da China*. Michael cometeu um pequeno erro de cálculo. Todo mundo rejeitou seu projeto. Todo mundo!

A mensagem que Michael recebeu claramente dessa experiência foi a que tentou me transmitir: o produtor começa do zero todas as vezes. Os artistas podem ficar em alta e os diretores também... mas os produtores começam sempre do zero. Ouvi a história. Acreditei nela. Senti-me grato por ela... e logo me esqueci dela.

De qualquer modo, *SIT* foi um fracasso de bilheteria. Não haveria nenhum Oscar.

O setor ridicularizou o projeto e a mim por achar que ele era tão especial... ninguém entendeu *WDCM*. Quase todo mundo pelo menos reconheceu que *SIT* era um filme de viagem no tempo e reconheceu o conceito como um recurso que o público poderia aceitar. *WDMC* era totalmente montado na experiência após a morte do personagem principal. Como o executaríamos visualmente? Além disso, prosseguia a sabedoria convencional, a história era depressiva demais. Ninguém quer lidar com tanta morte, é o que me diziam. E para piorar as coisas, no livro, a esposa comete suicídio quando o marido morre e deixa duas crianças pequenas. Como ser solidário com essa mulher que deixa dois filhos órfãos? Vejam bem, *essa* eu entendi. Não apenas entendi, como também concordei de todo coração que teríamos de resolver essa situação. Mas eu esperava e achava que alguém acreditaria que nós e um diretor encontraríamos as soluções para todos esses desafios.

Além de ninguém se interessar pelo filme, meus contemporâneos começaram a me achar um "pouco esquisito" por gostar dessa "porcaria". No nosso setor, a regra é que é aceitável ser diferente, mas não diferente *demais*.

Quero tecer aqui um comentário sobre a década de 1980 e a espiritualidade. Ainda faltavam três anos para que *Out on a Limb* (Arriscar-se), de Shirley MacLaine, fosse publicado, e quando queríamos comprar um livro "Nova Era", tínhamos de ir a uma livraria especializada.

Ninguém estava interessado em *WDMC*. Enviei o roteiro para todos os estúdios e companhias de produção, bem como para uma longa lista de diretores. Uma vez mais, ninguém se interessou.

Isso continuou durante três anos e cerca de 50 ou 60 recusas.

Em 1982, eu estava na Twentieth Century Fox onde preparava *A Chance*, com Tom Cruise. Eu tinha na época um contrato de produção de exclusividade com a Fox, fato que influenciaria fortemente o que estava para acontecer.

Richard Matheson telefonou para me dizer que tinha marcado um encontro com Steven Spielberg. Richard não apenas tinha escrito muitos dos memoráveis episódios da série da tevê *Além da Imaginação*, como também tinha redigido *Encurralado* [*Duel*], filme para a televisão que efetivamente detonara a carreira de Spielberg.

Havíamos enviado uma cópia de *WDMC* para Spielberg, mas nunca tivemos uma resposta, e Richard me perguntou se deveria falar com Spielberg sobre o assunto. Respondi que, claro, deveria, já que nada tínhamos a perder. (Na verdade, eu presumira que Spielberg não se manifestara porque pretendia se manter fiel à idéia de fazer uma nova versão de *Dois no Céu* [*A Guy Named Joe*], outra história de amor que envolve a vida no além.)

Pouco tempo depois, Richard me telefona do escritório de Spielberg na Warner Brothers e pede que eu vá até lá imediatamente porque Spielberg deseja conversar a respeito de *WDMC*. Devo ter batido o recorde de velocidade terrestre entre Century City e Burbank.

Spielberg era o diretor mais em alta e mais bem-sucedido no mundo. *E.T.* acabara de tornar-se o maior filme de todos os tempos e Spielberg era um dos poucos caras que PODIAM fazer o que queriam e, como eu não fazia nem de longe parte desse grupo, apenas torci para que ele realmente estivesse interessado em *WDMC*.

"Interessado" não é a palavra certa... "fascinado e entusiasmado" são vocábulos mais apropriados. Spielberg foi simplesmente incrível. Adorou o livro e cumprimentou Richard por ter evitado a ausência do perigo, algo que sempre lhe parecera uma grande falha nos filmes sobre a vida após a morte. O drama exige o perigo e, disse Spielberg, o aspecto do suicídio de Annie e a busca que Chris empreende para encontrá-la foi uma concepção brilhante. Spielberg prosseguiu afirmando que realmente desejava desenvolver o roteiro conosco, e, se tudo corresse bem, poderia se dedicar ao filme logo depois de *Indiana Jones e o Templo da Perdição* [*Indiana Jones and The Temple of Doom*], que iria dirigir a seguir. Spielberg foi muito simpático comigo e me tranqüilizou dizendo que, embora não pudesse prometer que eu seria o único produtor, eu certamente seria um dos produtores, ao lado da sua equipe.

Naquele ponto, achei que era eu que tinha morrido e ido para o céu. Steven Spielberg? O que importava se eu tivesse que compartilhar o cargo com os produtores dele?

Perguntamos, então, por que Spielberg não respondeu quando lhe enviamos o roteiro pela primeira vez, e Spielberg nos contou uma história bela e comovente a respeito de tê-lo lido com Amy Irving (com quem fora casado), que eles o adoraram e na verdade o leram em voz alta um para o outro. Lamentavelmente, haviam se separado pouco depois por outros motivos, e o livro tinha se tornado um doloroso lembrete para ele.

Spielberg me perguntou, então, se eu preferia trabalhar com a Warner ou com a Universal. Ele fazia negócios com ambas. Nesse ponto, eu lhe disse que tinha um contrato de exclusividade com a Fox, e a temperatura na sala despencou. Spielberg me informou com firmeza que em hipótese alguma faria um filme com a Fox por causa do vice-presidente da empresa, Norman Levy. Norman fora o diretor de marketing e distribuição da Columbia quando Spielberg trabalhara com eles, em 1977, dirigindo *Contatos Imediatos do Terceiro Grau*, e ele se recusava terminantemente a trabalhar de novo com Norman.

Além de eu ter contrato de exclusividade com a Fox, Norman era meu amigo e mentor. Quando comecei com Ray Stark na Columbia, em 1976, Norman se esforçou muito para ser agradável comigo e passou muito tempo me ensinando aspectos de marketing e de distribuição. Quando foi para a Fox, recomendou a Marvin Davis (que era dono da Fox na época) que me contratasse. Marvin estava procurando um jovem produtor para formar uma equipe com o seu bom amigo Gary Morton, que era casado com Lucille Ball. Norman me indicou e consegui o contrato. Norman, portanto, era muito próximo de mim.

Embora eu tenha feito o possível para convencê-lo a mudar de idéia, Spielberg foi inflexível: não trabalharia com a Fox.

Sai de lá atordoado. O que fazer?

Voltei para a Fox (não sei como consegui chegar lá inteiro) e fui direto ao escritório de Norman para lhe contar o ocorrido. Norman ficou pálido como um cadáver. Não tinha a menor idéia do motivo pelo qual Spielberg estava agindo daquela maneira. O fato de o diretor mais procurado do mundo se recusar a fazer negócio com o seu estúdio por sua causa não é exatamente uma música agradável para o ouvido de um executivo. Norman tentou falar com Spielberg por telefone, mas Steven se recusou a atender. Norman não queria que Marvin Davis soubesse do estava acontecendo, e me pediu que ficasse quieto durante algum tempo e o deixasse lidar com o assunto. Fiz o que ele me pediu.

Norman telefonou para todo mundo que conhecia até que finalmente descobriu que tinha conquistado a inimizade de Spielberg por ter mudado a campanha publicitária de *Contatos Imediatos do Terceiro Grau* três meses *depois* do lançamento inicial.

Telefonei pessoalmente, uma vez mais, para Spielberg a fim de defender Norman, mas Spielberg permaneceu inflexível e me disse que eu teria de escolher, algo que é muito mais fácil dizer do que fazer. A única escolha que eu tinha na ocasião era deixar que Spielberg fizesse o filme sem mim. Richard, no entanto, descartou essa possibilidade, porque fazia questão que eu estivesse envolvido na produção do filme, por motivos pessoais e comerciais.

Finalmente, Norman concordou em que teríamos que contar a Marvin o que estava acontecendo, e foi o que fizemos. A Fox estava começando o trabalho de publicidade da série *Guerra nas Estrelas,* de modo que Marvin conhecia George Lucas e sabia que ele era muito chegado a Spielberg. Marvin telefonou para Lucas e explicou a situação. Lucas pediu a Marvin que lhe enviasse o roteiro, para que ele soubesse exatamente o que estava na essência da questão. Marvin enviou uma cópia para Lucas no norte da Califórnia em um avião particular.

Dias depois, Marvin nos chamou à sua sala para dizer que Lucas lera o roteiro e telefonara para Marvin dizendo que considerava o projeto "fantástico". (*Isso,* pelo menos, foi uma boa notícia porque, antes do interesse de Spielberg, ninguém na Fox achava que o projeto fosse viável.) Lucas havia de fato ligado para Spielberg e ouvira o que eu escutara antes, ou seja, que não havia a menor chance de ele trabalhar com a Fox. Marvin tentara falar com Spielberg, mas não conseguira. A Fox tinha, na época, um novo diretor de produção chamado Joe Wizan, que leu o roteiro quando Lucas o leu e se tornou o primeiro executivo em Hollywood a defendê-lo. Na verdade, Joe disse a Marvin que a Fox nunca teria uma chance melhor de fazer um filme histórico. (Sempre adorei Joe por ter sido tão corajoso, porque ele disse isso a Marvin pouco *antes* de terem a resposta de Lucas.)

Assim sendo, estávamos todos sentados e Marvin me ofereceu uma escolha. Eles foram suficientemente generosos para reconhecer que eu não deveria ser punido e impedido de fazer um filme com Spielberg por conta de algo que Norman tinha feito (ou não tinha feito) anos antes. Prometeram me liberar do meu contrato e me deixar desenvolver o filme com Spielberg *ou* eu poderia dizer não para Spielberg e eles comprariam o roteiro e o desenvolveriam na Fox, com outro diretor. Eles ainda me garantiam autonomia tanto na escolha do diretor quanto no desenvolvimento do roteiro.

Eu não sabia o que dizer.

Quando a reunião terminou, acompanhei Norman à sua sala, e ele estava cabisbaixo e humilhado. Não tentou, no entanto, me influenciar de nenhuma maneira, me dizendo apenas que ouvisse minha consciência e meus instintos.

258   A FORÇA ESTÁ COM VOCÊ

Procurei, então, Richard que, para minha surpresa, estava absolutamente tranqüilo, e até mesmo confuso, com toda a situação. Ele disse
que eu, obviamente, criara um dilema espiritual para mim mesmo.

"Para mim mesmo?", perguntei. "O livro é seu!"

"Mas eu o confiei a você. A decisão é sua."

Que beleza.

Discutimos o assunto durante algumas horas, e no final Richard
me fez três perguntas simples.

A primeira foi se eu achava que Spielberg estava sendo justo ao se
recusar a trabalhar com a Fox. Essa foi fácil, porque eu já havia chegado à conclusão que, embora Spielberg tivesse todo o direito de sentir e
fazer o que bem quisesse, a atitude dele com relação a Norman estava
sendo, na minha opinião, exagerada.

A segunda pergunta foi, considerando minha resposta à primeira, sobe
que tipo de energia seria então vinculada ao projeto se eu deixasse a Fox
naquelas circunstâncias. Somente um guru espiritual poderia fazer ao seu
protegido esse tipo de pergunta. Respondi que, na minha opinião, Norman sofreria muito se eu fosse embora nessas circunstâncias, e que isso,
por sua vez, faria com que eu me sentisse muito mal por conta do grande
apoio que sempre recebera de Norman. Em outras palavras, um carma
muito questionável seria anexado a um projeto profundamente espiritual.

A terceira pergunta me surpreendeu. Richard quis saber se eu achava
que Spielberg dirigiria o filme da maneira como ele e eu sempre espera-
mos que o filme fosse dirigido. Richard me disse para dissociar o talento de
Spielberg do que eu achava que ele faria com *esse* projeto particular. Algo
simplesmente estalou dentro de mim. Por motivos que eu não compreen-
dia, percebi que precisávamos dizer não a Spielberg. Disse isso a Richard e
perguntei o que ele achava. Ele me deu o seu sorriso enigmático e repetiu
que quem tinha de tomar a decisão era eu, não ele. Nenhuma confirmação
consensual, guru? De jeito nenhum. Eu estava sozinho nessa.

Anos depois, Richard e eu fomos assistir *Além da Eternidade* [*Always*],
a nova versão de Spielberg de um filme da MGM chamado *Dois no Céu*,
já mencionado neste capítulo. *Além da Eternidade* é uma história materia-
lista de amor após a morte, na qual Richard Dreyfuss interpreta um piloto audacioso que combate incêndios nas florestas. Ele morre em um

acidente e depois "volta" para ajudar a treinar seu substituto e tentar consolar a namorada (Holly Hunter). Ao sair do cinema, tive certeza que tomara a decisão correta anos antes. *Amor Além da Vida* talvez tivesse se tornado uma maravilhosa aventura no além sob a direção de Spielberg, em 1985, mas não teria tido a alma que precisava ter. Digo 1985 porque acredito que Steven Spielberg, que posteriormente produziu e dirigiu *A Lista de Schindler* [*Schindler's List*], provavelmente teria feito de *Amor Além da Vida* um filme extraordinário. Nunca saberemos. E antes que alguém me acuse de ter "prevenção contra Spielberg", por favor, reparem que ele dirigiu mais filmes citados neste livro do que qualquer outra pessoa, e, por favor, prestem atenção aos meus comentários sobre *E.T., Contatos Imediatos* e *Os Caçadores da Arca Perdida*.

Telefonei para Spielberg, que ficou surpreso mas agiu como um cavalheiro.

Norman ficou muito feliz e se comportou como um condenado à morte que recebe um perdão de última hora.

Todas as outras pessoas me disseram que eu estava completamente louco. Isso mesmo. E era novidade? A verdade é que *sou* mesmo "maluco" quando usamos um padrão normal para analisar seu comportamento.

Com o passar dos anos, por mais estranho que possa parecer (até mesmo para mim), nunca me arrependi de ter tomado essa decisão. Não havia nenhuma garantia de que poderíamos ter desenvolvido um roteiro que Spielberg tivesse gostado, mas essa nunca foi a questão. Sei apenas que o filme não estava destinado a ser produzido naquela época nem naquelas circunstâncias. Nunca olho para trás nem me arrependo (embora muitos dos meus amigos me digam que o fato de eu não me arrepender é a prova mais segura da minha loucura). Como sempre dizia o grande arremessador de beisebol Satchel Page: "Não olhe para trás. Alguém pode estar se aproximando de você."

A Fox adquiriu então os direitos do romance de Richard Matheson e, no início de 1984, começamos a procurar um diretor.

Voltei a entrar em contato com vários diretores que não haviam se interessado antes pelo projeto, e que continuaram desinteressados.

A Fox estava trabalhando em um filme chamado *Inimigo Meu* [*Enemy Mine*], na Islândia, com um diretor inexperiente. O filme precisou ser interrompido. Começaram a procurar um novo diretor e contrataram Wolfgang Petersen, que acabara de surgir no cenário internacional com *A História sem Fim* (filme mencionado no Capítulo Três). Todos na Fox se apaixonaram pelo trabalho de Wolfgang ao reinventar *Inimigo Meu*, e com o homem em si. Posteriormente, me perguntaram o que eu achava de convidá-lo para dirigir *Amor Além da Vida*.

Naquele momento, assisti pela primeira vez *A História sem Fim* e fiquei deslumbrado. Enviamos o livro para Wolfgang, que estava em Munique preparando *Inimigo Meu*, e recebemos uma resposta imediata. Ele adorou a história e veio para Los Angeles participar de reuniões sobre *Inimigo Meu* e *WDMC*. Wolfgang é um homem envolvente e divertido, e todos nos demos bem com ele de imediato. Em uma bizarra semelhança com a experiência de Spielberg e sua mulher, Wolfgang também lera o livro com a mulher, Maria, e simplesmente adorou a experiência. Ele me disse que o filme seria sua carta de amor para a esposa. Combinamos trabalhar juntos, mas Wolfgang precisou voltar para Munique.

Richard rapidamente elaborou um primeiro rascunho do roteiro, e fizemos planos para ir a Munique nos encontrar com Wolfgang durante a interrupção das filmagens de *Inimigo Meu* na época do Natal.

Uma semana antes da data de nossa partida, tive uma grave crise de pancreatite e fiquei hospitalizado durante dois dias. O médico queria que eu ficasse internado mais tempo e que não me autorizaria viajar por pelo menos uma semana. Eu lhe disse que precisava ir, e ele finalmente cedeu.

Apesar de ter convencido o médico, devo admitir que eu também estava um pouco preocupado com a viagem à Alemanha. E se eu tivesse uma recaída no avião? O médico me receitou um sonífero chamado Halcyon, para que eu pudesse relaxar durante o vôo. Infelizmente, tomei um comprimido antes de embarcar e me esqueci. Richard e eu brindamos então à nossa viagem com um pouco de champanhe e, distraidamente, tomei outro comprimido de Halcyon. Dois comprimidos de Halcyon com champanhe, depois de ter sido internado e perdido quase cinco quilos em uma semana e após ter tido alta do hospital. Brilhante.

O meu momento seguinte de consciência me deixou apavorado. Eu estava no escuro, no meio de uma cidade que não reconheci. Era de manhã muito cedo, acabava de amanhecer e eu achei... não, tive certeza... que estava sonhando. Finalmente, vi alguém e perguntei onde estava, recebendo a resposta em alemão. Eu estava em Munique. Graças a Deus eu me lembrava do nome do hotel onde nossas reservas tinham sido feitas, e o homem me ensinou como chegar lá.

Eu tinha desmaiado no avião, e Richard precisou me tirar do avião em uma cadeira de rodas, depois me levou para o hotel e me colocou na cama. Eu, obviamente, acordei de manhã cedo, ainda semidrogado, imaginando estar em casa, e fui dar uma volta. Recuperei a consciência na rua.

Esse foi, provavelmente, um forte prenúncio do que estava para acontecer, mas optei por não prestar atenção nele.

As reuniões com Wolfgang correram bem, mas ele estava compreensivelmente muito distraído devido a assuntos relacionados a *Inimigo Meu*.

Voltamos para Los Angeles, tudo progrediu muito rápido e se desintegrou totalmente em 1985.

Marvin vendeu a Fox e todos os executivos foram demitidos. Isso acontece com muita freqüência em Hollywood e, muitas vezes, indica um fim para quase todos os projetos que estão sendo desenvolvidos. Os novos executivos encaram os projetos que foram desenvolvidos pela gestão anterior como destinados ao fracasso. Se continuam um projeto e ele é bem-sucedido, o mérito é da antiga administração. Se dão seguimento ao projeto, e ele fracassa, a nova gestão leva a culpa por não ter caído fora enquanto podia. Seja qual for a situação, é uma questão destinada ao fracasso.

Adeus *WDMC*.

Além disso, *Inimigo Meu* foi um fracasso de bilheteria, e Wolfgang deixou de ser visto pelo estúdio como um gênio e passou a ser visto como um pária. É claro que isso não faz nenhum sentido. Ray Stark me ensinou desde cedo que um diretor deve ser julgado pelo seu melhor trabalho. Se, depois disso, ele falha, em geral significa que tomou uma decisão errada com relação ao assunto. Neste caso, infelizmente, o próprio Wolfgang ficou deprimido com suas perspectivas e se retirou do projeto exatamente na mesma época em que a Fox me mandou passear. (Wolfgang foi em frente e teve uma carreira incrivelmente bem-sucedida, vindo a dirigir grandes sucessos como *Mar em Fúria* [*The Perfect Storm*], entre outros.)

Esse não foi o único golpe que recebemos em 1985. Richard e eu também havíamos vendido para a ABC o conceito de uma minissérie com 18 horas de duração sobre fenômenos psíquicos. Richard redigiu um "esboço" de 800 páginas, que foi sumariamente rejeitado pela ABC mais ou menos na mesma época em que a Fox disse adeus a *WDMC*.

Em nossa opinião, George Orwell havia cometido um erro de cálculo de mais ou menos um ano com relação a *1984*.

Tentamos captar em vão o interesse de outros estúdios e diretores. Estávamos no processo de "recuperação", que equivale no setor a dizer que tínhamos sido "liberados do nosso compromisso" quando todos sabiam que, na verdade, havíamos sido demitidos. Nossa história era estranha demais, e éramos os idiotas que haviam recusado Spielberg. Na verdade, eu era visto como o idiota que recusara Spielberg, e Richard o idiota que permitira que eu o fizesse.

Estávamos desanimados e sem coragem, e decidimos pôr *WDMC* de lado e tentar nos reerguer. Também nos afastamos um do outro por um período, porque era doloroso demais vivermos juntos a tristeza daquele momento.

Fiquei muito zangado e um pouco amargo com a situação. Também me senti um total perdedor com relação a mim mesmo, a Richard e ao Universo.

Alguns anos se passaram. De vez em quando, eu tentava, em vão, reviver *WDMC*.

Nessa ocasião, vendi *Bill e Ted – Uma Aventura Fantástica* (Capítulo 6) para uma nova companhia, chamada Interscope, cujo dono e diretor era Ted Field. Como eu nunca desistira totalmente de *WDMC*, entreguei a ele um exemplar do livro, que o leu e ficou fascinado. Chegamos a discuti-lo rapidamente, mas não conseguimos descobrir como levar o projeto adiante, de modo que *WDMC* escapuliu de novo.

Passaram-se mais alguns anos e, de vez em quando, outros diretores examinavam e não se interessavam por *WDMC*.

Estamos agora em 1993, e Dino acaba de me demitir. A empresa era dele. Eu queria mudar o rumo das coisas, ele, não. No entanto, o incidente que precipitou minha demissão foi outra questão completamente diferente.

Havíamos contratado Ron Bass para nos desenvolver um roteiro. Nos últimos 20 anos Ron foi, e ainda é, o roteirista mais bem-sucedido e prolífero de Hollywood. Ganhou o Oscar por *Rain Man* [Rain Man] e escreveu o roteiro de outros filmes, como *Dormindo com o Inimigo* [Sleeping with the Enemy], *Quando um Homem Ama uma Mulher* [When a Man Loves a Woman], *Lado a Lado* [Stepmom], *Neve sobre os Cedros* [Snow Falling on Cedars], *Armadilha* [Entrapment] etc. Ron foi originalmente um grande advogado do setor de entretenimento e nos conhecemos em 1979, quando ele negociou o contrato de Chris Reeve em *SIT*. No início dos anos 80, Ron começou a escrever roteiros e mantivemos uma amizade casual, porém cordial. Dino desejava desesperadamente um roteiro de Ron Bass, então pedi a Ron que lhe vendesse uma idéia original, e foi o que ele fez. Dino adorou a idéia, e concordamos em pagar a Ron 750 mil dólares por um roteiro original, a maior quantia que Dino já investira em um projeto. (Se você está achando que é muito, saiba que Ron recebe hoje 2 milhões de dólares por um roteiro original e trabalha com contratos fechados por um ano. Ele é bom assim? Não. É melhor ainda.)

Ron entregou o primeiro rascunho do roteiro, que não era lá essas coisas. Não foi ruim, apenas não foi excelente. Até mesmo Ron admitiu. Precisava ser trabalhado, e ele sabia disso. O primeiro rascunho *nunca* é perfeito. Por isso, é chamado de "primeiro" rascunho. Ron é um homem extremamente profissional e trabalha incansavelmente para obter um resultado perfeito depois de receber as *script notes* (notas sobre o roteiro).

Entreguei o roteiro a Dino com esses comentários. Ele leu e ficou absolutamente furioso. Gritou comigo, dizendo que Ron não havia entregue o roteiro que prometera, afirmação totalmente incorreta. Ron entregara *exatamente* a história que nos vendera, mas a execução ainda não estava excelente. Eu disse a Dino que Ron pegaria as notas que lhe entregássemos e faria sua mágica de sempre. Dino não quis me ouvir e continuou a afirmar que Ron havia rompido o contrato, mas ele estava totalmente errado. Declarou que não queria pagar Ron, e eu lhe disse que ele não tinha nenhuma base legal para fazer isso. Sem se deixar intimidar, Dino mandou chamar Ron e eu lhe expus o que Dino me dissera. Ron foi pego de surpresa, mas agiu como um perfeito cavalheiro se oferecendo para reescrever tudo para Dino, que nem quis ouvir falar no assunto. Dino queria desfazer o contrato. Ron disse então que poderia se afastar e sugeriu um acordo no qual receberia 50% do valor do contrato, o que foi um gesto muito generoso considerando-se o fato que as acusações de Dino eram totalmente infundadas. Dino também recusou essa proposta e disse a Ron cara a cara que ele não entregara o roteiro prometido. Uma coisa é questionar a qualidade, e outra, bem diferente, é questionar a integridade. Acho que Dino realmente acreditava no que dizia, mas estava totalmente equivocado. Ambos se viraram para mim, e eu disse claramente a Dino que ele estava errado e que tínhamos que pagar Ron. Dino se levantou, encerrou a reunião e saiu da sala.

Ron foi embora em estado de choque e, cinco minutos depois, Dino me chamou à sua sala e me demitiu por eu não ter ficado ao seu lado. E ponto final. (Para ser totalmente justo com Dino, ele já estava muito aborrecido comigo, e essa foi, por assim dizer, a gota d'água.)

Quando relatei a Ron o ocorrido, ele se sentiu muito mal e se ofereceu para tentar falar novamente com Dino, o que seria uma perda total de tempo. Tinha acabado. Uma semana depois negociei com Dino um acordo no meu contrato e deixei a empresa.

Ron voltou a ligar para saber como estavam as coisas e disse que gostaria de tentar fazer algo comigo, para que pudéssemos eliminar da boca o gosto amargo daquela experiência. Em seguida, me perguntou se havia algo que eu gostaria de fazer e... uma luz se acendeu em minha cabeça. Fui falar com Richard Matheson.

Disse a Richard que talvez conseguíssemos reviver *WDMC* convencendo Ron a escrever o roteiro em vez de Richard. Esse foi um momento difícil. Richard e eu passáramos por muitas coisas juntos, de modo que eu jamais mencionaria essa possibilidade a Ron sem o consentimento de Richard. Expliquei a Richard que Ron se tornara o roteirista mais procurado do mercado, que ele tinha a incrível capacidade de escrever roteiros que os estúdios entendiam e que os artistas de renome queriam estrelar. Eu achava que essa era nossa melhor chance de reviver o projeto e, dessa vez, deixei que Richard tomasse a decisão. Como era de se esperar, ele entendeu perfeitamente e concordou com o meu raciocínio. Ficou magoado e não gostou da situação. Nem eu. Mas sabíamos que fazia sentido.

Ron leu o livro imediatamente e em seguida me telefonou para dizer que o adorara, que adoraria adaptá-lo, mas que não acreditava que alguém pagaria para que ele fizesse o trabalho. Achava que qualquer estúdio consideraria arriscado demais pagar seu preço de 1 milhão de dólares (na época). Sabendo que um velho amigo de Ron (Mike Marcus) acabara de ser nomeado dirigente principal da MGM, pedi a Ron que pelo menos estivesse aberto a conversar com Mike. Ele concordou.

Telefonei então para David Ladd, que trabalhava com Mike na MGM e era um velho amigo meu. (Você se lembra do dito do restaurante: local, local e local? Na indústria cinematográfica isso se traduz por relacionamentos, relacionamentos e relacionamentos.) David conhecia a história do projeto e me deu muito apoio. Também enviei um exemplar do livro para ele. A reunião estava marcada.

Perguntei a Ron se ele analisara os desafios do livro e, até certo ponto, tinha feito isso; no entanto, não pensara em como solucionar o dilema de uma mãe que comete suicídio e deixa os filhos órfãos de pai e mãe. Esse sempre tinha sido o calcanhar-de-aquiles do livro, e eu não apenas sabia que Mike faria perguntas a respeito, como também que deveríamos ter uma boa resposta. Ron achava que Mike não faria a pergunta e disse que não estava preparado para responder caso a fizesse.

Um comentário interessante. Enquanto Ron e eu aguardávamos a hora da reunião com Mike na sala de espera da MGM, um homem também estava lá esperando outra reunião. Quando nos encaminhamos para a sala de Mike, perguntei a Ron se ele sabia quem era o cara e ele respondeu: "É um diretor da Nova Zelândia chamado Vincent Ward."

A reunião foi muito melhor do que poderíamos esperar, mas no final Mike Marcus nos informou que deveríamos resolver o problema do suicídio, caso contrário não poderíamos prosseguir. Enquanto eu pensava que, uma vez mais, tudo estava perdido, Ron declarou alegremente: "*Oh*, eu sei como fazer isso. As crianças morrerão *antes* do marido em um trágico acidente. A única razão pela qual Annie mal consegue sobreviver ao trauma é o grande amor que sente por Chris. Assim, quando ele morre, Annie não tem mais por que viver. Todos compreenderão isso perfeitamente. E no além poderei usar as crianças como personagens com diferentes identidades até que Chris esteja pronto para vê-las como quem realmente são. Elas podem, na verdade, ser os guias dele. Simples."

David me disse mais tarde que fiquei literalmente boquiaberto. Puxa, tenho sorte por não ter desmaiado! Foi uma solução brilhante e inspirada para um problema sobre o qual durante 14 anos eu mal consegui falar. Mike adorou a idéia, disse que iríamos tocar o projeto, e foi isso. Tínhamos um acordo.

Quando Ron e eu saímos da sala de Mike, e eu estava prestes a perguntar como aquilo tinha acontecido, Ron comentou: "Não olhe para mim. Sei o que você vai perguntar e não tenho a menor idéia de como aquilo aconteceu ou de onde veio a idéia. De repente, eu simplesmente soube o que dizer e disse. Na verdade, eu realmente só soube o que estava dizendo quando acabei de falar."

Bem, naquele momento eu tive certeza do que tinha acontecido. O Universo havia decidido que estava na hora de o filme ser produzido e nos deu a resposta que precisávamos, no momento certo. O Universo também nos apresentou ao homem que um ano e meio depois se tornaria o nosso diretor. Foi realmente como: "Tudo bem, caras, chegou a hora. Eis a solução para seu problema e, por falar nisso, o cara com quem vocês acabaram de topar será o diretor do filme, embora vocês ainda não saibam disso."

Conheci Barnet em abril de 1994 e decidimos criar a Metafilmics. Outra ajuda do destino. Eu sabia que Barnet era a peça que estava faltando no quebra-cabeça. Há muito tempo eu estava fazendo as coisas sozinho, e Barnet apareceu com idéias diferentes e uma nova perspectiva a respeito de como deveríamos prosseguir.

Em novembro de 1994, Ron telefonou para dizer que o primeiro rascunho estava pronto, e que ele o estava enviando para nós em primeira mão. Fiquei tão emocionado que precisei parar de ler várias vezes. Foi, e ainda é, o melhor rascunho de um roteiro que já li; além disso, aquele primeiro rascunho acabou sendo, basicamente, o filme que foi produzido, exceto pelas enormes modificações visuais inspiradas mais tarde pelo nosso diretor. (Richard leu e também adorou o roteiro, chegando inclusive a telefonar para Ron para lhe dizer que a adaptação foi tão boa que ele teria modificado algumas coisas no livro se tivesse pensado nelas primeiro. Esse tipo de dignidade é rara, especialmente em Hollywood. Ron me disse depois que esse talvez tenha sido o maior elogio que já recebeu em toda a sua vida.)

Submetemos o roteiro à MGM e a reação deles foi muito interessante. Pareceram muito satisfeitos e, ao mesmo tempo, bastante imparciais. Fizeram muito poucas anotações no roteiro porque também reconheceram que Ron o tinha praticamente fechado no primeiro rascunho. A questão se tornou, uma vez mais, quem iria dirigir o filme? Como iríamos visualizá-lo? Assim sendo, pela enésima vez em 14 anos, empreendemos a busca de um diretor.

Ron era representado pela Creative Artists Agency (CAA), e eles apresentaram algumas sugestões interessantes para o nome do diretor, inclusive Vincent Ward, que havíamos visto de passagem na MGM um ano antes. Quando nos lembramos desse fato, Barnet e eu olhamos um para o outro e soubemos que o destino estava nos guiando. Assistimos imediatamente ao último filme que Vincent havia dirigido, *O Mapa do Coração* [*Map of the Human Heart*], e logo soubemos que ele era o nosso cara. *WDMC* precisava de um diretor que soubesse como criar um mundo novo em um filme, e Vincent era, obviamente, um gênio nessa área. Ficamos eletrizados.

Mas Vincent rejeitou o convite. Afirmou ter gostado do roteiro, mas não conseguia descobrir uma maneira de visualizá-lo. (É importante observar que o tema da pintura não estava no rascunho original do roteiro. Nele, Annie fornecia comida para festas e ocasiões especiais.) Outro diretor disse não. Naquele ponto, eu me senti como um adolescente que convidou todas as meninas da turma para ir ao baile com ele e todas recusaram o convite. Será que eu teria de ficar em casa?

Uma semana depois, quando ainda estávamos procurando em outros lugares, Vincent telefonou dizendo que tivera uma idéia. Nos encontramos no café da manhã e ele expôs o conceito do mundo pintado. Annie seria pintora e trabalharia em um museu, de modo que a pintura seria um grande elo entre Annie e Chris. Quando ele morresse, despertaria nas pinturas de Annie e interagiria naquele mundo de tinta fresca. Era um conceito maravilhoso e brilhante. Sabíamos que o além teria que parecer diferente de tudo o que já fora visto antes na tela, e aqui estava a idéia. Eu me lembro de ter perguntado a Vincent se ele sabia como poderíamos executar essa idéia, e ele apenas deu um sorriso travesso e disse: "Não, mas vamos descobrir."

Quero fazer um comentário sobre Vincent: ele é o cara mais dedicado e trabalhador que já conheci, e é um diretor igualmente brilhante. Muito poucos diretores são capazes de criar um mundo totalmente novo na tela, e Vincent é um dos grandes nesse ramo. Também é um desses caras que sempre serão leais e sinceros conosco se formos leais e sinceros com ele. Nos tornamos imediatamente bons amigos. Nos quatro anos seguintes, tivemos brigas enormes, mas sempre com a intenção de melhorar o filme. Vincent é um verdadeiro e apaixonado diretor visionário, e um homem maravilhoso. É e sempre será um dos meus amigos mais queridos.

Ron incorporou as idéias de Vincent ao roteiro, mas a MGM não quis fazer o filme. O filme ficaria caro demais para eles naquela ocasião, e educadamente nos liberaram.

Submetemos o roteiro a mais de 55 possíveis fontes de financiamento, e o primeiro telefonema que recebemos foi do meu amigo de *Bill e Ted*, Ted Field, que queria marcar um encontro imediatamente. O presidente de produção de Ted é Scott Kroopf, com quem eu também já trabalhara. O terceiro membro da equipe da Interscope era Erica Huggins, a produtora executiva mais engenhosa e flexível que já conheci.

Eles adoraram o roteiro, e Ted se comprometeu na hora a conseguir que a Polygram, com quem tinha um acordo, o financiasse. Também prometeu que nunca interferiria conosco no aspecto criativo. Ted é um homem de palavra e cumpriu as duas promessas. É, definitivamente, um dos principais heróis desta saga.

A Polygram exigiu que contratássemos um grande astro para interpretar Chris. (Ainda acredito que nenhum dos principais executivos de produção da Polygram desejasse produzir *Amor Além da Vida*. Eles nunca entenderam o filme – graças a Deus! – e acho que só conseguimos nos introduzir sorrateiramente por mera obra do acaso e pela persistência de Ted Field.) De qualquer modo, eles queriam a "garantia" de um grande astro. Quando examinamos atentamente a lista, ela acapou reduzida a duas pessoas: Tom Hanks e Robin Williams. Necessitávamos de um grande astro que estivesse em sintonia com o público e pudesse conduzir as pessoas à vida futura. Ele tinha que ser verossímil e confiável como ser humano, e não apenas como ator. Também precisava ter a ternura necessária para uma história de amor. Na categoria de "grandes astros", essas condições só nos deixavam Hanks e Williams.

Robin aceitou de imediato. Na verdade, cortesmente se ofereceu para interpretar "todos os papéis" se assim o desejássemos. Isso aconteceu em maio de 1996 e teve início um período de pré-produção de um ano, no qual Vincent e nosso brilhante desenhista de produção, Eugenio Zannetti, começaram a desenvolver o filme, e iniciamos o trabalho detalhado de preparar um filme desse tamanho e dimensão para as filmagens. Essa história poderia preencher um livro, mas é detalhada demais para ser descrita aqui.

Quanto ao elenco, Cuba Gooding Jr. veio conversar conosco a respeito de interpretar *the tracker* (alma que pode ajudar a encontrar outras almas), mas acabou ficando muito entusiasmado para interpretar Ian, o guia de Robin no além. Conhecemos Cuba uma semana depois de ele ter ganho o Oscar de Melhor Ator Coadjuvante por *Jerry Maguire – A Grande Virada* [*Jerry Maguire*], e ele é exatamente aquele cara que vimos dar uma cambalhota no palco. É encantador tê-lo por perto. Depois de Cuba, contratamos Rosalind Chao, para interpretar a versão adulta da filha de Robin, o que realmente nos agradou devido ao óbvio tema da diversidade. Sugerimos a alguns executivos, de brincadeira, que talvez pudéssemos oferecer a Cheech Marin o papel do *tracker*. Eles não riram. Contratamos o famoso Max Von Sydow, então, de qualquer modo, tivemos uma diversidade sueca.

Annabella Sciorra foi chamada para interpretar Annie depois de ter elegantemente concordado em fazer um teste cinematográfico com Robin. Encaixou-se tão perfeitamente ao papel que a decisão foi fácil para nós; no entanto, tivemos que realizar algumas maquinações com a Polygram sobre considerar uma atriz famosa, mas todos queríamos Annabella e finalmente obtivemos permissão para lhe oferecer o papel. (Um comentário sobre seu desempenho: creio que o papel de Annabella foi um dos mais incrivelmente difíceis do cinema durante muitos anos e, para mim, sua interpretação foi perfeita. Annabella não teve nenhum momento de hesitação ou confusão em todo o processo e nunca recebeu o crédito que tanto merecia. Agora que ela tem um relacionamento especial com Tony Soprano, talvez ele possa fazer algo a respeito.)

Em 23 de junho de 1997 (dia em que minha filha Heather completou 11 anos) começamos a filmar em Glacier Park, Montana. Nessa ocasião, fazia 17 anos que eu tentava filmar aquele projeto. Nunca me esquecerei do que senti naquele dia, e três das minhas quatro filhas estavam presentes para compartilhar comigo esse sentimento.

Você se lembra de como a filmagem de *Em Algum Lugar do Passado* foi um sonho? Bem, se aquilo era o céu, *Amor Além da Vida* certamente era o inferno. Por diversas razões, novamente detalhadas demais para um capítulo que precisa especificar toda a história do projeto, o período de produção foi para nós um pesadelo de quatro meses. Quando ele acabou, em outubro, sentimos que tínhamos vivido ao lado de Chris a experiência da jornada através do pesadelo.

David Brenner, nosso editor, ganhara um Oscar por *Nascido em Quatro de Julho* [*Born on the Fourth of July*] e, à maneira típica de um gênio, tinha uma cópia preliminar do filme pronta para nos mostrar em dezembro. Ficamos emocionados e impressionados com o poder e a abrangência do filme. A primeira montagem foi editada exatamente como fora escrita, de modo que o primeiro ato era tão confuso quanto os sentidos de Chris.

Em janeiro, recrutamos um público baseados exclusivamente no interesse das pessoas pelo tema do filme. Elas só foram informadas de quem eram os atores depois de aceitarem o convite. Essa é uma distinção muito importante. Nenhuma badalação, nenhum deslumbramento. Apenas o tema. E elas adoraram o filme, mesmo na montagem preliminar. E quero dizer realmente adoraram. A receptividade foi fantástica. A Polygram, no entanto, não se deixou convencer. Argumentaram que esse público tinha um interesse muito específico e insistiram em que recrutássemos um público baseados no elenco e em uma trama mais ampla. Que diferença. O segundo público não aceitou de modo nenhum o filme e se mostrou hostil com relação à natureza confusa do primeiro ato. Tivemos que reeditar o filme, deixando-o muito mais simples e limpo.

Isso gerou muita discussão. Todos tínhamos adorado a primeira montagem, e na minha opinião ela ainda é a melhor versão do filme. Não para um público amplo e convencional, e esse era o dilema. Muito dinheiro fora gasto na produção do filme. Os cenários e efeitos eram extremamente caros, bem como o elenco. A Polygram fez um enorme investimento, e era preciso que o filme atraísse público enorme. Outro doloroso paradoxo. Eles estavam absolutamente certos, e eu concordava totalmente com o que precisava ser feito, mas tornar o filme mais convencional retirou parte do poder da experiência daqueles que estavam profundamente interessados no tema. Essas são as concessões que precisam ser feitas no cinema convencional. Ted Field foi o catalisador para que o filme fosse reeditado de forma muito mais acessível, e se revelou um extraordinário diplomata na forma como conseguiu equilibrar todos os interesses conflitantes.

A criação dos efeitos visuais para a seqüência do mundo pintado envolveu um processo lento e inacreditavelmente caro. Como o orçamento do filme exigia que criássemos algo espetacular para um vasto público, era fundamental que os efeitos visuais fossem revolucionários. Graças a Vincent e a nossa equipe de efeitos especiais, foi exatamente o que aconteceu. Todos realizaram um trabalho magnífico.

Creio que fizemos cerca de 17 apresentações prévias do filme. A Polygram estava esperando que conseguíssemos falar algo que realmente impressionasse um público convencional, mas os resultados das apresentações eram, em geral, os mesmos (depois que tornamos o filme mais linear e menos confuso). As pessoas que se interessavam pelo tema e foram atraídas por ele realmente adoravam o filme. As pessoas que iam assistir atraídas pelo nome dos artistas ou pela promessa da aventura geralmente ficavam desapontadas... ou coisa pior. Ficou extremamente óbvio que o filme seria um sucesso para o público atraído pela história, mas não para o espectador casual.

Amor Além da Vida não é um passeio no parque. Ele desafia o público a olhar dentro de si mesmo e, como tal, não é um filme em que possamos relaxar e aproveitar o passeio. (Não estou criticando os filmes onde é possível fazer isso. *Adoro* esses filmes. *Amor Além da Vida* apenas não é um deles.)

À medida que nos aproximávamos da data de lançamento, em outubro de 1998, a agitação a respeito de *Amor Além da Vida* em Hollywood era grande. Rumores sobre um Oscar. Rumores sobre um grande sucesso comercial. Mas todos estavam errados. Era impossível que esse filme intensamente desafiante e metafísico se transformasse em um sucesso perante a crítica e uma mina de ouro nas bilheterias.

Felizmente para mim, não me deixei cegar totalmente dessa vez. Sem dúvida, eu tinha esperança de que poderíamos atingir um público além da nossa audiência básica, mas, bem no fundo, sabia quer seria muito difícil fazer isso. No entanto, não estava preparado para certas coisas que aconteceram a seguir.

Em primeiro lugar, o filme foi totalmente condenado por quase todos os críticos. Eles o detestaram e foram firmes ao relacionar seus motivos: antiquado, inverossímil, excessivamente elaborado. E essas foram algumas das palavras mais agradáveis. Uma revista efetivamente o chamou de "asneira metafísica", o que doeu muito. Considerei a ofensa pessoal. Eu me sentia como se *Amor Além da Vida* fosse uma das minhas filhas e fiquei observando, indefeso, o filme ser lançado no mundo e atacado. Sei que isso soa melodramático, mas foi assim que me senti. Por sorte, os críticos Siskel e Ebert o amaram, de modo que conseguimos os "dois grandes" e alguns outros. Eu me lembrei de que tanto *2001* quanto *A Felicidade não se Compra* tinham sido muito mal recebidos pela crítica, o que amenizou um pouco o que eu estava sentindo.

Segundo, o filme não se tornou um grande sucesso comercial. Teve uma renda de 55 milhões de dólares nos EUA e de 45 milhões no exterior, de modo que obteve uma receita de bilheteria em torno de 100 milhões de dólares. No entanto, devido ao seu custo (quase 85 milhões de dólares, mais 30 milhões no marketing dos Estados Unidos), ele daria prejuízo à Polygram... e soubemos disso no fim de semana do lançamento.

O filme recebeu duas indicações para o Oscar em 1999, pelo brilhante design de Eugenio e pelos efeitos visuais. Ganhou o último (e deveria ter ganho também o primeiro). O filme tem sido um tremendo sucesso em vídeo e DVD. Os distribuidores de vídeo estão falando a respeito dele da mesma maneira como se referem a *Em Algum Lugar do Passado,* ou seja, que ele está a caminho de se tornar um título eterno. O filme encontrou seu público, o que é a realização profissional da qual mais me orgulho.

No que me diz respeito, a aventura da produção havia terminado. Vinte anos depois!

Interessante é que um evento que aconteceu uma semana após o lançamento do filme consolidou toda a experiência para mim e me mostrou, de uma vez por todas, em um nível profundo, a razão pela qual amo tanto o que faço.

Em vez de me concentrar na realização de um sonho que durou 20 anos e na introdução de um filme puramente metafísico na cultura predominante de Hollywood, me deixei influenciar demais pelas críticas negativas e pela decepção da bilheteria. Durante cinco dias. O Universo então entrou em cena e, uma vez mais, tive uma aula sobre perspectiva.

Recebemos o telefonema de um proprietário de cinema do Meio-Oeste que nos informou haver sido contactado por um homem de Milaukee que tinha uma filha de 17 anos com uma doença terminal. A moça assistira ao trailer de *Amor Além da Vida* na televisão e desejava desesperadamente ver o filme, mas seu estado a impedia de ir ao cinema. O pai perguntava se seria possível enviarmos um vídeo do filme. Você pode imaginar como uma decisão desse tipo é difícil para uma companhia como a Polygram, com tanto dinheiro investido em um filme. Colocar um vídeo no mundo representa um grande risco comercial; no entanto, quando telefonei para a empresa pedindo ajuda, eles concordaram imediatamente, e um vídeo foi enviado a Milwaukee. Descobri o telefone do homem e deixei uma mensagem em sua secretária eletrônica dizendo que esperávamos que o filme fosse o que sua filha esperava que fosse.

Alguns dias depois, recebi um telefonema de um amigo da família que me informou que o filme tinha chegado e que a jovem havia falecido dois dias depois. Deixei então uma mensagem de pêsames.

Duas semanas depois, o pai me telefonou. Chama-se Chuck Weber e é empreiteiro em Milwaukee. Ele me disse que a filha, Amanda, havia contraído uma forma rara de câncer incurável e que esteve doente por um ano, durante o qual fora muito corajosa. No final, ela ficara um pouco assustada, e foi quando começou a assistir a propaganda de *Amor Além da Vida,* o que por sua vez motivou Chuck a tentar conseguir uma cópia do vídeo.

Chuck me contou que observou Amanda assistindos ao filme, e que notou que a atitude da filha havia mudado quando ela viu a seqüência do mundo pintado. Amanda parecia mais relaxada. No dia seguinte, pediu que a levassem a um parque para que pudesse contemplar as cores do outono. Chuck imaginou que a filha talvez fosse falecer na quietude do parque, mas Amanda logo disse que queria voltar para casa. No caminho de volta, pediu que o pai não se preocupasse com ela porque, graças a *Amor Além da Vida,* ela agora tinha uma referência do lugar para onde iria. No dia seguinte, Amanda morreu tranqüilamente em casa junto do pai e dos amigos.

As palavras de Chuck naquele dia mudaram para sempre minha perspectiva. Ele me disse que não havia assistido ao filme, de modo que não poderia comentá-lo; no entanto, observou o efeito que ele exerceu em Amanda. Ele me disse que, "independentemente de outras coisas, Stephen, esse filme conferiu paz a mim e a minha filha nos seus dois últimos dias de vida. Nunca se esqueça disso. Não existe nada mais importante, não é mesmo?".

Nunca me esquecerei dessas palavras. Até hoje trago na carteira uma foto de Amanda. Chuck se tornou um amigo querido e chegado da família. Cuidava sozinho da filha, e também temos uma profunda ligação espiritual. Minha filha Cari tem a mesma idade que Amanda teria hoje, se tivesse sobrevivido. Depois de conhecer Cari, Chuck deu para ela várias roupas e objetos pessoais de Amanda, e alguns para a minha filha mais nova, Heather. Já faz quatro anos que Amanda morreu, e sentimos, com freqüência, sua presença entre nós.

Amanda me fez relembrar o que realmente é importante em minha vida.

Tocar e afetar profundamente, mesmo que uma única vida humana, da forma profunda como *Amor Além da Vida* afetou Amanda é a maior satisfação que o meu trabalho poderia me proporcionar. Não é o reconhecimento. Não são os ornamentos da definição tradicional do "sucesso". É o trabalho em si, bem como o fortalecimento e a inspiração que podem fluir para o coração e para a mente daqueles que são tocados pelo trabalho.

Foi o que me ensinaram uma menina corajosa de 17 anos e o seu pai amoroso.

Obrigado, Amanda e Chuck.

Jamais esquecerei.

"Deus é um comediante que se apresenta diante de um público que tem medo de rir."
Alguém Lá em Cima Gosta de Mim

Capítulo Dezesseis

Sua vez

NA MARAVILHOSA COMÉDIA *Tootsie* [*Tootsie*], BILL MURRAY interpreta um teatrólogo fascinado não pelas pessoas que o procuram para dizer que adoraram sua peça, e sim pelas que perguntam: "Ei, cara, eu assisti à sua peça... o que aconteceu?" Minha esperança é que você seja uma das pessoas mencionadas em *Alguém Lá em Cima Gosta de Mim* que riu conosco e talvez até tenha se sentido inspirada. Por outro lado, talvez ache que sou completamente louco e que deveria ser internado em uma instituição onde possam me manter afastado de objetos pontiagudos... e do meu computador. Espero que seus sentimentos sejam intensos. Esse tipo de reação provoca um debate apaixonado e, na minha opinião, essa é uma das coisas que estamos aqui para fazer. Formular perguntas, opiniões. Envolver-nos. E, acima de tudo, *sentir alguma coisa*! Ofereça-se como voluntário e participe dessa grande aventura que chamamos vida. Eu acredito, esse é o modelo da situação de ganho mútuo.

Criamos um website para que você possa expor os seus sentimentos: www.mysticalmovies.com. Aguardamos comentários sobre filmes que possamos ter omitido, particularmente aqueles que talvez tenham levado mensagens importantes à sua vida. Você também poderá bater papo com pessoas interessadas nesse gênero de filme, trocar idéias sobre todos os filmes que relacionamos e até mesmo comprá-los. Também vamos incluir no site comentários atualizados sobre novos filmes e outras formas de entretenimento relacionados à espiritualidade. Pretendo reunir os comentários recebidos e, com eles, publicar uma continuação deste livro.

Que comecem os jogos.

Posfácio

ANTES DE TECER COMENTÁRIOS SOBRE O TEMA DO LIVRO DE STEPHEN, gostaria de citar parte do meu prefácio à edição Dream Press, de 1995, dos meus romances *Somewhere in Time* e *What Dreams May Come*.

Eis o que escrevi:

"Estou feliz por esses dois romances terem sido reunidos em um único livro. Ambos são histórias de amor, um deles romântico, o outro, metafísico; de certa maneira, acredito que *What Dreams May Come* amplia *Somewhere in Time*.

"*Somewhere in Time* é a história de um amor que transcende o tempo. *What Dreams May Come* é a história de um amor que transcende a morte.

"Não planejei que eles estivessem psiquicamente tão conectados, mas acho que estão..."

Stephen também compartilhava claramente essa opinião. De que outra maneira poderíamos explicar os vários anos e o dedicado esforço que ele gastou para levá-los com tanta beleza à tela?

O que nos conduz a outro ponto que gostaria de ressaltar antes de comentar o restante do livro de Stephen.

Além do conteúdo declarado, considerei o livro incrivelmente instrutivo devido à multiplicidade de detalhes a respeito da indústria cinematográfica atual. Apesar de todos os meus anos de atuação no setor, literalmente desconhecia todos eles. Considero muitos assustadoramente desafiantes, o que me torna quase grato (mas não completamente) pela existência do preconceito de idade no setor. Sou um simples contador de histórias.

Quanto ao livro propriamente dito, está muito claro que Stephen realizou, com perfeição, algo de que sou cada vez mais incapaz, ou seja, aprofundar-me em todos os aspectos da esfera metafísica. Os detalhes das realidades metafísicas são, provavelmente, inumeráveis, estando, pelo menos, além de qualquer número convenientemente disponível à nossa observação. O fato de Stephen tê-los abordado com decisão, projetando sobre eles a luz brilhante da investigação psicológica, é simplesmente extraordinário. O fato de ter conseguido explicá-los tão bem vai além do extraordinário e atinge a esfera do espantoso.

As observações e avaliações de Stephen estão muito além da minha capacidade de investigação. Como disse, sou um simples contador de histórias. Há muito tenho consciência disso.

Mas eu não tinha consciência do extraordinário crescimento e capacidade de discernimento do meu amigo Stephen Simon.

A força está com você é, sem sombra de dúvida, um livro memorável. Eu o vejo nas prateleiras das escolas de cinema, livrarias, universidades e bibliotecas públicas anos a fio.

Caso eu tenha sido, de alguma maneira, um fator que contribuiu para o nascimento deste livro, sinto-me não apenas imensamente grato como também, como já comentei, incomensuravelmente impressionado.

Como lidar com a repentina e surpreendente descoberta de que o jovem que conhecemos há décadas como um consumado produtor de cinema também é (ou se tornou) um homem com um profundo discernimento espiritual e uma enorme capacidade de escrever?

Sua penetrante compreensão do que diz respeito ao conteúdo metafísico de tantos filmes hollywoodianos foi realmente impressionante e inesperada para mim. Sua capacidade de fazer decomposições cuidadosamente formuladas desses filmes foi (e é) extraordinária.

De onde veio esse jovem (bem, ele era jovem quando o conheci)? Acredito que, no momento oportuno, sempre conhecemos pessoas que estamos destinados a encontrar.

Foi maravilhoso o fato de Stephen ter estado sempre por perto a minha vida inteira, esperando para aparecer, para ajudar, para enriquecer minha existência e, agora, para me surpreender com sua sabedoria.

Sinto-me como um homem poderia se sentir caso, ao jogar bola com um talentoso e agradável jogador de beisebol, descobrisse, em uma explosão de assombro, que esse mesmo homem pode muito bem ser eleito para a Galeria da Fama na próxima eleição.

Richard Matheson
Hidden Hills, Califórnia

Este livro foi composto na tipologia Adobe Caslon Pro,
em corpo 12/15,1, impresso em papel off-white 80g/m²,
no Sistema Cameron da Divisão Gráfica da Distribuidora Record.